D0539277

HARMONISEZ VINS ET METS

LE NOUVEAU GUIDE DES ACCORDS PARFAITS

Catalogage avant publication de Bibliothèque et Archives Canada

Orhon, Jacques
Harmonisez vins et mets : le nouveau guide des accords parfaits

1. Vin. 2. Accord des vins et des mets. 3. Menus. 4. Cuisine.
I. Titre.

TP548.O73 2004 641.2'2 C2004-941409-7

Coordination de la production : Diane Denoncourt
Conception de la maquette : Josée Amyotte
Design graphique : Ann-Sophie Caouette
Traitement des images : Mélanie Sabourin, Patrick Thibault
Infographie : Louise Durocher, Luisa da Silva
Révision et correction : Céline Sinclair, Odette Lord
Révision des recettes : Monique Richard
Stylisme et accessoires : Luce Meunier
Stylisme culinaire : Jacques Faucher
Photographies : Tango
Accessoires de cuisine : Després Laporte et Les Touilleurs
Accessoires du vin : Jacques Orhon

Gouvernement du Québec – Programme de crédit d'impôt pour l'édition de livres – Gestion SODEC – www.sodec.gouv.qc.ca

L'Éditeur bénéficie du soutien de la Société de développement des entreprises culturelles du Québec pour son programme d'édition.

Conseil des Arts du Canada **Canada Council for the Arts**

Nous remercions le Conseil des Arts du Canada de l'aide accordée à notre programme de publication.

Nous reconnaissons l'aide financière du gouvernement du Canada par l'entremise du Programme d'aide au développement de l'industrie de l'édition (PADIÉ) pour nos activités d'édition.

Dépôt légal: 4e trimestre 2004
Bibliothèque nationale du Québec

ISBN 2-7619-1986-6

DISTRIBUTEURS EXCLUSIFS :

- Pour le Canada
et les États-Unis :
MESSAGERIES ADP*
955, rue Amherst
Montréal, Québec
H2L 3K4
Tél. : (514) 523-1182
Télécopieur : (514) 939-0406
* Filiale de Sogides ltée

- Pour la France et les autres pays :
INTERFORUM
Immeuble Paryseine, 3, Allée de la Seine
94854 Ivry Cedex
Tél. : 01 49 59 11 89/91
Télécopieur : 01 49 59 11 96
Commandes : Tél. : 02 38 32 71 00
Télécopieur : 02 38 32 71 28

- Pour la Suisse :
INTERFORUM SUISSE
Case postale 69 - 1701 Fribourg - Suisse
Tél. : (41-26) 460-80-60
Télécopieur : (41-26) 460-80-68
Internet : www.havas.ch
Email : office@havas.ch
DISTRIBUTION : OLF SA
Z.I. 3, Corminbœuf
Case postale 1061
CH-1701 FRIBOURG
Commandes : Tél. : (41-26) 467-53-33
Télécopieur : (41-26) 467-54-66
Email : commande@ofl.ch

- Pour la Belgique et le Luxembourg :
INTERFORUM BENELUX
Boulevard de l'Europe 117
B-1301 Wavre
Tél. : (010) 42-03-20
Télécopieur : (010) 41-20-24
http://www.vups.be
Email : info@vups.be

Pour en savoir davantage sur nos publications,
visitez notre site : **www.edhomme.com**
Autres sites à visiter : www.edjour.com
www.edtypo.com • www.edvlb.com
www.edhexagone.com • www.edutilis.com

Jacques Orhon

HARMONISEZ VINS ET METS

LE NOUVEAU GUIDE DES ACCORDS PARFAITS

500 suggestions d'achat de vins
plus de 1 000 propositions de mets
50 recettes de 10 grands chefs

Remerciements

Vous pouvez imaginer que la rédaction d'un livre demande beaucoup d'énergie et de volonté. Mais à quoi tout cela pourrait-il bien servir si l'auteur n'avait pas l'aide et l'appui, volontaire ou parfois inconscient, de nombreuses personnes ? Pour toutes ces raisons, je voudrais remercier tout d'abord les responsables des Éditions de l'Homme pour leur confiance dans ce projet ainsi que toute l'équipe de production qui a fait un travail remarquable, de la maquette au résultat final.

Merci aux quelques vignerons et producteurs ainsi qu'aux responsables et à leurs adjoints des agences promotionnelles en vins et spiritueux qui m'ont facilité la collecte des quelque 500 étiquettes qui illustrent mes recommandations d'achat.

Pour avoir accepté spontanément de participer à cette aventure culinaire, merci de tout cœur aux chefs à qui je suis particulièrement reconnaissant, d'autant plus que certains d'entre eux publient leurs propres ouvrages. J'ai constaté une fois de plus que la générosité est une qualité que possèdent les vrais acteurs de notre profession. Si je ne les cite pas dans cette page, c'est que je réserve un mot à chacun d'entre eux au début du chapitre consacré à leurs belles recettes. J'en profite pour remercier celles et ceux qui ont servi d'intermédiaires afin de coordonner avec moi l'exécution de cette partie importante du livre.

Un immense remerciement va à l'équipe du Studio Tango où nous avons réalisé toutes les photos de cet ouvrage. J'ai eu beaucoup de plaisir à collaborer avec eux, car j'ai appris autant au contact de Luce Meunier, styliste et véritable metteur en scène de la photo, qu'en regardant travailler Jacques Faucher, chef de cuisine et styliste ingénieux de l'assiette, tout cela sous l'œil averti et exigeant de Michel Bodson, le talentueux photographe.

Bien entendu, je n'oublie pas mes amis pour leurs encouragements sincères, ni Josiane, Jean-Nicolas et Julie, qui savent depuis les tout débuts que leur fidèle support m'est indispensable.

Avant-propos

Lors de la publication de mon premier livre portant sur l'harmonisation des vins et des mets, je racontais qu'une amie m'avait chuchoté à l'oreille que la dégustation, c'est l'intimité du vin. Je considère toujours que cette jolie pensée nous permet de comprendre que l'acte de déguster n'appartient vraiment qu'à soi et ne se rattache qu'à nos propres références. Dans la même veine, l'art de boire en mangeant n'appartient aussi qu'à soi. Après tout, chacun peut bien boire ce qu'il veut s'il croit avoir trouvé le compagnon idéal pour escorter son mets préféré !

Et pourtant, à moins que l'on soit misanthrope, un des grands plaisirs de la table, au-delà du culte du bien manger, c'est celui de partager pendant quelques instants – trop courts, la plupart du temps – ses impressions et ses sensations avec ceux qu'on aime, ceux qu'on apprécie et dont la présence nous réconforte. C'est dans cet esprit de convivialité que la cuisine s'est transformée au fil des décennies pour aller plus loin que la simple nourriture vitale et devenir, lorsque l'humain en ressent le besoin, la nourriture plaisir conjuguée à l'art gastronomique.

De la même façon, il y a longtemps que le jus de la treille est passé à nos yeux du statut de simple boisson à celui, plus complexe, de vin-plaisir-culture. Et cela va bien plus loin que la seule satisfaction épicurienne. Il y a, dans le bonheur de recevoir et d'être reçu, celui d'échanger, de rencontrer, d'apprendre et de communiquer.

À ce propos, si l'on considère que communiquer, c'est avant tout la manière de mettre quelque chose en commun, on peut se demander s'il existe un moment plus propice que le repas pour échanger des idées, écouter les autres, se faire des clins d'œil complices et se sentir d'égal à égal par la simple et même fonction d'avaler des mets et des vins. C'est ce que j'ai eu la chance d'apprendre tout jeune avec des parents qui donnaient à chacun de leurs enfants la liberté de s'exprimer à table.

Nous pensons, grâce aux technologies d'aujourd'hui, que nous n'avons jamais si bien communiqué ; pour ma part, je n'en suis toujours pas convaincu. Il suffit, hélas, de regarder autour de nous pour constater que la qualité des relations interpersonnelles se dégrade. Peut-être est-ce dû, en partie du moins, au fait que les gens ne prennent plus le temps de manger ensemble, trop occupés qu'ils sont à courir après on ne sait quoi.

Pour toutes ces raisons, et si l'on veut faciliter cette communication (ou communion) à table, il est donc préférable que certains éléments soient respectés : le bon mets servi à point au bon moment, accompagné du bon vin servi à la bonne température, dans les bons verres, et surtout avec les bonnes personnes.

Pour ce qui est des convives, je vous laisse seul juge... Mais pour le reste, je vous invite bien humblement à découvrir dans ce livre les nombreuses harmonies mets et vins qui feront de vos repas les réussites tant espérées, les accords que l'on voudrait parfaits, même si en matière de goût, la perfection est toute relative. En effet, on impose souvent à un client, à un ami ou à un voisin tel vin plutôt qu'un autre, avec la marque, la maison et l'année, comme s'il n'y avait qu'une association pouvant créer l'accord idéal. Et pourtant, toujours en respectant les règles de base, nous avons généralement la possibilité de créer beaucoup d'alliances selon les circonstances et notre budget. C'est pour cette raison que j'ai tenu à proposer un grand nombre de vins et de types de vins à prix variés et surtout provenant des quatre coins du monde. Profitons-en ! Il est dommage en effet d'acheter toujours et encore les mêmes produits, par crainte d'être déçu. Quand je pense que beaucoup de gens, surtout dans les principaux pays producteurs, vont boire les quinze mêmes vins toute leur vie...

Il n'est pas facile cependant de recommander un vin plutôt qu'un autre. Pour votre bénéfice, je me suis donc attaché à suggérer sans équivoque ce que j'appellerai « des valeurs sûres », c'est-à-dire des vins très bons qui sont relativement abordables et que l'on peut se procurer facilement. En fait, j'ai tenu à insister sur l'idée qu'il est possible de trouver son bonheur sans se ruiner, même si, parfois, le type même du plat (foie gras, gibier, etc.) ne me permet pas de suggérer des vins moins chers. Tout cela ne vous empêchera pas de vous faire plaisir avec de nombreux autres vins, toujours d'une très grande qualité mais parfois moins accessibles tant sur le plan du prix que sur le plan de la disponibilité. Je suis conscient que cette méthode m'empêche de parler de tous les vins dignes d'intérêt. Elle a toutefois le mérite de laisser à chacun le choix et le loisir de faire ses propres découvertes.

On ne le répétera jamais assez, l'art de marier les mets et les vins est des plus subjectifs. Il faut surtout éviter les règles trop strictes, celles qui vous empêchent d'approcher, ne serait-ce qu'un instant, le plaisir partagé. Après tout, on ne peut interdire à quelqu'un de boire un Château Margaux avec son hamburger ni de savourer un petit vin blanc bien ordinaire avec un foie gras poêlé. C'est pour cette raison que tout au long de ce livre je vous propose différentes avenues, sans rien imposer. Certes, parfois je suggère fortement, mais je m'efforce de justifier mes choix selon des critères spécifiques, dont la texture, les cuissons et la couleur du mets ainsi que les condiments utilisés dans la recette. À ce propos, la grande nouveauté de ce livre est de vous présenter cinquante préparations, toutes pensées et concoctées par de grands chefs connus et moins connus. Là n'est d'ailleurs pas la question. Mon idée de départ était simplement de vous offrir des recettes mises au point par des professionnels avec lesquels je partage une certaine idée de la cuisine, c'est-à-dire une cuisine que nous voulons aussi franche que savoureuse, aussi vraie que simple à exécuter, aussi créative que conviviale tant pour celles et ceux qui la dégustent que pour le vin qui sera choisi afin de la mettre en valeur. Si je me suis efforcé d'indiquer un grand nombre de plats simples, faciles à réaliser et à marier, dans le but de satisfaire tous les goûts, la démarche a été la même pour les recettes proposées. J'insiste là-dessus, car on constate depuis quelques années qu'il existe une tendance à s'adonner à une cuisine intellectuelle et alambiquée voulant se démarquer, sans doute, mais ne faisant rien pour faciliter l'accord avec le vin. À force de vouloir se montrer original – aromates, épices et condiments nombreux et divers associés pêle-mêle, venant de partout et semant la pagaille dans l'assiette au lieu de créer l'harmonie –, on dérape souvent et l'on passe à côté des plaisirs bien sentis, simples et vrais. Les recettes de mes dix chefs complices, j'ai tenu à vous les présenter au moyen de belles photos, chaudes et invitantes, soulignant avec justesse la connivence certaine qui existe entre le vin et la cuisine.

Il ne faut pas, cependant, prendre tout cela trop au sérieux. Même si l'art d'associer nectar et ambroisie n'est pas toujours chose facile, faites-en un jeu et amusez-vous. Je vous invite à la découverte de certains rapports de force entre mets et vins et à la recherche de l'équilibre entre le liquide et le solide, en sollicitant, toutes papilles et narines confondues, vos sens de fin gourmet et d'œnophile averti. C'est dans cet esprit que je vous propose des harmonies on ne peut plus classiques, mais aussi des combinaisons plus hardies. De plus, une autre des joies du mariage des vins et des mets, c'est de choisir d'abord le cru, celui qu'on a vraiment envie de boire.

Enfin, si l'expérience et le souci de bien marier les mets aux vins m'ont guidé dans mon travail, ce sont le désir et le plaisir de partager avec vous plus de trente ans vécus des deux côtés du «terrible et crucial» dilemme qui m'ont motivé à écrire ce livre.

COMMENT UTILISER CE LIVRE

Reprenant la même méthode que dans mes deux précédents livres consacrés à l'harmonie des mets et des vins, j'ai recours à deux façons de présenter mes suggestions dans chacun des chapitres. Suivant la première façon, je commence par expliquer des points précis, puis je donne des indications générales selon le type de vin, sa région et son pays d'origine. Ensuite, tel que je l'expose plus loin, je présente une sorte de guide d'achat assorti de recommandations détaillées.

Afin de suggérer beaucoup de mets – il y en a environ 1000 – il m'a semblé judicieux de créer des regroupements fondés sur des analogies de couleurs, d'ingrédients et de préparations. Dans la plupart des cas, j'ai préféré me baser sur les modes de cuisson, mais je n'ai pas oublié les recettes traditionnelles ni ces spécialités qui, à tout coup, font de leur alliance avec le vin quelque chose qui ressemble parfois plus à un mariage d'amour qu'à un mariage de raison.

Avant de donner une liste de mets, j'explique généralement les motifs qui guident mon choix de tel ou tel type de vin. Quand un mets apparaît en caractère gras dans une liste, cela signifie que sa recette détaillée figure au chapitre consacré aux recettes. Chacune d'elles a été mise au point par un chef talentueux et est accompagnée d'un coup de cœur, c'est-à-dire une idée de mariage idéal que j'ai décidé de partager avec vous. De plus, et c'est là un détail important, afin de maximiser mes suggestions et de mettre en relief tous les cas particuliers, j'utilise l'astérisque pour renvoyer la lectrice ou le lecteur à une explication plus pointue.

En ce qui concerne les vins, j'ai voulu, autant que faire se peut, conseiller de nombreuses appellations ayant des caractéristiques communes, peu importe leur région ou leur pays d'origine. Je commence toujours par les produits de France, les plaçant par région en ordre alphabétique, et je poursuis avec ceux de l'Italie, du reste de l'Europe et des autres principaux pays producteurs. Pour éviter les répétitions inutiles, j'insiste sur le nom du vin, en fonction de ses origines et de son appellation. Ensuite, je précise de manière presque systématique la température de service idéale. Plus loin – et c'est aussi une partie de l'intérêt pratique de ce livre –, on trouvera, en fonction des mets proposés, près de 500 vins différents illustrés par leur étiquette.

Finalement, dans chacun des chapitres, je présente des vins appartenant à trois ou quatre échelles de valeur (ou de prix), car je suis convaincu non seulement que l'accord parfait n'exige pas nécessairement le vin le plus cher, mais aussi que tout le monde, financièrement à l'aise ou pas, a le droit de se faire plaisir. De plus, considérant un plat et sa préparation, il faut se donner une certaine latitude. Voici donc l'échelle des valeurs qui a été retenue.

Indique les vins peu coûteux,
donc très abordables.

Indique des vins dont le prix est moyen,
mais qui sont encore abordables.

Indique des vins un peu plus chers,
mais relativement accessibles.

Indique des vins beaucoup plus chers.

Il peut arriver que des vins d'une même région ou d'une même appellation se retrouvent dans deux ou trois catégories de valeur. La raison est fort simple : en fait, tout dépend des cuvées sélectionnées.

LA FORCE DE L'ÉTIQUETTE

Visuellement parlant, ce livre a été conçu pour apporter une réponse claire et explicite à cette question lancinante et légitime de bien des œnophiles : mais quel vin vais-je donc acheter ?

Au-delà de sa dimension légale et de son caractère informatif, une étiquette de vin est aussi une invitation au voyage. En fait, une étiquette exprime beaucoup plus que ce que la plupart des gens croient généralement. Il suffit de prendre quelques minutes pour la déchiffrer afin d'en cerner toutes les subtilités et peut-être mieux anticiper ce que le vin a à nous offrir.

Tel un passeport que le douanier observe attentivement, l'étiquette parle d'elle-même. Elle nous renseigne sur l'appellation, le pays et la région d'origine, le millésime et la maison : ce vin provient-il d'un propriétaire récoltant ? d'une cave coopérative ? d'un négociant ? Cette notion de signature – ou de réputation de la maison concernée – m'apparaît incontournable depuis quelques années. Parfois célèbres, parfois moins connus, tous les producteurs représentés dans ce livre offrent un gage de grande qualité. Quant à la contre-étiquette (apposée au dos de la bouteille), elle nous donne parfois, lorsqu'elle est bien faite, de précieux renseignements sur les cépages, le mode d'élaboration et le mariage du vin avec les mets.

Invitante, l'étiquette nous fait rêver, réfléchir, saliver ; elle nous accompagne du magasin – ou de la cave – à notre verre, nous laissant deviner le plaisir à venir. Il était presque inévitable que, en tant que modeste collectionneur d'étiquettes depuis une trentaine d'années, je les utilise pour illustrer mes accords gourmands. Je vous propose dès lors de parcourir ce livre à la façon d'une carte des vins que le sommelier que je suis bichonne et met à jour, au gré des départs et des arrivées, avec le souci constant de l'adapter à la bonne cuisine... et non à la bouffe, comme on l'appelle hélas ! de nos jours, sans discernement et *ad nauseam*.

Les 500 vins représentés par ces étiquettes, je les ai sélectionnés avec une attention toute particulière. Ils constituent mon premier choix, qui se fonde avant tout sur les mets proposés, sur la qualité du vin, sur son prix et sur sa disponibilité. Dans ce livre, qui se veut bien modestement « intemporel », j'ai fait abstraction de la notion de millésime. Plusieurs raisons m'ont amené à prendre cette décision, dont le fait qu'une bonne maison ou un producteur sérieux élaborent généralement, bon an mal an, des cuvées de haute qualité (*voir* le chapitre intitulé « Le service du vin ou comment devenir un expert » p. 21). Après le nom de chaque vin indiqué sous l'étiquette, on trouvera entre parenthèses le nom de sa région (pour les vins français, en général) ou de son pays d'origine quand je juge opportun de les préciser.

En ce qui concerne tous les vins suggérés, je tiens à préciser que j'ai réalisé cet ouvrage en toute indépendance sur le plan commercial et qu'il ne s'agit évidemment en aucun cas de publicité.

Titre évocateur annonçant une liste de mets qui présentent suffisamment de points communs pour être unis dans une même cause, celle de l'harmonie avec des vins partageant des caractéristiques semblables.

Comme je l'ai précisé dans l'avant-propos, mon but est de vous soumettre la plus grande variété possible d'accords réalisables avec des mets regroupés par affinités, compte tenu de leur préparation, de la cuisson éventuelle, des aromates et des condiments utilisés dans la recette.

Lorsqu'un mets est en caractères gras dans une liste, cela signifie que l'on peut en retrouver la recette détaillée au chapitre commençant à la page 243.

AVEC DÉGLAÇAGE AU FOND BRUN: DES ROUGES CHARNUS ET FRUITÉS

On dit qu'il faut se méfier de l'eau qui dort. Il en est de même pour certains vins qui, sous des allures sobres, donnant l'air de ne pas y toucher, possèdent en fait une forte personnalité qui se reconnaît à coup sûr dans le verre. Les robes sont belles, attrayantes, et l'on retrouve en bouche une certaine matière, une présence de fruits ainsi que des tanins assouplis mais bien mûrs, donnant une indéniable rondeur à l'ensemble empreint de simplicité.

*Coq au vin rouge (coq au chambertin)**
*Poulet au curry et au gaillac rouge**
Poulet aux olives
Poulet aux tomates et aux poivrons verts
*Poulet à la basquaise***
*Poulet chasseur (cacciatore)****
Poulet de grain en crapaudine, aux épices et au romarin
Poulet sauté aux champignons
Poulet sauté aux morilles
Poulet sauté aux poivrons rouges
Suprêmes de poulet au sésame et aux poivrons doux

🍇 / 🍇🍇

Bordeaux: bordeaux – bordeaux supérieur – côtes de castillon – graves – lussac-saint-émilion – montagne-saint-émilion – premières côtes de bordeaux
Bourgogne-Beaujolais: bourgogne pinot noir – chénas – côte de beaune-villages – côtes de brouilly – juliénas – morgon – moulin à vent – saint-amour
Languedoc-Roussillon: cabardès – corbières – coteaux du languedoc – faugères – minervois – vins de pays (cépages carignan, grenache, merlot et cabernet sauvignon)
Loire: anjou-villages – bourgueil – chinon – menetou-salon rouge – saumur-champigny – touraine
Rhône: costières de nîmes – coteaux du tricastin – côtes du rhône – lirac – vacqueyras
Sud-Ouest: buzet – gaillac – madiran
Italie: alto adige (schiava) – lison-pramaggiore (merlot et cabernet) – sangiovese di romagna – IGT toscana à base de sangiovese
Autres pays: catalunya, penedès, somontano, yecla (Espagne) – douro (Portugal) – pinot noir de Hongrie – carmenère et cabernet sauvignon du Chili – malbec d'Argentine – tannat (Uruguay) – merlot de Californie – pinotage, pinot noir et merlot d'Afrique du Sud

🍇🍇🍇

Bordeaux: canon-fronsac – lalande de pomerol – moulis – saint-émilion
Bourgogne: givry – mercurey – pernand-vergelesses – saint-romain – santenay –
Rhône: gigondas – saint-joseph
Italie: barbera d'alba – barbera d'asti – barco reale – breganze – carmignano
Autres pays: pinot noir de Suisse, de l'Oregon et de Californie

🍇🍇🍇🍇

Bordeaux: margaux – saint-estèphe
Bourgogne: aloxe-corton – chambolle-musigny – gevrey-chambertin – morey-saint-denis – vosne-romanée – vougeot
Autres pays: pinot noir de Californie et d'Oregon (Reserve)

112 VOLAILLES

Prix des vins suggérés:

- 🍇 Peu coûteux
- 🍇🍇 Moyen
- 🍇🍇🍇 Un peu plus cher
- 🍇🍇🍇🍇 Beaucoup plus cher
- 🍇/🍇🍇 Très abordable à moyen
- 🍇🍇/🍇🍇🍇 Moyen à un peu plus cher
- 🍇🍇🍇/🍇🍇🍇🍇 Un peu plus cher à beaucoup plus cher

Au-delà de mes recommandations formelles, je souhaite élargir vos horizons en vous donnant la possibilité de choisir d'autres types de vins en fonction de vos goûts personnels, de vos habitudes, de votre budget et de votre réserve.

Informations importantes concernant la température de service, l'âge des vins et des spécificités d'ordre culinaire ; suggestions et recommandations de toutes sortes.

La plupart des vins proposés dans la première échelle de prix seront servis jeunes (deux ou trois ans) à une température de 14 à 16 °C. Les vins suggérés dans la deuxième échelle de prix auront quelques années (trois à cinq ans) et seront servis à une température de 16 à 18 °C. Quant aux très grands, il faut choisir des vins âgés de cinq à huit ans au moins, et les servir eux aussi à une température oscillant entre 16 et 18 °C. Pour les amateurs, certains rosés secs et généreux pourraient convenir, surtout si l'on a affaire à une préparation relevée, comme du poulet épicé au basilic (spécialité thaï).

* Pour des raisons évidentes, on servira le même vin que celui qu'on a utilisé dans la préparation. Mais allez-vous vraiment servir un chambertin avec votre coq au chambertin ? Je l'espère ! Si vous avez mis du chambertin dans la recette, c'est que vous n'êtes sûrement pas à une bouteille près de ce délicieux et célèbre nectar ! Sinon, essayez quand même de rester dans les beaux vins rouges de la côte de Nuits – en fonction de vos moyens, bien sûr.

** Tous les vins cités précédemment, mais si l'on veut respecter l'accord régional, un irouléguy rouge, vin rare du Pays basque élaboré avec cabernets et tannat. Sinon, un madiran assez souple du Béarn voisin fera tout aussi bien l'affaire.

*** Si le poulet chasseur est réellement « cacciatore », le vin italien lui ira comme un gant.

Éléments essentiels de ce livre, les renvois indiqués par un ou plusieurs astérisques me permettent de maximiser mes suggestions et de mettre en relief tous les cas particuliers.

Douro, Reserva, Castelinho (Portugal)

Chénas, Château de Chénas (Beaujolais)

Santa Cristina, IGT Toscana, Antinori (Italie)

Merlot Eagle Peak, California, Fetzer Vineyards (États-Unis)

Pinotage, Kanonkop Estate (Afrique du Sud)

Vin de Pays d'Oc, Cuvée Emperatriz, Domaine des Bons Auspices (Languedoc)

Les vins que représentent ces étiquettes ont été sélectionnés avec une attention toute particulière. Ils constituent un premier choix, qui se fonde avant tout sur les mets proposés et sur la qualité du vin ainsi que sur son prix et sa disponibilité. Il s'agit en fait des achats que je vous recommande, car ce sont des valeurs sûres à ne pas manquer.

VOLAILLES 113

Les règles de base

Comme je le dis en avant-propos, l'art de marier les vins et les mets est des plus subjectifs et la notion de perfection en matière de goût est toute relative. J'en suis convaincu. Cependant, je suis persuadé aussi qu'il faut respecter certains principes de base, lesquels sauront faire toute la différence, puisque chaque vin réagit différemment avec un mets, au gré des variations de sa composition en lipides, en glucides et en protéines. Mais que l'on se rassure, l'harmonisation est assez facile. Il s'agit d'une simple question de bon sens, assaisonnée de quelques connaissances, saupoudrée d'un peu de patience et de persévérance... sans que la note soit trop salée pour autant. Théoriquement, deux grands principes régissent l'harmonie des vins et des mets : le choix horizontal et le choix vertical.

Le choix horizontal

L'objectif premier pour réaliser un bon mariage entre un mets et un vin est de ne pas opposer les impressions qui seront ressenties, mais au contraire de mettre en valeur chacune des parties en jeu. Il s'agit en fait de se servir des vins et des mets en toute réciprocité, pour atténuer un défaut de l'un ou de l'autre ou mettre en valeur les qualités dont chacun bénéficie.

Sucré, salé, acide et amer... Comme l'explique si bien le regretté Émile Peynaud dans *Le goût du vin*, l'harmonie doit se faire sur trois plans : l'intensité, la qualité et la nature des sensations. Servir un vin généreux, corsé et charpenté sur un plat assez neutre serait, si je puis dire, « un coup d'épée dans l'eau » pour le vin, une démarche inutile. Par exemple, imaginez un instant votre meilleur châteauneuf-du-pape (rouge) sur un morceau de poulet froid. Celui-ci n'aurait plus qu'à aller se cacher dans le fond du réfrigérateur sans demander son reste, faute de pouvoir tenir tête au vin. Quant au châteauneuf, il ferait simplement figure de grossier personnage, lourdaud et malveillant. C'est comme lorsque l'on se parfume : aussi fine, aussi prestigieuse et aussi chère que soit notre eau de toilette préférée, ce n'est pas une raison pour s'en asperger partout et inonder par la même occasion les narines de tous nos congénères. C'est une simple question de dosage et d'équilibre, l'objectif étant d'établir un parallèle mais aussi un prolongement entre le liquide et le solide.

Exemple contraire : vous avez préparé un civet de lièvre qui a mariné suffisamment et embaume la cuisine de ses aromates, bien avant que vous puissiez le dévorer. Vous ne servirez tout de même pas avec ce mets savoureux le petit vin de table neutre (aussi rouge soit-il) que votre beau-frère a déniché pour vous, lors de ses dernières vacances, ou qu'il a acheté au magasin du coin. Je ne dis pas que ce vin n'est pas bon ; il le sera peut-être, mais dans d'autres circonstances. Avec le lièvre, cependant, il aura triste mine, le pauvre, et pendant que le gibier à poil paradera tout seul dans votre assiette et votre bouche, vous aurez, déception suprême, l'impression de boire de l'eau.

Toutefois, l'exception confirme la règle, car l'alliance vient parfois d'un contraste, et c'est bien connu... les contraires s'attirent. Les œnophiles et amateurs de fromages ne me contrediront pas, eux qui pratiquent avec délectation l'alliance de sucré-salé que leur procure l'union sauternes-roquefort, aujourd'hui classique. C'est peut-être pour cela que Cocteau a écrit que « L'harmonie, c'est la conciliation des contraires, pas l'écrasement des différences ».

Le rapport qualitatif est également très important. Servir un grand vin fin et délicat sur une cuisine trop simple et sans intérêt serait une erreur. Toutefois, je privilégie une approche culinaire simple avec des vins de grande qualité ; mais dans ce cas, « simple » ne veut pas dire *sans intérêt*. La qualité de l'aliment de base, sa cuisson et la fraîcheur des ingrédients jouent un rôle primordial. J'ai en mémoire ce petit canard que mon ami Jean-Pierre (qui excelle dans la vraie cuisine du terroir) nous a préparé à la maison, sans façon.

Autour de ce canard rôti, servi avec des petits navets confits et accompagné d'un madiran de quelques années aux tanins bien enrobés, l'accord a été unanime ; les convives, le producteur du vin et des professionnels fins gourmets de nations diverses ont applaudi. Le lendemain, le chef m'avouait avec humilité qu'il fallait remercier le canard avant tout...

Plus embêtant serait le contraire. Choisir un vin neutre et ordinaire pour accompagner un mets relativement cuisiné serait une faute de goût regrettable, pour le chef... et les convives. Croyez-vous qu'il serait de mise de se rendre à un concert de musique classique habillé d'un col roulé et d'un pantalon râpé ? Même si les convenances n'exigent pas que l'on se couvre de soie et d'alpaga, car les choses ont bien évolué, il y aurait fausse note malgré tout. Simple question de discernement !

Et puis, un grand vin qu'on a sagement attendu quelques années avant de le découvrir peut être merveilleux à boire seul (mais avec des amis), sans support culinaire. C'est ce que je fais depuis quelques années quand, spontanément, au cœur du repas, je décide d'ouvrir une bonne bouteille, juste pour le plaisir de mes invités et sans accompagnement. Je l'appelle le « vin du milieu »...

Quant à la nature des impressions, il faut savoir que les couleurs, les cuissons, les marinades, les sauces et les garnitures influenceront votre choix final. La couleur dominante du plat, l'acidité de la sauce, la présence ou non d'amertume ou de sucre et la texture de l'aliment joueront d'un commun accord et, respectivement, avec les reflets du vin, son acidité, ses saveurs et ses tanins.

C'est ce que j'essaie d'expliquer dans ce livre, de façon générale ou plus pointue, et c'est pour cette raison que j'ai classé les viandes et les poissons par mode de cuisson. Je crois, en effet, surtout en ce qui concerne les plats chauds, que c'est de la cuisson avant tout que dépend le vin qui apportera le plus de plaisir. La même viande, grillée, rôtie, ou pochée, n'offre pas en bouche les mêmes saveurs. Sans vouloir tomber dans le piège de la gastronomie moléculaire qui pourrait en effrayer plus d'un, je précise plus loin certains éléments sur les véritables notions de saveur et de goût. Mais l'essentiel n'est-il pas d'en avoir un bon ? D'ailleurs, il ne faut pas négliger l'influence déterminante des habitudes de chacun sur ses propres perceptions. Je pense à ceux qui mangent un citron aussi naturellement qu'on peut manger une orange. Le rapport sucré-acide n'est plus le même et les sensations peuvent varier sensiblement d'une personne à l'autre.

Dans un autre ordre d'idées, un mets préparé au vin sera servi avec le même type de vin que celui utilisé dans la recette. Cette règle nous amène d'ailleurs au mariage régional où un vin particulier s'associe avec le plat d'un pays ou d'une province.

En remontant un peu dans l'histoire, on découvre que certaines spécialités furent créées en fonction du cru de la région. Pourrions-nous vraiment imaginer servir un vin de la Loire sur une entrecôte grillée à la bordelaise? Simple question de cohérence!

Le choix vertical

Maintenant que nous savons associer judicieusement vins et mets, notre défi est de choisir les bonnes bouteilles en tenant compte des plats et des vins qui se succèdent au cours d'un même repas.

On dit généralement que le vin que l'on boit ne doit pas faire regretter celui qu'on a bu. Cela revient à dire qu'il faut respecter une certaine gradation de goût, de saveur et de finesse, de l'apéritif à l'entrée, de l'entrée au plat de résistance, et ainsi de suite jusqu'au dessert. La plupart du temps, le vin blanc précédera le vin rouge, le blanc sec sera servi avant le blanc moelleux, le vin léger avant le plus corsé, et les vins les plus jeunes seront dégustés avant des cuvées plus évoluées. Ce sont des règles auxquelles on peut absolument se fier, mais encore faut-il avoir une cave suffisamment garnie pour suivre cette théorie parfois un peu lourde à respecter, notamment sur le plan des millésimes. Il peut être bon de partir à l'aventure, d'essayer quelque chose de moins orthodoxe et de faire fi de certaines conventions.

Plusieurs pensent que, les vapeurs d'alcool aidant (ou n'aidant pas...), il est mieux de servir dès le début le vin le plus grand, le plus fin, le plus corsé et le plus vénérable afin de mieux l'apprécier. Dépendant de la situation, pourquoi pas? J'en ai fait l'expérience et ça a été salutaire.

D'ailleurs, il me vient à l'esprit l'anecdote malheureuse où nos hôtes avaient pensé de cette façon. Croyaient-ils que nous allions boire ainsi goulûment et sans discernement? Certes, nous avons apprécié les premiers flacons, de belles bouteilles d'anthologie à en faire rêver plus d'un! Mais voilà que nous sommes tombés en panne sèche. La cave du monsieur était fort limitée, les magasins fermés, et il avait irrémédiablement prévu trop court. Nous avons dû, pour le fromage, nous contenter de pauvres vins, ternes et sans éclats, qui avaient triste allure, comparés aux précédents. Nous sommes rentrés chez nous la mine basse, les papilles et le gosier frustrés. Il y avait eu dérapage! C'était un peu comme si nous nous étions rendus à cette soirée en limousine, pour rentrer plus tard en bicyclette. Légèrement tristounet, d'autant plus que le plaisir de boire et de manger n'empêche pas la modération, bien au contraire.

Il n'est pas facile de faire plaisir à tout le monde, aux invités d'abord, car il faudra s'en tenir au contexte et à l'événement; au cordon-bleu, ensuite, puisqu'il a investi toute son énergie pour faire du repas un succès éclatant; à soi-même aussi, qui a un budget à respecter.

Il sera possible, pour contourner le problème de la sacro-sainte gradation, de faire des haltes «salade-eau minérale», «eau minérale toute seule», «sorbet ou granité» afin de permettre aux convives de se remettre les papilles et l'estomac au neutre et de recommencer de plus belle, dans un tout autre registre.

D'autre part, comme le veut l'usage avec les mets, il faut respecter avec les vins un certain niveau de qualité et de complexité semblable du début à la fin. Bref, il doit y avoir continuité. Il serait déplacé de servir dans le même dîner des sardines en conserve et un tournedos béarnaise, comme il serait fort singulier, au cours d'un même repas, de proposer du gros-plant, puis un grand cru de pomerol.

En fait, c'est à un jeu que je vous invite... et afin de mieux vous guider dans ces petits exercices, j'indique dans certaines parties du livre – notamment celles qui sont consacrées à l'apéritif, aux entrées et aux desserts – des vins auxquels on peut faire jouer le rôle de trait d'union.

Enfin, je vous propose un chapitre réservé exclusivement à des menus élaborés en fonction des saisons, des événements et de certaines spécialités, pour vous amener le plus près possible du grand frisson gustatif que peut provoquer une alliance des plus réussies.

UNE QUESTION DE GOÛT !

Voilà près de 25 ans que je tente d'enseigner la physiologie du goût à travers la dégustation du vin, et je dois sans cesse revenir sur l'influence de la couleur dans notre appréciation du vin. Il en est de même pour les aliments. Si nous mangions sans regarder ce qu'il y a dans notre assiette, notre plaisir en serait certainement diminué et nous ne pourrions plus saliver d'aise. Quant aux odeurs, aux parfums, aux bouquets, s'il est assez facile pour la plupart d'entre nous d'admettre d'emblée que nos facultés olfactives sont responsables du plaisir, parfois du désagrément, qu'un vin nous apporte, il n'en demeure pas moins que beaucoup admettent difficilement l'importance de la rétro-olfaction – ou de ce que j'appelle les « arômes de bouche ». Car ce n'est pas la langue qui transmet cette perception des molécules aromatiques, mais bien le nez, et ce, par les voies rétro-nasales. Lorsque nous sommes accablés par les symptômes d'un rhume, on dit à tort qu'on ne goûte plus rien. *En fait, ce sont les odeurs que nous ne captons plus.* Dans cet ordre d'idées, il faudrait cesser de dire que tel vin a le goût de la fraise, de la réglisse ou du poivre et dire plutôt qu'il a une odeur qui, par analogie, nous rappelle ces agréables fragrances.

Avec la nourriture, c'est la même chose. Quand nous approchons l'aliment de la bouche, nous percevons des odeurs. Ces odeurs proviennent de l'évaporation de molécules initialement présentes dans les mets. Plus ces molécules aromatiques sont volatiles, plus elles stimulent en grand nombre les cellules réceptrices du nez. Quant aux perceptions du goût, il est admis aujourd'hui qu'en plus des quatre saveurs de base que sont le sucré, le salé, l'acide et l'amer, s'ajoute le fameux goût *umami*, moins connu en Occident, mais très présent en Asie, où le glutamate, qui véhicule cette saveur, est très utilisé en cuisine. C'est au début du XXe siècle que le Japonais Kikunae Ikeda a identifié cette nouvelle perception en goûtant un bouillon d'algues au goût épicé. Il ne reconnut aucune des quatre saveurs de base et appela cette saveur *umami*, qu'on peut traduire par « savoureux » ou « délicieux ». Cela tombe bien, puisque j'utilise souvent ces mots pour décrire le plaisir que j'ai à manger un mets parfaitement accompagné *. En effet, une fois l'aliment en bouche, plusieurs molécules passent dans la salive, puis se lient à des récepteurs à la surface de cellules spéciales regroupées en papilles sur la langue. Ces molécules dites « sapides » sont celles qui donnent la sensation de saveur.

Si je fais régulièrement référence aux textures des vins et des mets, et plus précisément à celles qui sont générées par des cuissons et des préparations différentes, c'est que la sensation tactile, ou le sens du toucher, détermine également le goût et influence nos perceptions ainsi que nos décisions sur le choix du vin.

Je ne voudrais pas oublier le sens de l'ouïe qui nous permet d'apprécier ce merveilleux monde sonore dont les mélodies s'associent allègrement aux saveurs des mets et des vins. Il suffit d'évoquer un bouchon qui saute, un plat qui mijote, des frites qui crépitent, des biscottis qui croustillent, une mousse qui frissonne, des bulles qui pétillent ou des pommes de terre qui rissolent... Alors, qu'est-ce que le goût ? J'espère qu'il sera longtemps encore l'illustration de nos perceptions personnelles, émotionnelles et sensitives.

* Voici une explication intéressante de l'IFIC (International Food Information Council Foundation) sur la saveur umami : de plus en plus, les spécialistes s'accordent à penser qu'en plus des quatre saveurs fondamentales, il en existe une cinquième « umami », générée par une association de substances naturelles, dont le glutamate de sodium (MSG). Cette saveur était déjà décrite dans certains livres gastronomiques orientaux dès le XIIIe siècle. Mais ce n'est qu'au début du siècle dernier que le glutamate ainsi que d'autres substances associées à cette saveur ont pu être isolés. Le glutamate ne semble pas influencer les quatre autres saveurs et, inversement, la saveur umami ne peut provenir d'aucune combinaison des quatre saveurs fondamentales. Le glutamate est un acide aminé que l'on retrouve dans le corps humain. Il est aussi présent dans le fromage, la viande, le poisson et le lait maternel. Lorsque le MSG pur est ajouté aux aliments, il leur confère une saveur normalement associée aux aliments dans lesquels le glutamate est naturellement présent. On l'utilise pour les viandes, la volaille, les poissons, les soupes, les civets et les sauces. Beaucoup de consommateurs confondent le MSG avec le sel de table, qui contient pourtant trois fois plus de sodium.

Le service du vin

ou comment devenir un expert

Avant de commencer

Nous ne le répéterons jamais assez : suggérer un vin, le servir dans les règles de l'art, c'est-à-dire à la température idéale et dans le bon verre ; rédiger une carte, gérer une cave, procéder aux achats, voir à l'inventaire et à la rotation des stocks ; et, enfin, satisfaire les clients sont autant de responsabilités et de tâches bien précises qui incombent aux professionnels de la restauration, plus particulièrement au sommelier ou à la sommelière. Hélas ! comme je le mentionne souvent, certains s'en donnent le titre sans en montrer la compétence ni l'expérience.

Pourtant, en ce qui a trait au service du vin, il suffit de peu pour faire de vos repas à la maison des réussites. La clé du succès est de respecter les quelques règles de base énumérées dans ce chapitre. Vous passerez dès lors pour un expert, ce qui vous fera sans doute plaisir, mais, surtout, vous comblerez les attentes, si modestes soient-elles, de vos invités. Pour y parvenir, faites tout simplement ce que tout le monde devrait faire : considérer le vin pour ce qu'il est, pour ce qu'il représente, à travers ses origines, sa personnalité et la place que vous lui avez réservée dans le repas. En le traitant de la sorte, vous respecterez du même coup tous les éléments naturels qui lui ont donné naissance : le terroir (le sol et les conditions climatiques), le ou les cépages dont il est issu ainsi que les hommes et les femmes qui l'ont élaboré.

À quoi sert de faire de longs discours et d'épiloguer pompeusement sur tel ou tel vin (le visage des producteurs et des vignerons s'illumine lorsqu'ils entendent quelqu'un parler en long et en large du vin qu'ils ont eux-mêmes élaboré avant tout pour le plaisir des sens !) si l'on ne prend pas la peine de le servir au bon moment, à la bonne température, dans le bon verre et avec le bon plat ? Avouons que c'est dommage de rater en quelques minutes une bonne occasion de mettre en valeur un cru qui a été produit avec tant de soin et que l'on a conservé jalousement pour le jour J. Ce n'est pourtant pas si difficile : la sobriété et le bon sens avant tout !

Pour être incollable sur les étiquettes... souvent indécollables*

Même s'il existe des mentions particulières, propres à un pays ou à un type de vin bien précis, voici les clés qui vous serviront à décrypter les principales données, obligatoires et facultatives, qu'on trouve sur la plupart des étiquettes.

1. Numéro de bouteille (facultatif).
2. Quantité embouteillée (facultatif).
3. Nom de la cuvée (facultatif). Il pourrait s'agir d'une marque commerciale identifiée par ® (tout aussi facultatif).
4. Nom de l'exploitation vinicole (facultatif).
5. Provenance géographique du vin.

Le nom apparaît souvent entre les mots « appellation » et « contrôlée » quand il s'agit, en France, d'une AOC (appellation d'origine contrôlée). Il en va de même en Italie avec les DOC (denominazione di origine controllata) et DOCG (denominazione di origine controllata e garantita), en Espagne avec les DO (denominacion de origen) et DOC (denominacion de origen calificada), et au Portugal avec les DOC (denominaçao de origem controlada) (mentions obligatoires).
Les dénominations vin de table, vin de pays et vin délimité de qualité supérieure en France, ou IGT (indication géographique typique) en Italie, sont obligatoires, le cas échéant.

6. Nom du pays d'où vient le vin (obligatoire).
7. Degré alcoolique exprimé en « % vol. » (obligatoire).
8. e : norme européenne qui garantit, grâce à la métrologie (science des mesures), l'exactitude du volume du flacon. Cette mention est facultative.
9. Volume net (obligatoire).
10. Millésime : année de la récolte du raisin (*voir* les précisions plus loin ; facultatif).
11. Nom du producteur et lieu de la mise en bouteille (facultatif).
12. Nom, raison sociale et adresse de l'embouteilleur (obligatoire).

Autres mentions facultatives : couleur du vin, type de produit, mode d'élaboration, cépages utilisés, distinctions et autres mentions officielles, numéro de contrôle, conseils aux consommateurs, histoire du vignoble, du vin ou de l'entreprise. Ces détails apparaissent souvent à l'arrière de la bouteille, sur la contre-étiquette.

Cas particuliers

1. La mention « méthode champenoise » ne peut plus être utilisée. Elle a été remplacée par la mention « méthode traditionnelle » (obligatoire pour les vins produits en Europe).
2. Champagne et cognac sont dispensés de faire figurer les mentions « appellation d'origine contrôlée ». Le mot « champagne » doit être inscrit sur le bouchon.
3. Sur les étiquettes de champagne, les lettres NM signifient « négociant manipulant » ; RM, « récoltant manipulant » ; CM, « coopérative de manipulation » ; et MA, « marque auxiliaire » ou « marque d'acheteur ».
4. La mention « CAVA » est réservée aux vins espagnols d'appellation d'origine (DO) élaborés suivant la méthode traditionnelle.
5. Mentions concernant le porto : pour des précisions, *voir* la rubrique intitulée « L'entreposage et la conservation » p. 26.

Pour décoller les étiquettes, il suffit de plonger les bouteilles dans l'eau très chaude. Une fois les étiquettes décollées du verre, on les laisse sécher et on les repasse avec un fer avant de les placer dans un album. Les étiquettes préencollées (de plus en plus utilisées) sont pratiquement indécollables. Il existe depuis peu un gadget d'origine japonaise qui décolle «magiquement» l'étiquette en apposant sur celle-ci un film transparent.

À la recherche du fameux millésime

Comme je l'ai déjà mentionné, l'indication du millésime, qui correspond à l'année de la récolte du raisin, n'est pas obligatoire. Il s'agit toutefois d'une mention importante puisque, dans le cas de plusieurs grandes régions (Bordeaux, Bourgogne, vallée du Rhône, Alsace, vallée de la Loire, Toscane, Piémont, et j'en passe), la qualité varie d'une année à l'autre en fonction des conditions climatiques. Il faut donc être vigilant, surtout quand on achète des vins assez coûteux que l'on veut conserver quelques années.

Mais il ne faut pas non plus se laisser obnubiler par le sacro-saint chiffre magique, sésame indispensable à toute dégustation remarquable, si l'on en croit certains. Il vaut mieux axer ses recherches sur la qualité des maisons (qu'il s'agisse de propriétaires, de viticulteurs ou de négociants), d'autant plus qu'il existe bien des vins sur lesquels les variations climatiques ne produisent pas un effet aussi prononcé.

D'autre part, une bonne maison produit bon an mal an des vins d'une qualité comparable. Tout au plus, les années plus difficiles donneront un vin moins concentré (en couleur, en arômes et en structure), ce qui présentera souvent le double avantage de faire baisser son prix et de le rendre consommable plus tôt. C'est aussi ce qu'on appelle de bons vins « de restaurateurs », qui ne sont pas obligés dans ce cas d'attendre des lustres avant de les proposer à leur clientèle. Enfin, on dit souvent que c'est dans les petites années que l'on reconnaît les grands vinificateurs. Ne l'oublions pas !

Le bon tire-bouchon

Même s'il en existe de nombreux modèles, le tire-bouchon (aussi appelé couteau-sommelier ou couteau-limonadier) muni d'un levier reste le modèle classique. Peu importe la marque, il faudra faire attention de garder la lame bien aiguisée en tout temps, éviter les leviers en forme de crochet (utiles pour les boîtes de conserve, mais désastreux pour les bouteilles) et privilégier des vrilles (ou mèches) assez longues (cinq tours préférablement) et légèrement creusées pour assurer une meilleure prise dans le liège. On trouve de plus en plus de tire-bouchons à deux leviers ; efficaces, certes, mais peu esthétiques à mon goût. En ce qui me concerne, j'aime utiliser les fameux Château Laguiole, fabriqués avec divers matériaux, très jolis et plus coûteux, mais à toutes fins utiles efficaces et pratiques. Pour une bonne présentation, il est important de veiller à la qualité de la lame et d'éviter celles qui sont munies de dents, style barracuda, qui déchirent la capsule plus qu'elles ne la découpent.

Dans les années à venir, ces considérations seront peut-être totalement obsolètes. En effet, pour contrer le problème des vins bouchonnés et des bouchons moisis, altérés notamment par les TCA (tri-chloroanysoles), certains producteurs, parfois plus radicaux qu'intransigeants, veulent voir disparaître le liège au profit des capsules à vis. Personnellement, je n'ai rien contre et je ne crois pas avoir le bouchon spécialement romantique. Je ne crois pas non plus que le sommelier fait du cinéma en ouvrant ses bouteilles devant les clients, il fait juste son travail. Pourquoi pas la capsule à vis dans le cas de vins à boire jeunes ? Bonny Doon Vineyards, en Californie, en propose de jolies et qui vont bien avec leurs étiquettes. Si cette solution et cette économie permettent aux producteurs de se procurer des lièges de meilleure qualité pour leurs vins de garde, allons-y gaiement ! Mais, curieusement, je connais des maisons qui font des efforts de recherche et qui font descendre la moyenne de la quantité des vins bouchonnés. Si l'on ajoute à cette réalité qu'il y a dans le vin une part de rêve et de poésie non négligeable, je vois assez mal le client payer une fortune au restaurant pour un Cheval Blanc à tête dévissable.

Quoi qu'il en soit, nous avons là une histoire à suivre puisque le débat est lancé. En attendant, je vais me dépêcher d'ouvrir mes bouteilles de façon traditionnelle avant d'être obligé de dévisser mes prochains chablis grand cru, pomerol et côte-rôtie comme de simples bouteilles de San Pellegrino, puis de revendre mes Laguiole au futur musée de la sommellerie internationale.

Le bon verre

Il n'y a pas de règle précise en matière de verre à vin. Pourtant, le choix final peut faire toute la différence. Il sera donc important de choisir un verre incolore et le plus sobre possible afin de mieux apprécier la robe du vin. Il faut éviter en principe un trop grand verre, de style aquarium, lequel a connu une certaine vogue mais ne convient pas à l'analyse olfactive. Un bord légèrement resserré vers le haut facilitera l'exercice. Le verre appelé « INAO » (normalisé par l'Institut national des appellations d'origine, en France), qui est utilisé encore fréquemment, offre d'excellentes conditions de dégustation mais peu de fantaisie à table. Il reste avant tout l'instrument du technicien de la dégustation. En revanche, il est très bien pour des vins particuliers, notamment le porto, le sherry et autres vins doux naturels, servis trop souvent dans des verres aussi petits qu'inappropriés. Pour le champagne et tous les vins effervescents recommandés dans ce livre, il sera judicieux de se procurer des flûtes ou des verres tulipes, après s'être assuré qu'ils sont dotés d'un fond présentant des aspérités, afin d'exacerber la mousse, qui est trop souvent évanescente.

Pour ne pas vous tromper, il sera judicieux de vous rendre dans une boutique spécialisée où l'on se fera un plaisir de vous conseiller adéquatement en fonction de vos préférences... et de votre budget.

L'ouverture de la bouteille et le service

Le découpage de la capsule est un geste important à ne pas rater. Pour des raisons esthétiques, mais surtout pour que le vin, lorsqu'on le verse, ne soit pas en contact avec la capsule, qui est souvent oxydée, il est impératif de la découper proprement au-dessus de la bague ou, mieux encore, en dessous. Ensuite, on essuie la partie supérieure du goulot avec un linge propre.

On introduit l'extrémité de la vrille bien au milieu du bouchon et on l'enfonce assez profondément pour ne pas casser le bouchon, mais pas trop non plus, car on risque de le traverser et de faire tomber des poussières de liège dans le vin.

À l'aide du levier posé sur le bord du goulot, on extrait doucement le bouchon en s'assurant de terminer l'opération à la main pour éviter tout bruit intempestif ou une projection de liquide aussi disgracieuse que gênante. Une fois le bouchon enlevé, on essuie délicatement le goulot avec le même linge de service. Pendant l'opération d'ouverture, on veillera à ne pas tourner la bouteille inutilement.

On passe ensuite à l'étape de la dégustation. Si vous êtes le maître de céans et que vous avez choisi les vins, vous goûterez vous-même les premières gouttes du précieux flacon. Vous servirez ensuite chaque convive par la droite sans cacher l'étiquette ni avec la main ni avec le linge de service dans lequel vous auriez cru bon d'« emmailloter » la bouteille. Attention à la quantité versée : pas trop de vin dans les verres pour permettre une bonne aération et un dégagement suffisant des arômes. Dans le cas des vins blancs et rosés et des jeunes rouges servis rafraîchis, en verser trop reviendrait à amener le vin à la température ambiante. Il est donc préférable de moins remplir les verres, mais de le faire plus souvent. Un point qui mérite d'être souligné : il faut toujours servir le vin AVANT les plats. Afin d'offrir aux convives les meilleures conditions pour découvrir le vin, avant qu'ils soient influencés (ou dérangés) par les fumets du plat.

La température de service

Ce n'est pas tout de choisir les vins les mieux adaptés aux mets que l'on servira, encore faut-il les servir à la bonne température. En effet, cet élément du service revêt une importance capitale. C'est la raison pour laquelle j'indique dans ce livre à quelle température, idéalement, un vin doit être servi. Bien trop souvent, dans les restaurants mais aussi à la maison, les vins blancs sont servis trop froids et les rouges, trop chauds.

Comme le souligne souvent un de mes collègues, le froid paralyse le bouquet des vins blancs, et seuls ceux qui ont quelque chose à cacher méritent d'être servis glacés. Il est vrai cependant que les blancs, très secs et légers la plupart du temps, supportent une bonne fraîcheur (8-10 °C) tandis que les grands vins complexes, très fins et souples en bouche, ne demandent pas mieux que d'être dégustés à une température un peu plus élevée (12 °C).

Cela est souvent plus frappant encore pour les rouges, et cette idée de chambrer à tout prix est complètement dépassée. On aura avantage en effet à les servir plus frais puisqu'ils auront de toute façon le temps de se réchauffer. Servir les vins rouges trop chauds fait ressortir l'acidité et exacerbe l'alcool, qui écrase ou détruit la subtilité des arômes.

L'autre erreur, que l'on voit commettre de moins en moins souvent, cependant, consiste à ajouter des glaçons au vin blanc aussi bien qu'au vin rouge pour les refroidir. Cette mauvaise habitude est totalement injustifiée : l'eau et le vin n'ayant jamais fait bon ménage… dans le même verre ! L'utilisation du réfrigérateur, puis du seau à vin, m'apparaît beaucoup plus sensée. À ce sujet, comme on le constate hélas trop souvent au restaurant, j'ajouterai que le serveur ne met pas assez d'eau et de glaçons pour immerger la bouteille et refroidir le vin de façon uniforme. Enfin, pour réchauffer un vin, le micro-ondes représente selon moi une solution bien draconienne ; un peu de patience et beaucoup de bon sens, tout simplement, vous permettront d'atteindre en douceur les températures adéquates. Un conseil : prenez la bonne habitude de vous servir d'un petit thermomètre spécialement conçu à cet effet.

L'entreposage et la conservation

De nos jours, si vous possédez une bonne quantité d'excellents vins, l'idéal est de vous procurer une armoire-cellier spécialement conçue pour respecter les températures d'entreposage et éviter les trop grandes variations nuisibles à une bonne conservation. On en trouve de toutes sortes et à tous les prix, certaines offrant une finition de luxe, d'autres, encastrables, astucieuses et fonctionnelles, s'intégrant parfaitement au décor de votre maison ou de votre appartement.

Néanmoins, si vous décidez d'installer votre propre cave, voici quelques éléments dont vous devrez tenir compte.

1. La température, ni trop haute ni trop basse, devrait se situer autour de 12 et 14 °C.
2. L'humidité ne doit être ni excessive ni insuffisante. Trop d'humidité favorise le développement de moisissures aussi bien sur les étiquettes que sur les bouchons. À l'inverse, un air très sec entraîne un dessèchement des bouchons et, conséquemment, une évaporation du vin. Une hygrométrie idéale se situe entre 60 % et 70 %.
3. L'aération sera assurée par un système de ventilation qui éliminera les risques d'odeurs nuisibles.
4. Les vibrations empêchent souvent le vin de vieillir dans de bonnes conditions. Il faudra veiller à les réduire au minimum.
5. La lumière, à cause de son effet réducteur, est l'un des pires ennemis du vin. Aussi sera-t-il nécessaire, si l'on souhaite conserver son vin plusieurs années, de maintenir les bouteilles couchées, dans l'obscurité.

Le cas du porto

Que doit-on faire avec les savoureux vins de Porto ? Tout dépend de quel porto il s'agit. Généralement, le tawny, âgé de 10 ou 20 ans, se conserve debout sur la tablette parce que son bouchon ne convient pas à une garde couchée. Mais l'avantage du tawny, une fois ouvert, est qu'il peut se conserver quelques semaines sans trop s'altérer. Au contraire, le LBV (late bottled vintage) et le vintage, habituellement fermés avec de vrais bouchons assez longs, supportent bien la position horizontale. Une fois ouverts, cependant, ils ne se gardent que quelques jours, car ils sont sensibles à l'oxydation.

Des trucs à connaître

Méfiez-vous comme de la peste de tous ces objets inutiles qui prolifèrent dans les boutiques spécialisées. Le vin est à la mode et les gadgets nous envahissent. Entre l'appareil qui fait vieillir le vin en 15 minutes et celui qui élimine les tanins en moins de deux, en passant par l'hérétique fouet à champagne ou les minuscules et ridicules verres à porto, soyez vigilant et faites preuve d'imagination sélective lorsque vous ne savez pas quoi acheter comme cadeau. Cela dit, il existe des outils indispensables pour les œnophiles avertis.

Le sans-goutte. Il s'agit d'un accessoire formidable en forme de pastille argentée qui empêche la formation des gouttes lors du service. Il suffit de le rouler puis de l'introduire dans le goulot. Le matériau utilisé coupe littéralement le filet de vin.

Le découpe-capsules. Si vous ne disposez pas d'une bonne lame, la société Screwpull fabrique un instrument qui assure un découpage quasi infaillible, mais toujours au-dessus de la bague du goulot. Dans la même veine, on trouvera le tire-bouchon en plastique, objet promotionnel la plupart du temps, pas très élégant mais ô combien efficace puisque le même principe, sous la forme de quatre rondelles coupantes, est intégré à l'ensemble.

Le bouchon hermétique. Pour garder quelques jours des vins effervescents ou du champagne sans qu'ils perdent trop de leur mousse, on nous propose des bouchons très efficaces conçus à cet effet. Si votre vin rouge mal bouché est un peu trop fatigué, versez dans la carafe quelques gouttes de porto qui le réanimeront le temps de le dire. Ce n'est pas un sacrilège, mais ce n'est pas une raison pour le crier sur tous les toits...

Le cueille-bouchon. Mis au point par le bien dénommé Lavigne, ce petit instrument ira cueillir efficacement vos bouchons qui auraient pris la liberté de s'enfoncer dans le flacon.

Le seau à vin transparent. Cet accessoire est conçu pour mettre en valeur l'étiquette, grâce à un effet de loupe, et mieux contrôler le niveau de vin restant dans la bouteille. Mes invités aiment beaucoup. Il en existe en verre, très fragiles; d'autres, en plastique de qualité, sont tout à fait à la hauteur de la situation.

Le seau à vin d'Alsace. En plus de rafraîchir adéquatement le vin blanc, ce seau se révèle très pratique lorsqu'on veut placer une bouteille de vin rouge dans l'eau très fraîche du robinet, car sa hauteur permet d'immerger complètement une bouteille de 750 ml.

L'entonnoir-aérateur. À mon avis, un des objets les plus utiles arrivés sur le marché depuis quelques années. Parmi les différents modèles, l'entonnoir à cinq orifices permet une excellente oxygénation des vins rouges jeunes. On l'utilise idéalement avec une carafe évasée; vos invités apprécieront l'exercice. En prime, on peut ajouter à cet entonnoir une petite passoire et retenir d'éventuels dépôts.

Les carafes. On peut aujourd'hui se procurer de belles carafes en cristal à prix abordable. Parfaite pour décanter un vin rouge âgé qui présente des dépôts, la carafe peut aussi être utilisée pour aérer un vin rouge encore jeune. On verse le vin une demi-heure environ avant de servir. L'influence de l'air sur le vin sera assez significative pour en améliorer la qualité, et dans ce cas, l'utilisation de l'entonnoir à cinq trous est tout à fait recommandée. On utilise de plus en plus le verbe « carafer » même si ce terme, à ma connaissance, n'existe pas; l'expression « passer en carafe » serait plus juste. Enfin, on voudrait nous faire croire que le passage en carafe est idéal pour certaines cuvées de champagne. Je suis peut-être trop vieux, mais je ne comprends pas ces théories prétendument révolutionnaires que j'ai osé expérimenter pour en avoir le cœur net. Il n'y avait aucune amélioration dans l'appréciation du vin, qu'il soit demi-sec ou pas, mais forcément diminution de l'effervescence.

L'égouttoir à carafe. Voilà un gadget bien utile pour éviter la casse, d'autant plus qu'il est important de rincer ses carafes après chaque utilisation.

En guise d'apéritif

ou duos sur canapés

« L'appétit s'annonce par un peu de langueur dans l'estomac et une légère sensation de fatigue. En même temps, l'âme s'occupe d'objets analogues à ses besoins ; la mémoire se rappelle les choses qui ont flatté le goût ; l'imagination croit les voir ; il y a là quelque chose qui tient du rêve. Cet état n'est pas sans charmes ; et nous avons entendu des milliers d'adeptes s'écrier dans la joie de leur cœur : "Quel plaisir d'avoir un bon appétit, quand on a la certitude de faire bientôt un excellent repas ! " »

C'est ainsi que s'exprime Brillat-Savarin, célèbre gastronome et écrivain, dans sa fameuse *Physiologie du goût*, à propos de cet état que nous connaissons bien et dans lequel nous nous retrouvons plusieurs fois par jour. Mais, au fil des ans, l'homme a pensé qu'il avait besoin de quelque chose pour provoquer cet appétit, le stimuler, l'émoustiller, peut-être même le renforcer. Et la coutume est venue de proposer ce fameux apéritif avant le repas. Il faut avouer qu'autrefois il était usuel de parler de « médicament apéritif », faisant ainsi référence au terme latin *aper(i)tivus* signifiant « qui ouvre les vaisseaux ». Par extension, les vertus apéritives de certaines boissons s'appliquèrent à la digne mission d'ouvrir l'appétit, tout simplement.

Cappuccino d'écrevisses à la crème de chou-fleur
par Fabrice Mailhot, recette page 274

Depuis longtemps maintenant, c'est donc devenu presque une habitude, fort agréable au demeurant, de commencer un repas en offrant un apéritif en guise de prélude. En plus d'exciter l'appétit, l'apéritif constitue souvent un moment privilégié pour oublier travail et soucis et se mettre en condition idéale pour la suite des festivités. Il permet aussi aux convives de se rencontrer, de communiquer et d'attendre les retardataires. Très convivial, l'apéritif s'est transformé par la suite en « apéro », terme autrefois populaire et amical, mais aujourd'hui galvaudé et utilisé presque systématiquement, à tort et à travers.

De plus, certains semblent avoir oublié les véritables raisons de prendre l'apéritif et consomment martini sec sur martini sec ou tout autre cocktail tomaté dans lequel il y a, semble-t-il, plus à manger qu'à boire. Aux sempiternels dry et extra-dry, aux punchs exotiques et autres pina colada, aux cocktails désormais désuets que sont les colorés pink lady et flamingo, nous préférons de plus en plus, depuis quelques années, des produits beaucoup plus sains.

Vous me direz qu'il s'agit d'habitudes nord-américaines et anglo-saxonnes. Peut-être... Mais ce n'est guère mieux dans les pays latins, où certains adeptes de boissons anisées s'envoient encore consciencieusement plusieurs pastis « derrière la cravate », même si on a réduit les doses de moitié en utilisant des *mominettes* (petits verres) !

Une bonne intention, sans doute, mais légèrement hypocrite... Et puis, c'est quand même dommage, lorsque l'on se prépare à un bon repas, de commencer le ventre lourd et les idées quelque peu défraîchies.

Il n'en demeure pas moins aujourd'hui que les amateurs d'apéritifs réduisent leur consommation d'alcool et de spiritueux au profit du vin. Tant mieux, car, en fonction de leur personnalité, de nombreux vins sauront mieux ouvrir l'appétit et préparer les agapes de belle manière. Cette approche «plus légère» s'inscrit aussi dans la conception d'une alimentation plus rationnelle et mieux équilibrée, et elle laisse une bonne place au plaisir. Le vin servi comme apéritif nous permet également de ne pas faire trop de mélanges de genres et de liquides! Aussi est-il judicieux de servir le même vin à l'apéritif, avec l'entrée et, pourquoi pas, avec le plat de résistance.

En outre, je tiens à préciser aux amateurs de vermouth (Martini, Cinzano, etc.) et autres vins aromatisés (Ambassadeur, Dubonnet, Saint-Raphaël, etc.) que je ne traite pas de ces apéritifs dans cet ouvrage, tout simplement parce qu'ils sont élaborés et servis d'une façon qui les éloigne à mon sens de l'aspect véritablement «naturel et originel» du vin. Mais il m'arrive parfois d'en consommer, et je suis très conscient que ce sont eux qui, au début du siècle dernier, ont lancé la mode actuelle de l'apéritif, avec les superbes affiches qui en faisaient la promotion.

Pour toutes ces raisons, et puisque c'est l'heure de l'apéritif, je vous propose dans ce chapitre toutes sortes de vins, les plus naturels et sains qui soient. Des blancs, principalement, car la plupart des rouges, par leurs tanins et leur structure, auraient du mal à nous convaincre. Du champion des bulles au vin de liqueur (pineau des charentes), en passant par les vins liquoreux, les vins doux naturels (VDN) que sont les banyuls et les muscats, les fameux recioto véronais et les vini santi de la Toscane, sans oublier le rosé ni certains vins d'exception tels que le tokaji aszu ou les vins de glace du Canada, vous épaterez vos amis en stimulant leur appétit de belle et élégante façon. Le vin choisi pourra aussi se faire discret une fois le repas commencé, pour mieux réapparaître au dessert.

Alors, le verre à la main, avec toutes ces préparations de canapés, bouchées et autres amuse-gueule de circonstance qui ont guidé mes choix, vous trouverez les mots et l'accent pour dire à vos invités: Bon appétit! Santé! *Guten appetit! Prost! Cheers! Enjoy your dinner! Buen Provecho! Salute! Buon appetito!...*

LA MAGIE DES BULLES

Gentiment dénommé «vin saute-bouchon» au temps de dom Pérignon, le champagne représente à mes yeux, et à tous mes sens d'ailleurs, un des plus beaux apéritifs qui soient. Charme, délicatesse et sensualité seront au rendez-vous grâce à cette magie des bulles qui sait rendre l'homme plus charmant, plus subtil et peut-être plus tolérant... Brut millésimé ou blanc de blancs, peu importe le style de champagne, ce moment de l'apéritif sera une réussite, mais il faudra toutefois veiller à ne pas servir des vins trop vineux.

Compte tenu du prix du champagne, et comme on ne peut faire bombance tous les jours, les appellations contrôlées françaises et italiennes, la plupart issues de la méthode traditionnelle *, constituent des solutions de rechange judicieuses qui en surprendront plus d'un. D'autres pays, comme les États-Unis (certaines cuvées de la vallée de Napa, en Californie, sont tout à fait excellentes), l'Espagne (et ses cavas), le Chili, la Nouvelle-Zélande et fort curieusement l'Inde produisent aussi des vins effervescents dignes d'intérêt. N'oubliez pas d'opter pour un brut à l'apéritif et de garder les demi-secs avec le dessert. Servez tous ces vins bien frais (8 °C) dans des flûtes ou des verres tulipes, et non dans ces coupes évasées qui laissent s'évanouir la mousse.

* Dénomination remplaçant depuis plusieurs années l'expression «méthode champenoise».

Acras de saumon fumé ou de morue
Allumettes au fromage
Bâtonnets de saumon grillé
Beignets de crabe
Canapés à la mousse de foie gras
Canapés au caviar (ou aux œufs de saumon)
Cappuccino d'écrevisses à la crème de chou-fleur
Crevettes en pâte filo
Tempura de poulet ou de crevettes

Champagne brut blanc de blancs

Élaboré exclusivement avec le cépage chardonnay, le champagne blanc de blancs offre, en règle générale, charme et finesse. Cet aspect aérien qui lui sied si bien permet au vin de remplir haut la main son mandat: ouvrir l'appétit en douceur, en toute subtilité. La mention «blanc de blancs» peut être indiquée sur l'étiquette et trouve en Champagne toute sa signification.

Champagne brut millésimé (ou non)

Plus il y a de raisins noirs dans l'assemblage, plus le champagne est charpenté et mieux il accompagnera les plats de résistance. Mais, quel que soit son style, il est difficile de résister à ce vin enchanteur. Surtout quand il est servi avec le sourire et dans les règles de l'art! Selon les types de champagne, la mousse sera abondante, les bulles très fines, et des parfums de brioche ou de pain grillé envahiront peut-être vos narines, déclenchant soudainement un désir effréné de manger un foie gras, en brioche peut-être, ou plus simplement du bon pain de campagne, ce conseiller conjugal des harmonies de table, comme l'a décrit si bien Jacques Puisais, œnologue et poète à ses heures.

Champagne brut rosé

Voilà un vin synonyme de fête, vif et attrayant, que l'on débouchera à l'apéritif, puis que l'on servira avec certaines entrées en pensant à de sémillantes harmonies de couleurs.

Bourgogne : crémant de bourgogne

Languedoc : blanquette de limoux – crémant d'alsace – crémant de limoux

Loire : crémant de loire – montlouis mousseux – saumur mousseux – touraine – vouvray mousseux

Rhône : clairette de die – saint-péray

Autres régions : crémant du jura – gaillac mousseux (Sud-Ouest) – seyssel mousseux (Savoie)

Italie : asti et asti spumante * – conegliano valdobbiadene (prosecco, du nom du cépage)

Autres pays : cava (Espagne) – crémant de luxembourg

Italie : franciacorta – trento

États-Unis : cuvées brut de Californie**

France : champagne

Italie : grandes cuvées de franciacorta

États-Unis : grandes cuvées brut de Californie

* L'incontournable asti spumante est élaboré en cuve close. Il est doux, très fruité (cépage muscat), et certains l'aiment en apéritif.

** Les maisons suivantes sont tout à fait recommandables : Domaine Carneros (maison Taittinger), Domaine Chandon, Mumm Napa Valley, Roederer Estate.

bons achats

valeurs sûres

Touraine, Cuvée J. M., Monmousseau (Loire)

Crémant de Limoux, Grande Cuvée Renaissance, Les Caves du Sieur d'Arques (Languedoc)

Franciacorta, Azienda agricola Bellavista (Italie)

Champagne, Brut Réserve, Charles Heidsieck (France)

Anderson Valley Brut, Roederer Estate (Californie)

Prosecco di Valdobbiadene, Nino Franco (Italie)

Bonbons de tomates à la fleur de sel et Sushis au thon façon Chez L'Épicier
par Laurent Godbout, recette page 263

DES BLANCS SECS, TOUT SIMPLEMENT !

Blancs et grands, sans être nécessairement trop chers, secs parce qu'exempts de sucre résiduel, délicatement aromatiques pour flatter subtilement les narines, tout en fruit et en saveur, voici les qualités que l'on attend de ces vins qui possèdent, bien plus que l'on ne le croit, des vertus apéritives insoupçonnées. Bien entendu, toutes les occasions sont bonnes, surtout quand on est de passage, pour goûter en guise d'apéritif le petit (ou grand) blanc sec de la région.

Barquettes aux moules
*Canapés aux asperges**
Canapés de crevettes
Canapés de saumon fumé
Gougères au fromage
Mini-quiches Lorraine
Mousseline de crabe en brioche
Roulades de saumon

🍇

France : alsace (pinot blanc et sylvaner) – coteaux du languedoc-la clape – muscadet sèvre-et-maine (Loire) – vins de pays (à base de gros manseng, de muscat ou de viognier)

Italie : collio et autres appellations à base de pinot grigio, de tocai friulano et de verduzzo – vernaccia di oristano

Argentine : pinot grigio et torrontés (cépage aromatique)

Chili : sauvignon du Chili

🍇🍇

Alsace : muscat, riesling

Loire : anjou – coteaux du giennois – menetou-salon – valençay

Autres régions : crépy – seyssel – roussette de savoie – jurançon sec (Sud-Ouest) – entre-deux-mers, graves (Bordeaux) – bourgogne aligoté **

Autres pays : fendant du valais – petite arvine (Suisse) – furmint (Hongrie) – vins de malvoisie (Italie et Californie) – sauvignon de Nouvelle-Zélande

🍇🍇🍇 / 🍇🍇🍇🍇

Loire : pouilly-fumé – sancerre

Rhône : château-grillet – condrieu

États-Unis : certaines cuvées californiennes à base de viognier

Ces vins (servis bien frais, à 8 °C environ) sauront vous convaincre. Les amateurs de crus particuliers apprécieront le rare vin jaune du Jura (château-chalon) servi à 15 °C avec des noix de Grenoble et des amandes. Quant aux demi-secs, ils sont moins populaires aujourd'hui et sont remplacés par les vins secs ou les vins moelleux et liquoreux (*voir* «Des blancs moelleux et onctueux» p. 36). Pas de demi-mesure !

* Avec ces canapés aux asperges, jetez votre dévolu sur le torrontés argentin, le muscat d'alsace ou la malvasia bianca Ca' del Solo de Bonny Doon (*voir* les étiquettes p. 35). Vous ne serez pas déçu.

** Le bourgogne aligoté était l'un des ingrédients de la recette originale du kir. Le chanoine qui a donné son nom à cet apéritif doit se retourner dans sa tombe, lui qui, modestement, versait un soupçon de crème de cassis dans son bourgogne aligoté pour donner à son vin couleur et rondeur, il ne reconnaîtrait pas toujours sa recette. En effet, de Paris à Montréal et de New York à Tokyo, le kir en a fait des petits et suscité bien des vocations ! Mais pas toujours de façon très catholique, car on le décline à la crème de mûre, de framboise et j'en passe, quand on ne le prépare pas avec un malheureux sirop et un vin blanc médiocre. Et puis, le champagne (ou hélas un horrible mousseux) a pris la relève et l'on a ajouté à ce mélange, au départ fort sympathique, le qualificatif « royal » ou « impérial ». À ce régime, jusqu'où ira-t-on ? Sans qu'on ait besoin d'acheter du bourgogne aligoté, les vins blancs secs, légers et peu aromatiques (pas de vins d'Alsace ni de crus à base de sauvignon) que je suggère dans les premières échelles de prix feront un excellent kir.

Bordeaux, Dourthe N°1 (France)

Malvasia bianca, Ca' del Solo, Bonny Doon Vineyard (Californie)

Sancerre, Domaine La Moussière, Alphonse Mellot (Loire)

Valais, Fendant De Sierre, Rouvinez, (Suisse)

Vin de Pays d'Oc, Viognier, Laroche (Languedoc)

Muscat d'Alsace, Cave de Pfaffenheim (France)

DES BLANCS MOELLEUX ET ONCTUEUX

De plus en plus chouchoutés par les œnophiles, les vins moelleux, très doux et liquoreux contiennent certes du sucre, mais ils font surtout preuve d'une richesse olfactive et gustative incomparable. Les senteurs de miel, de fruits confits, de pain d'épices parfois, d'agrumes ou tout simplement de raisins bien mûrs envahissent les narines ; les saveurs se font tellement présentes que l'on a souvent l'impression de croquer dans le raisin (je pense au muscat), si ce n'est dans le fruit défendu. Qu'ils soient issus de pourriture noble, de raisins passerillés ou de mutage (*voir* « Vins doux naturels (VDN) » p. 37), il faut chercher des vins ayant conservé une bonne acidité et les servir bien frais (8 °C).

Canapés à la mousse de foie gras
Canapés au bleu, aux noix et aux raisins
Feuilletés au roquefort
Huîtres en gelée de sauternes
Melon rafraîchi
Petits choux à la mousse de foies de volaille

🍇🍇/🍇🍇🍇

Bordeaux : barsac – cadillac – cérons – loupiac – sainte-croix-du-mont – sauternes

Loire : bonnezeaux – coteaux de l'aubance – coteaux du layon (et villages) – montlouis – vouvray

Sud-Ouest : côtes de bergerac blanc – gaillac premières côtes – haut-montravel – jurançon – monbazillac – pacherenc du vic bilh moelleux

Italie : collio et colli orientali del friuli (cépage picolit) – malvasia delle lipari – moscadello di montalcino – pantelleria passito – moscato di trani - ramandolo

Autres pays : riesling auslese (Allemagne et Autriche) – tokaji aszu (Hongrie)

🍇🍇🍇/🍇🍇🍇🍇

Alsace : sélection de grains nobles et vendanges tardives

Bordeaux : barsac et sauternes (crus classés)

Autres régions : quarts de chaume – arbois, côtes du jura et hermitage (vins de paille)

Italie : breganze torcolato – recioto di soave – vini santi

Autres pays : riesling, beerenauslese et trockenbeerenauslese (Allemagne et Autriche) – vins de glace* d'Allemagne, d'Autriche et du Canada (Ontario)

Qu'il s'agisse de vins moelleux ou liquoreux obtenus grâce à la pourriture noble, de vins issus de raisins surmûris ou passerillés, c'est-à-dire séchés et très concentrés en sucre, de vini santi (en Italie) ou de vins de paille (dans le Jura ou en Hermitage), vous atteindrez des sommets de plaisirs gustatifs. Servez les vins jeunes ou moins jeunes, très frais (8 °C) et profitez-en pour les placer au début du repas, sur un foie gras, par exemple.

* Ces vins sont élaborés avec des moûts issus de raisins gelés sur pied. Il en résulte une forte concentration de sucres et d'arômes, mais sans perte d'acidité.

Vins doux naturels (VDN) blancs

Grèce : muscat de patras – muscat de samos*

Languedoc-Roussillon : muscat de frontignan – muscat de lunel – muscat de mireval – muscat de rivesaltes – muscat de saint-jean-de-minervois

Rhône : muscat de beaumes de venise

Grâce à ces VDN servis très frais, très jeunes et surtout nature, c'est-à-dire sans glaçons, le succès est assuré. Une belle robe dorée, parfois teintée de légers reflets verts, un nez riche de miel, de fruits exotiques et de citron, ainsi que cette bouche onctueuse et longue, voilà qui fait de ces vins un magnifique prélude au repas. Ils pourront aussi être réservés au dessert. Un vin à ne pas négliger : le porto blanc, beaucoup plus sec que les VDN français – le porto lagrima est plus sucré.

* Voilà des vins un peu moins fins, peut-être, mais bons et très intéressants pour leur prix. Et puis, le muscat à petits grains ne vient-il pas originellement de cette île enchanteresse grecque dénommée Samos ?

Breganze Torcolato, Fausto Maculan (Italie)

Muscat de Beaumes-de-Venise, Cave des Vignerons (Rhône)

Samos, Vin de Muscat, Union viticole de Samos (Grèce)

Vin de glace, Vidal Inniskillin Wines (Canada)

Jurançon, Domaine Cauhapé (Sud-Ouest)

Cadillac, Château Haut-Roquefort (Bordeaux, 500 ml)

L'ESPRIT ET LA MATIÈRE

L'amateur arrêtera son choix en fonction de ses préférences parmi tous ces vins très particuliers issus pour la plupart du mélange du jus de raisin frais avec de l'eau-de-vie (avant ou pendant la fermentation). Avec le porto blanc, le pineau des charentes reste à mon avis une valeur sûre. On les servira bien frais, mais sans glaçons. Pour le banyuls, le maury et le porto rouge, c'est une autre histoire et une affaire de goût, d'autant plus qu'ils jouent un meilleur rôle avec certains fromages et desserts (*voir* «Les fromages» p. 211 et «Les desserts» p. 229).

Aiguillettes de canard en barquette
Brochettes de magret de canard aux griottes
Canapés à la mousse de foie gras
Canapés au filet d'oie fumé
Feuilleté de jambon au porto
Feuilletés au roquefort
Petits gâteaux de foies de volaille
à la crème de porto

🍇🍇🍇 / 🍇🍇🍇🍇

Charentes: pineau des charentes* doré et ruby
Rhône: rasteau
Roussillon: banyuls – banyuls grand cru – maury – rivesaltes
Espagne: sherry (xérès) manzanilla, fino, amontillado
Italie: marsala vergine de soleras, stravecchio ou riserva
Portugal: madère (sercial et verdelho)** – porto blanc, porto tawny et porto late bottled vintage.

Dans certains pays, on sert le porto en apéritif, mais on peut aussi garder ce grand de la gastronomie pour d'autres occasions. Les vins doux naturels (VDN) rouges du Roussillon joueront le même rôle et accompagneront plusieurs types d'entrées... et de fromages.

Remarque: Dans ce chapitre, il est question des vins de Porto et des muscats de Grèce, car leur élaboration s'apparente aux vins doux naturels (VDN). Mais la mention VDN est réservée à des appellations d'origine contrôlée du sud de la France.

* Ce jus de raisin des Charentes, dont on a empêché la fermentation en l'associant à du cognac, est sans nul doute devenu l'un des apéritifs les plus populaires qui soient. Doré, ruby, vieilli ou non, il faudra le servir très frais (à garder au réfrigérateur) et surtout nature. Pas de glaçons, encore moins de zestes de citron. Le floc de gascogne, cousin du pineau des charentes, provenant de la région de l'armagnac, est moins connu mais pourtant tout aussi intéressant à découvrir.

** Voilà des vins parfois grandioses, mais trop souvent ignorés. Et pourtant! Quand je pense que l'on dit encore d'un vin oxydé qu'il est madérisé... Ma foi, c'est péjoratif pour le madère! Servir ces vins assez frais, mais pas trop (10 °C environ).

Marinata di melanzane con bresaola (Aubergine marinée et bresaola)
par Carlo Zopeni, recette page 301

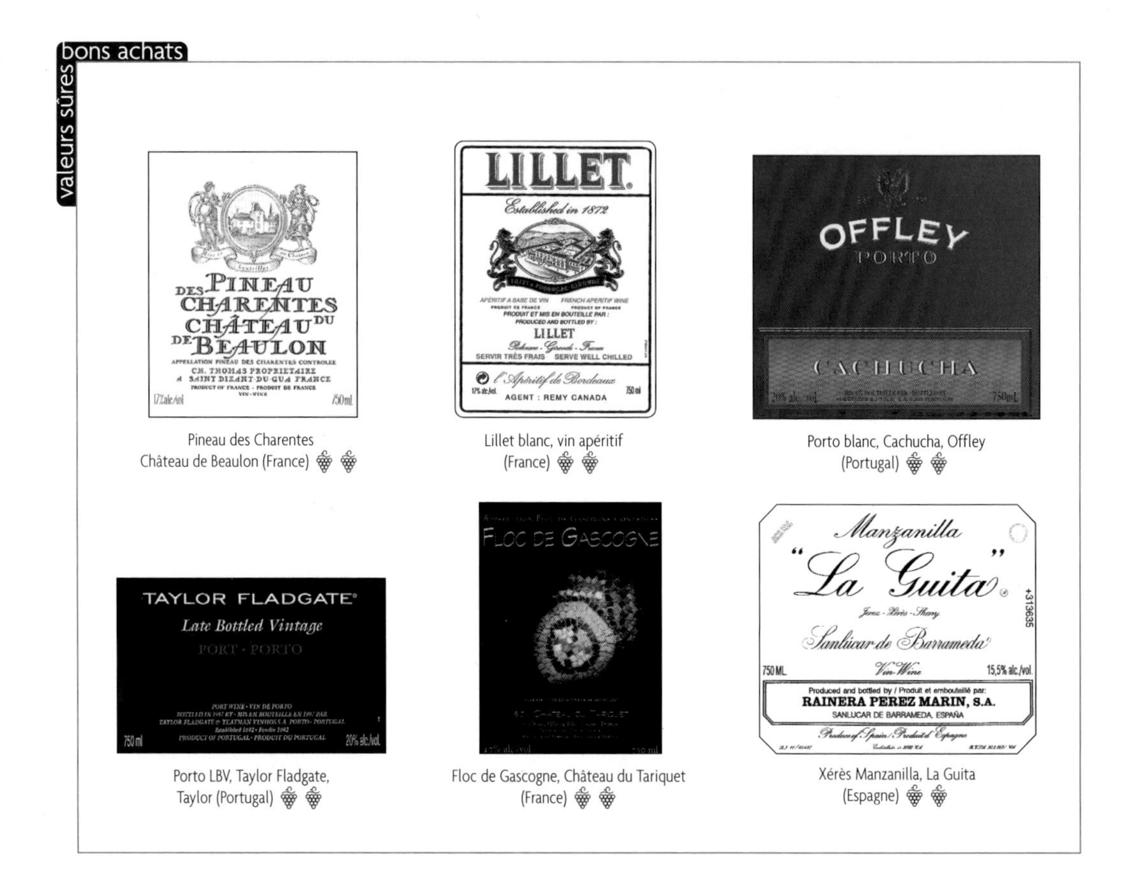

Pineau des Charentes
Château de Beaulon (France)

Lillet blanc, vin apéritif
(France)

Porto blanc, Cachucha, Offley
(Portugal)

Porto LBV, Taylor Fladgate,
Taylor (Portugal)

Floc de Gascogne, Château du Tariquet
(France)

Xérès Manzanilla, La Guita
(Espagne)

FRAIS COMME UNE ROSE !

Avec ou sans bulles, le vin rosé a toujours su mettre en appétit, de façon toute conviviale et sans prétention. Synonyme encore et toujours de vacances et de détente, il étanche la soif et, surtout, il accompagne bien les hors-d'œuvre parfois difficiles à marier. Tomates, basilic, ail et huile d'olive se laisseront apprivoiser par le rosé, servi bien frais, cela va de soi. Le champagne, si vous avez envie de vous gâter, rehaussera vos réceptions et mettra tous vos invités, même les plus récalcitrants, de bonne humeur ! Servir tous ces vins rosés bien frais (8 °C).

Acras de morue à la martiniquaise
Aubergine marinée et bresaola
Bonbons de tomates à la fleur de sel
et Sushis au thon façon Chez L'Épicier
Bruschetta à la tomate
Croissants au jambon
Croustillants aux champignons
Olives farcies en brioches
Petites pizzas au basilic
Pruneaux à la ricotta et aux amandes
Pruneaux au bacon
Roulades de saumon
Saucisson brioché

France : corbières, coteaux du languedoc, côtes du roussillon, faugères, saint-chinian, vin de pays (Languedoc-Roussillon) – béarn, côtes du frontonnais (Sud-Ouest) – costières de nîmes, côtes du luberon, côtes du rhône, lirac, tavel (Rhône) – coteaux d'aix-en-provence, coteaux varois, côtes de provence (Provence) – patrimonio, vin de corse (Corse) – arbois (Jura)
Italie : rosés secs de l'Ombrie (rosato di torgiano), de Toscane (bolgheri, rosato di carmignano) et de Vénétie
Espagne : penedès – ribera del duero – rioja
Portugal : douro
Chili : rosé de cabernet sauvignon

Italie : franciacorta
États-Unis : cuvées brut de Californie

France : champagne brut rosé

Si votre entrée est accompagnée d'un vin rosé (*voir* le chapitre intitulé « Les entrées » p. 43), et si vous ne voulez pas trop charger votre repas, le vin pourra très bien faire office d'apéritif. Il suffira d'en prévoir un peu plus.

Côtes du Frontonnais rosé, Château Bellevue-La Forêt (Sud-Ouest)

Ribera del Duero rosado, Vina Vilano (Espagne)

Côtes de Provence rosé, Pétale de Rose, Château La Tour de l'Évêque (Provence)

Champagne Brut rosé, Moët & Chandon (France)

Saint-Chinian rosé, Clos de l'Orb, Les vins de Roquebrun (Languedoc)

Costières de Nîmes rosé, Château de Nages (Rhône)

Les entrées

On dit qu'un repas classique commence toujours par une entrée. Mais un repas original peut aussi commencer par une entrée... je dirais même que c'est recommandé! Une question, cependant, avant d'aller plus loin: une entrée ou un hors-d'œuvre? Il est important à mon avis de faire ici une mise au point. En effet, dans cet ouvrage, j'utilise les termes «entrée» et «hors-d'œuvre» dans le sens très large qu'ils ont aujourd'hui, c'est-à-dire des mets (quels qu'ils soient) servis au début du repas. Car les définitions de ces deux termes se sont recoupées peu à peu. Autrefois, l'entrée était purement et simplement ce qui se servait entre les hors-d'œuvre et les rôtis. Et les hors-d'œuvre, servis froids, étaient considérés comme des mets «hors de l'œuvre». Or, les choses ont bien changé et, contrairement à un ouvrage littéraire ou artistique dont on négligerait le hors-d'œuvre, je ne voudrais pas être hors la loi, ni hors jeu, mais au contraire considérer, hors de tout doute, cet élément essentiel des plaisirs gourmands, accompagné très souvent de vins qui ne seront pas hors de prix.

Ne dit-on pas que nous n'avons jamais une seconde chance de faire bonne impression? Si l'apéritif (*voir* «En guise d'apéritif ou duos sur canapés» p. 29) se voit confier cette lourde tâche pour l'ensemble de la réception, l'entrée jouera à n'en point douter le rôle de première partie des festivités: elle devra réchauffer l'atmosphère, briser les timidités, et servira en quelque sorte de coup d'envoi aux plaisirs de la table tout en donnant le ton.

Mais que choisir pour plaire à tout le monde? Qu'est-ce qui s'intégrera parfaitement au menu, saura préparer les papilles de vos invités sans trop les charger et, par la même occasion, mettra en valeur la suite du menu?

Il s'agit d'un exercice difficile qu'il faudra effectuer avec beaucoup de doigté. Le défi majeur réside, bien sûr, dans le choix du vin. Choix horizontal d'abord – en d'autres termes: harmonie pure et simple avec l'entrée –, puis choix vertical – en fonction des autres mets et des autres vins (*voir* «Les règles de base» p. 15).

Qu'il s'agisse de soupes, encore que ce soit rare de marier vins et potages; de salades, de plus en populaires et de moins en moins vinaigrées, fort heureusement; de charcuteries pour les amateurs de cochonnailles; ou de caviar pour les nostalgiques des années fastes, les entrées sont préparées avec une multitude d'aliments. De l'avocat aux asperges en passant par les fruits de mer et les viandes froides, ce n'est pas le choix qui manque pour commencer agréablement un repas.

Dans le cas qui nous occupe, les règles qui régissent l'harmonie des vins et des plats de résistance s'appliquent plus ou moins de la même façon. Il faut cependant tenir compte du vin qui suivra et opter, à quelques exceptions près, pour une certaine légèreté teintée de simplicité, dans les arômes comme dans les saveurs.

Foies de canard poêlés en salade scarole croquante, sauce à l'hydromel
par Jean-Pierre Carrière, recette page 245

Pour toutes ces raisons, je vous propose principalement des blancs, notamment avec les salades et les préparations aux fruits de mer. Choisissez des vins plutôt légers, non dénués de caractère, qui sauront s'adapter à bien des préparations.

Attention, cependant, et mieux vaut en parler deux fois plutôt qu'une, il ne faut pas accompagner les salades de sauces vinaigrées à outrance : votre vin pourrait vous le reprocher ! Quant aux charcuteries, qui sont des mets parfaits pour le pique-nique, j'y vais aussi de mes suggestions rouges et rosées, et ces vins joueront un rôle prépondérant dans le déroulement du repas.

Et puis, faites preuve d'imagination ! La place qu'occupe naturellement l'entrée, coincée, si l'on peut dire, entre l'apéritif et le plat de résistance, peut vous permettre d'utiliser votre esprit créatif et de sortir des sentiers battus. Lors de mes vacances estivales, on m'a souvent servi comme entrée du melon avec du jambon ou bien avec un doigt de porto, comme il est d'usage. J'aime bien le melon et j'adore le porto, mais cinq fois dans une semaine et à cinq endroits différents... c'est beaucoup ! Manque d'imagination, peut-être, habitudes persistantes, certainement, puisque j'en connais qui n'ont pas dérogé à ces mœurs culinaires depuis des décennies.

Pour ma part, j'aime bien remplir au dernier moment cantaloups et cavaillons bien mûrs, il va de soi, préalablement vidés de leurs pépins et mis au réfrigérateur, de pineau des charentes ou de muscat de beaumes de venise bien frais, ceux-là mêmes qui ont été servis en apéritif. Le vin continue ainsi son travail en faisant office d'agent de liaison, et je crois soupçonner chaque fois dans le regard brillant de mes invités l'envie terrible de récidiver. Dans un même ordre d'idées, un champagne ou un vin effervescent d'excellente qualité seront fort agréables, surtout s'ils ont été proposés à l'apéritif. Et, au restaurant, lorsque tous les convives ont choisi des entrées différentes, le vin saute-bouchon continuera tout au long du premier service son œuvre subtile, en créant une certaine harmonie, mais en le faisant néanmoins avec beaucoup de panache.

Pour des raisons pratiques, je traite dans ce chapitre de certains mets qui pourraient être servis en plats de résistance (omelettes, cuisses de grenouilles et quelques spécialités). Et pour finir sur une note gourmande, pensons à Curnonsky, le Prince des gastronomes, qui a écrit : « Le foie gras est le roi des hors-d'œuvre [...] » Je ne l'ai pas oublié, bien sûr, mais j'ai préféré parler de ce mets royal dans la partie traitant des abats, lui accordant ainsi toute la place qui lui revient.

BLANCS OU ROSÉS... ILS SONT BONS À MARIER

De nos jours, la vinaigrette, responsable de la mauvaise entente entre vin et salade, a fait place à des préparations qui créent de bien agréables harmonies avec le vin. Poulet, fruits de mer, avocat, pâtes et fromages font désormais partie intégrante de la recette, qui sera rehaussée d'un simple filet de jus de citron ou d'un trait d'huile d'olive. Puisque l'on privilégie ici la fraîcheur, on choisira des blancs secs, pas compliqués, légers et fruités mais non dépourvus d'arômes.

Assortiment de salades marocaines et briouates aux crevettes roses*

Salade d'avocats (ou de riz) aux crevettes

*Salade de bocconcini, tomates et basilic frais**

*Salade de champignons**

Salade de chèvre chaud

Salade de crevettes (ou de moules crues)

Salade de cœurs d'artichaut

Salade de fruits de mer ou de poisson

Salade de homard et de saumon fumé

Salade de poulet

*Salade niçoise**

*Taboulé**

/

Alsace: pinot blanc, sylvaner

Bordeaux: bordeaux – entre-deux-mers – graves

Bourgogne: bourgogne aligoté – mâcon-villages – saint-véran

Languedoc: clairette de bellegarde – coteaux du languedoc (la clape et picpoul de pinet)

Loire: coteaux du giennois – gros-plant du pays de nantes – muscadet sèvre-et-maine – quincy – saumur – valençay

Autres régions: vin de savoie (apremont) – vins de pays (cépages chardonnay et sauvignon)

Italie: alcamo – bianco di custoza – bianco di torgiano – cinqueterre – colli bolognesi (pinot bianco) – colli orientali del friuli et collio (pinot grigio) – fiano di avellino – gavi – IGT de Vénétie (à base du cépage garganega) – lison-pramaggiore (pinot grigio) – orvieto classico secco – soave classico – verdicchio dei castelli di jesi – vermentino di gallura

Autres pays: fumé blanc de Californie – sauvignon du Nouveau Monde (Afrique du Sud, Australie, Chili et Nouvelle-Zélande) – vinho verde (Portugal)

Bourgogne: mercurey blanc – montagny – pernand-vergelesses – pouilly-vinzelles

Loire: pouilly-fumé – sancerre

Privilégiez des vins jeunes assez légers et réservez ceux que je propose dans la deuxième échelle de prix pour les grandes occasions. Servez ces vins très frais (8 à 10 °C).

* Les mets suivis d'un astérisque pourront très bien être accompagnés par des vins rosés secs.

bons achats

valeurs sûres

Muscadet Sèvre et Maine, Réserve Numérotée, Chéreau-Carré (Loire)

Fumaio, Chardonnay et Sauvignon, IGT Toscana, Banfi (Italie)

Sauvignon, Valle del Maipo, La Isla, Vina Tarapaca (Chili)

Saint-Véran, Combe aux Jacques, Louis Jadot (Bourgogne)

Costières de Nimes rosé, domaine du Grand Saint-André (Rhône)

St-Hallett, Poachers Blend (Australie)

POTAGES ET CONSOMMÉS CHERCHENT VINS VIFS ET LÉGERS

Des vins blancs secs, légers et vifs joueront de leur acidité pour se fondre avec le côté salin de la bisque et de la soupe de poisson. Ils feront également bien passer la soupe à l'oignon qu'on apprécie, il est vrai, à la fin d'une très longue veillée ou au petit matin, avant d'aller dormir un peu... Pour accompagner la bisque de homard, compte tenu de la suite du repas, certains aiment boire un grand bourgogne blanc, généreux et assez puissant, d'autres, des rosés pour la couleur et l'ambiance. Quant à la bouillabaisse (*voir* « Le poisson » p. 83), on ne pourra guère se tromper en servant un vin blanc de Provence (cassis, côtes de provence, coteaux d'aix-en-provence). En fait, on pourra toujours choisir un vin parmi ceux qui sont suggérés avec les salades.

Bisque de homard
*Consommé au sherry**
Soupe à l'oignon
Soupe au pistou
Soupe de poisson

* Pour accompagner ce consommé, il est intéressant de servir un petit verre de fino. Je suggère plus précisément la manzanilla, un xérès pâle, sec, vif et légèrement salé. Originalité et délicatesse seront au rendez-vous, grâce à ce noble vin d'Espagne qui aura pu être servi préalablement en apéritif, frais et nature, bien entendu.

ASTUCES ET DOIGTÉ POUR DES METS DIFFICILES À MARIER

Avec certaines préparations, il n'est pas toujours facile de trouver le vin adéquat. Les œufs, les asperges, les artichauts ou les poireaux sont autant de mets difficiles à marier. Voici donc quelques pistes pour résoudre cet épineux casse-tête.

*Asperges sauce mousseline**
*Crêpes aux asperges**
Endives au jambon
Flamiche (tourte aux poireaux)
ou poireaux au gratin
Melon et prosciutto
Omelette aux fruits de mer
*Quiche Lorraine***
Risotto aux asperges ou aux fleurs de courgette
*Tarte à l'oignon****

France : alsace (pinot blanc et sylvaner) – vins de pays (à base de gros manseng, de muscat ou de viognier)

Italie : collio et autres appellations à base de tocai friulano

Argentine : torrontés (cépage aromatique)

Alsace : muscat, riesling

Autres régions : jurançon sec et autres vins de pays des côtes de gascogne (Sud-Ouest) – roussette de savoie

Autres pays : fendant du valais, petite arvine (Suisse) – furmint (Hongrie) – vins de malvoisie ou malvasia (Italie et Californie)

* Délicieux en apéritif, le vin sec issu du cépage muscat (le plus souvent d'Alsace, mais aussi du Roussillon) est encore celui qui s'associe le mieux aux asperges, blanches, notamment, gommant de son fruit l'amertume de ces délicieuses pousses difficiles à marier. D'autres vins aromatiques, dotés d'une acidité équilibrée, relèveront aisément le défi, avec les asperges comme avec toutes les entrées proposées. Servir à 10 °C.

** À cause des lardons et des œufs, l'accord est assez difficile à réaliser. Je suggère des vins blancs simples, dont la souplesse sera l'une des premières qualités (pinot blanc d'Alsace ou du nord de l'Italie, fendant du valais, etc.).

*** Accord traditionnel avec un pinot blanc ou un sylvaner, ce qui permet à ces vins secs, fruités et de bonne acidité de tirer efficacement leur épingle du jeu en présence des oignons, toujours ingrats dans le mariage...

bons achats

valeurs sûres

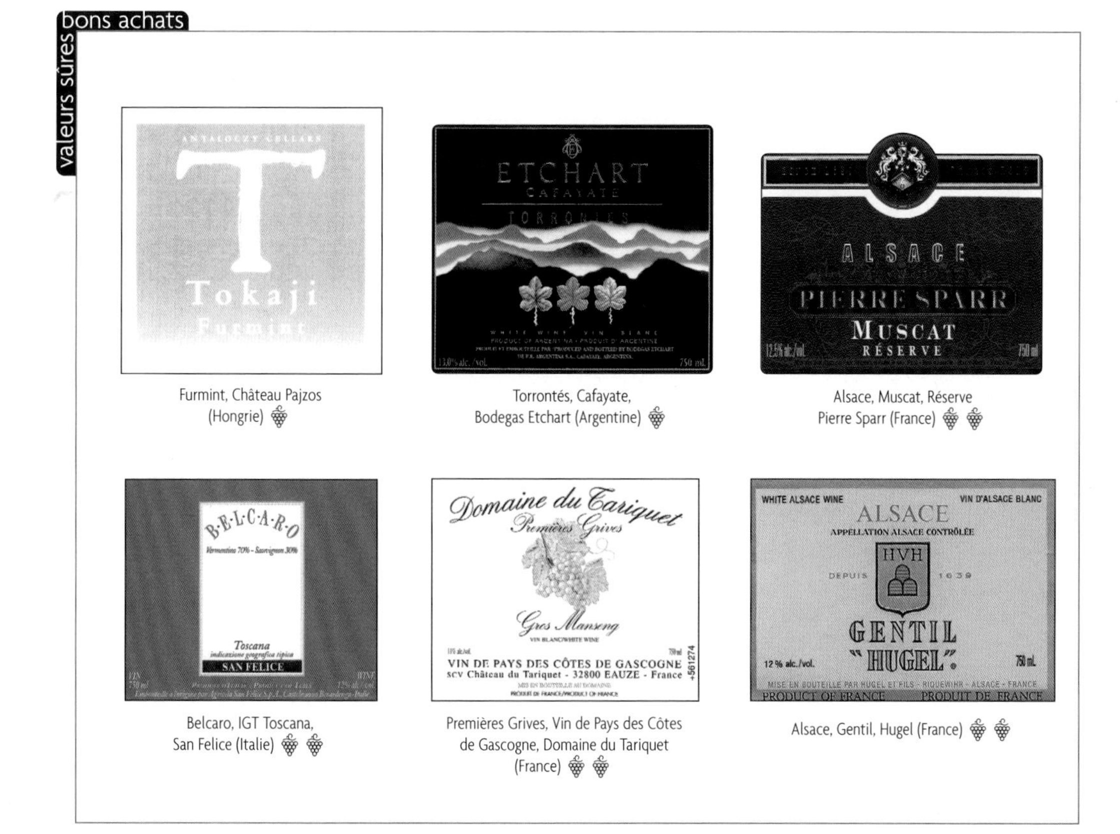

Furmint, Château Pajzos (Hongrie) 🍇

Torrontés, Cafayate, Bodegas Etchart (Argentine) 🍇

Alsace, Muscat, Réserve Pierre Sparr (France) 🍇 🍇

Belcaro, IGT Toscana, San Felice (Italie) 🍇 🍇

Premières Grives, Vin de Pays des Côtes de Gascogne, Domaine du Tariquet (France) 🍇 🍇

Alsace, Gentil, Hugel (France) 🍇 🍇

MÉLI-MÉLO... DANS LE VERRE ET DANS L'ASSIETTE

Bien que ce soit essentiellement une question de goût personnel, toutes ces entrées aux couleurs et aux saveurs diverses trouveront le compagnon idéal dans un vin blanc, rouge ou rosé, fruité, vif et léger. Le vin doit se faire discret pour souligner les subtiles qualités de ces mets. Personnellement, je préfère ici des rosés bien secs, servis très frais, ou ces rouges charmeurs, tout en fruit et servis rafraîchis que l'on appelle à juste titre «vins de soif».

Bruschetta à la tomate
Champignons farcis
Charcuteries: andouille, cervelas, cretons, galantine, museau, rillettes, salami
*Cornet de jambon et macédoine**
Crêpes gourmet (Crepolina buongustaio)
Croustade aux champignons
*Croûtons aux foies de volaille***
Foies de canard en salade
*Mousse de foies de volaille***
Terrine de légumes
Tourte au fromage et au jambon

* Je mets ici l'accent sur des vins rosés dont la couleur épousera celle du jambon et des tomates, mais c'est aussi la légèreté qui primera pour réaliser un heureux mariage avec la simplicité de cette préparation. Servez-les très frais (8 °C): côtes du frontonnais, gaillac, rosé de loire, corbières, saint-chinian (France) – navarra, rioja (Espagne).

** Voilà deux mets qui s'accommoderont tout autant d'un vin blanc moelleux, d'un rosé sec ou d'un rouge léger, c'est selon.

Minervois rosé, Château Villerambert Julien (Languedoc)

Vina Sol, Penedès blanco Miguel Torres (Espagne)

Merlot, 120, Valle de Lontue, Vina Santa Rita (Chili)

Moulin de Gassac, Élise, Vin de Pays de l'Hérault (Languedoc)

Côtes de Saint-Mont, Labriole blanc, Plaimont (France)

Bordeaux, Merlot, Christian Moueix (France)

Crepolina buongustaio (Crêpes gourmet)
par Carlo Zopeni, recette page 306

RONDEUR OU VIVACITÉ AVEC TOUTES CES ENTRÉES

Les entrées suivantes, des plus savoureuses, différentes les unes des autres, mais partageant suffisamment de caractéristiques pour se marier aussi bien avec la vivacité et le fruit du sauvignon qu'avec la rondeur et la sensualité d'un cru issu du chardonnay, réussiront à satisfaire tous les goûts. Vos attentes seront comblées, à la condition de servir le vin à la bonne température (8 à 10 °C pour les vins vifs et 10 à 12 °C pour les plus souples).

Antipasti aux poissons et aux fruits de mer
Avocat farci à la chair de crabe ou aux crevettes
Cocktail de crevettes
Coquilles de poisson
Crêpes aux fruits de mer
Cuisses de grenouille au vin blanc et aux herbes
Escargots à la bourguignonne
Feuilleté ou ragoût d'escargots
Gnocchis à la mousse de crevettes
*Millefeuille de saumon fumé**
*Pamplemousse au crabe***
Risotto aux crevettes
*Saumon fumé**
*Saumon mariné aux fines herbes**
Terrine de poisson

🍇 / 🍇🍇

Alsace: riesling, tokay pinot gris
Bordeaux: bordeaux – entre-deux-mers – graves
Bourgogne: beaujolais blanc – bourgogne blanc – chablis – mâcon villages – rully – saint-véran
Loire: coteaux du giennois – muscadet sèvre-et-maine – quincy – touraine (sauvignon) – valençay
Rhône: crozes-hermitage – saint-joseph – saint-péray
Sud-Ouest: bergerac sec – côtes de duras
Italie: alcamo – bianco di custoza – bianco di torgiano – colli orientali del friuli (pinot grigio) – gavi – lison-pramaggiore (pinot grigio) – pomino – orvieto classico secco – soave classico
Autres pays: chardonnay et sauvignon du Nouveau Monde (Afrique du Sud, Australie, Californie, Chili et Nouvelle-Zélande) – riesling allemand

🍇🍇🍇

Bordeaux: pessac-léognan
Bourgogne: auxey-duresses – chablis premier cru – mercurey blanc – pouilly-fuissé – pouilly-vinzelles
Loire: pouilly-fumé – pouilly-sur-loire – sancerre – vouvray sec
Italie: breganze – langhe (à base de chardonnay) – pomino – terre di franciacorta
Autres pays: chardonnay et sauvignon d'Australie et de Californie

🍇🍇🍇🍇

Bourgogne: chablis grand cru – puligny-montrachet
Champagne: brut et brut rosé pour le mariage des couleurs

* Je crois que le cépage sauvignon, grâce à ses arômes de fleur et de citron vert ainsi qu'à une certaine acidité, peut facilement se marier au saumon fumé. Dans un autre registre, un grand cru de Bourgogne racé, très sec, fin et long en bouche sera mis en valeur par le saumon si celui-ci n'est pas trop fumé. Au risque de me faire exécuter sur-le-champ, je profite ici de la popularité de ce mets pour répéter encore que la sobriété a souvent meilleur goût. Je m'explique: à quoi sert de se creuser la tête à trouver le vin approprié si c'est pour envahir l'assiette d'éléments indésirables. Alors, enlevez du plat câpres marinées et rondelles d'oignon et tenez-vous-en à un filet d'huile d'olive (italienne, ça va de soi...), un peu de poivre du moulin (si vous en trouvez, celui de Penja, au Cameroun, est tout à fait approprié) et quelques grains de fleur de sel marin, préférablement de Guérande (sud de la Bretagne) ou de Saint-Leu (île de la Réunion). Grâce à cette sage décision et à ce petit tour du monde, vous mettrez en valeur tout autant le vin que la texture et les saveurs véritables du saumon. Sobriété, je vous dis, il n'y a pas mieux pour trouver l'harmonie...

Si le poisson est très fumé, et je pense entre autres à de l'esturgeon (servi parfois en amuse-gueule sur canapé), essayez un scotch single malt passablement tourbé (comme le Talisker, le Laphroaig ou le Lagavulin), servi nature à température ambiante. Originalité et réussite assurées pour des connaisseurs prêts à l'aventure !

** La finesse du crabe alliée à celle du cépage riesling et l'aspect citronné de ce dernier combiné aux saveurs d'agrumes du pamplemousse feront de cette union un mariage harmonieux et rafraîchissant.

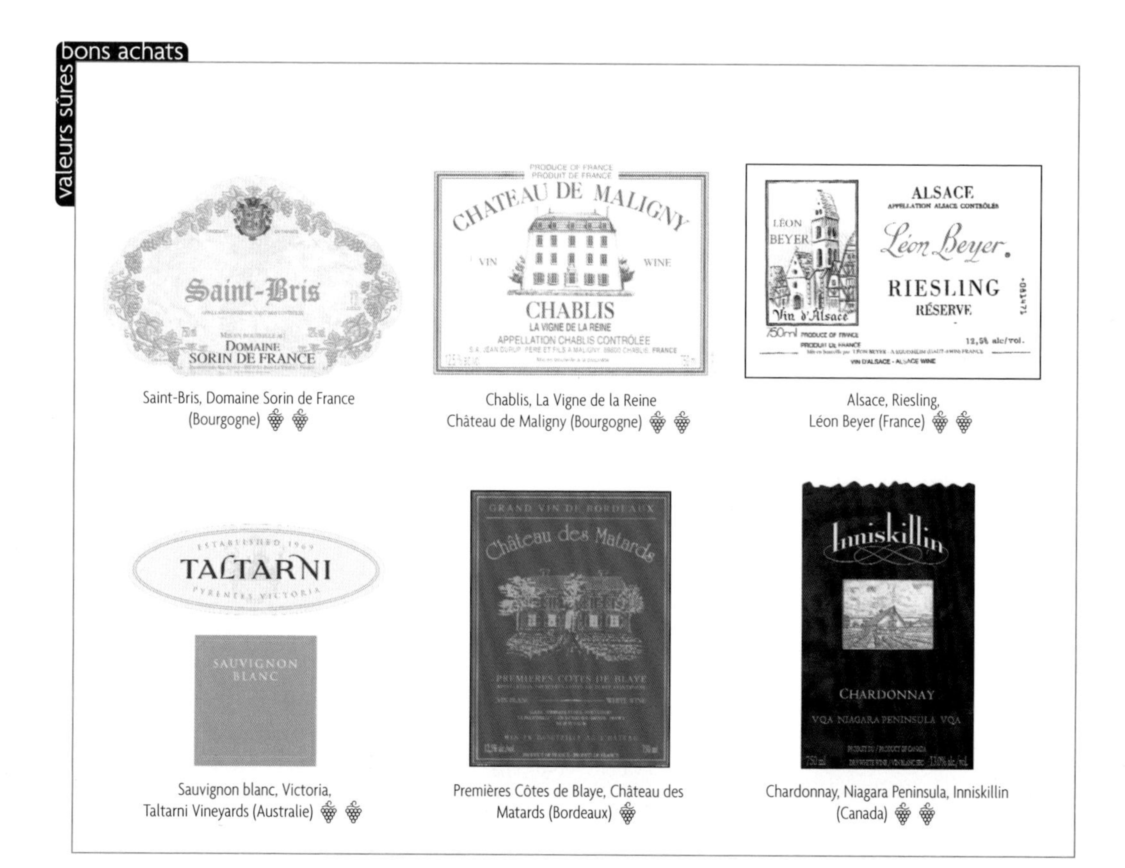

Saint-Bris, Domaine Sorin de France (Bourgogne)

Chablis, La Vigne de la Reine Château de Maligny (Bourgogne)

Alsace, Riesling, Léon Beyer (France)

Sauvignon blanc, Victoria, Taltarni Vineyards (Australie)

Premières Côtes de Blaye, Château des Matards (Bordeaux)

Chardonnay, Niagara Peninsula, Inniskillin (Canada)

LES COMPAGNONS RÊVÉS DES CHARCUTERIES

Avec la charcuterie en général, je suggère de nombreux vins blancs, plusieurs rouges et beaucoup de rosés, ce n'est pas le choix qui manque. Inutile de se lancer dans de folles dépenses. Là aussi, une simplicité de bon aloi aura préséance. Toutefois, pour accompagner terrines et pâtés, je me suis permis de suggérer de savoureuses alliances bien spécifiques. Il faut servir les blancs et les rosés très frais (8 à 10 °C) et les rouges à une température légèrement plus élevée (12 à 14 °C). Enfin, le grand choix de vins français s'explique par la tradition «charcutière» de ce pays.

Charcuteries crues

(Jambon de Bayonne, jambon de Parme, salami, saucisson sec, etc.)

Charcuteries cuites

(Andouille, cervelas, cretons, galantine, chiffonnade de jambon, jambon fumé, museau, pâté de campagne, rillettes, saucisson, terrine, etc.)

Alsace: gentil, gewürztraminer, pinot blanc, riesling et sylvaner

Bordeaux: bordeaux rosé – premières côtes de blaye

Bourgogne: beaujolais (rouge et blanc) – bourgogne aligoté – chiroubles – fleurie – juliénas – marsannay rosé – saint-amour

Languedoc-Roussillon: corbières rosé – côtes du roussillon rosé – faugères rosé – minervois (rouge léger et rosé) – vins de pays à base de merlot et de pinot noir

Loire: anjou gamay – chinon rosé – jasnières – montlouis demi-sec – reuilly rouge et rosé – saint-nicolas-de-bourgueil – sancerre rouge et rosé – touraine rouge et rosé – vouvray demi-sec – menetou-salon rosé

Rhône: costières de nîmes – coteaux du tricastin – côtes du luberon – côtes du rhône – côtes du ventoux (tous ces vins rouges et rosés) – crozes-hermitage blanc – lirac rosé – tavel

Sud-Ouest: béarn rosé et blanc – côtes de duras rouge léger – jurançon sec – irouléguy rosé

Autres régions: coteaux du lyonnais – bandol et côtes de provence rosé (Provence) – vin de corse rosé – vin de savoie rouge (à base de gamay et de pinot noir)

Italie: alto adige (schiava) – bardolino – bolgheri rosato – castel del monte rosato – collio et colli orientali del friuli rosato – dolcetto d'acqui – etna rosato – torgiano rosato – valpolicella

Autres pays: navarra rosé, rioja rosé (Espagne) – riesling sec d'Allemagne, d'Autriche et du Canada – merlot du Chili

Pour des suggestions plus précises, *voir* «Méli-mélo dans le verre et dans l'assiette» p. 49.

Carpaccio d'émeu de Charlevoix, salade de mâche au vinaigre de vin «Minus 8», copeaux de cheddar fort par Daniel Vézina, recette page 292

TERRINES, PÂTÉS ET VINS DE TERROIR

Terrines et pâtés, lorsqu'ils sont quelque peu relevés, s'accompagnent aisément de vins rouges ayant assez de caractère pour leur tenir tête. Bien structurés, dotés d'arômes de fruits rouges, de sous-bois et parfois d'épices, ils sont charnus et souples grâce à des tanins bien mûrs mais déjà assez fondus. Servir entre 15 et 17 °C.

Jambon persillé
Pâté au poivre
Pâté de campagne
Saucisson à l'ail
Terrine de canard au poivre vert
Terrine de foies de volaille
Terrine de gibier
Terrine de lièvre

Bordeaux: bordeaux côtes de francs – bordeaux supérieur – côtes de castillon – graves – lussac-saint-émilion – montagne-saint-émilion – premières côtes de bordeaux

Bourgogne-Beaujolais: bourgogne pinot noir – côte de beaune-villages – côte de brouilly – juliénas – morgon – moulin à vent – régnié – saint-amour – saint-romain

Languedoc-Roussillon: collioure – corbières – coteaux du languedoc – côtes du roussillon-villages – fitou – saint-chinian

Loire: anjou-villages – saumur-champigny – touraine

Rhône: côtes du rhône-villages – lirac rouge – vacqueyras

Italie: barco reale – breganze

Autres pays: catalunya, penedès, somontano, yecla (Espagne) – dão, douro (Portugal) – carmenère et cabernet sauvignon du Chili – malbec et cabernet sauvignon d'Argentine – tannat (Uruguay)

Bordeaux: canon-fronsac – lalande de pomerol – saint-émilion grand cru

Rhône: gigondas – saint-joseph

Italie: barbera d'alba – barbera d'asti – carmignano

Autres pays: cabernet sauvignon d'Australie et de Californie

Les accros du vin blanc qui veulent y mettre le prix peuvent opter pour des cuvées de châteauneuf-du-pape ou de crozes-hermitage (vallée du Rhône).

Saumur-Champigny, Domaine du Vieux Bourg (Loire) 🍇🍇

Bordeaux Supérieur, Monrepos, Château Trocard (France) 🍇🍇

Saint-Chinian, Vieilles Vignes, Château Cazal Viel (Languedoc) 🍇

Gran Coronas, Don Miguel Torres, Cabernet sauvignon, Miguel Torres (Espagne) 🍇🍇

Malbec, Rio de Plata, Bodegas Etchart (Argentine) 🍇

Régnié, Domaine Louis Tête (Beaujolais) 🍇🍇

SPÉCIALITÉS ET AUTRES PRÉPARATIONS

Baluchons de canard confit

Cette préparation, dont vous trouverez la recette à la page 278, invite à un vin rouge aux rondeurs affirmées. Du fruit et de la chair, certes, mais de la souplesse, surtout en début de repas, afin de commencer en douceur. Le bourgogne pinot noir du Domaine des Perdrix a ce fruité et la texture soyeuse espérés. Avec une cuvée de quatre ans environ, il présentera une maturité de bon aloi pour jouer le jeu de l'harmonie.

Carpaccio d'émeu de Charlevoix, salade de mâche et copeaux de cheddar fort

Pas besoin d'un vin rouge trop puissant avec la viande de cet imposant volatile. Un vin aux rondeurs affirmées et doté d'une acidité moyenne comme ce Vina Progreso, un pinot noir original d'Uruguay (*voir* la recette p. 292) devrait faire l'unanimité.

Caviar

Oui, je sais, ce n'est pas tous les jours que l'on mange du caviar ! Mais les connaisseurs aimeront l'accompagner d'un château-grillet (cru important de la vallée du Rhône à base de viognier) ou d'un château-chalon (vin jaune du Jura), pour leur longueur en bouche remarquable. D'autre part, pour les amateurs de bulles, un bon champagne (cuvée prestige) vineux jouera les grands seigneurs avec beaucoup de classe, tant avec le caviar béluga qu'avec le sévruga. Enfin, les inconditionnels de vodka qui possèdent une bonne constitution seront comblés par les vodkas russes, polonaises et finlandaises, servies frappées.

Fricassée de cèpes

Un classique qui permet de marier les fines saveurs et la texture de ce champignon avec celles de certaines belles cuvées de bordeaux : canon-fronsac, lalande de pomerol, pomerol, saint-émilion grand cru. Respect mutuel des deux parties pour un plaisir gustatif absolu.

Melon rafraîchi

Si vous servez le melon avec les vins blancs naturellement doux (vins liquoreux) ou les vins doux naturels (VDN à base de muscat), votre entrée se transformera presque en dessert… Quant aux VDN rouges (le banyuls, par exemple), ils remplaceront sur-le-champ le porto que vous n'aurez pu vous procurer ou que vous aurez considéré comme trop grand pour se mêler ainsi de façon indécente à la pulpe du melon. Barsac, cadillac, loupiac, sainte-croix-du-mont, sauternes (Bordeaux) – jurançon moelleux, monbazillac (Sud-Ouest) – banyuls, muscat de beaumes de venise, muscat de frontignan, muscat de lunel, muscat de mireval, muscat de rivesaltes, muscat de saint-jean-de-minervois, rivesaltes (vins doux naturels) – ruby, tawny et late bottled vintage, sans oublier le porto blanc demi-sec (Porto).

Morilles à la crème

Habituellement, c'est au vin jaune que les morilles sont préparées dans le Jura, ce qui n'empêche pas de le faire ailleurs… Une bonne occasion, en tout cas, de se servir un bon verre de ce vin si particulier ! Au choix : château-chalon et vins jaunes d'Arbois ou des côtes du Jura.

Omelettes composées

Optez pour les vins blancs suggérés à la rubrique « Astuces et doigté pour des mets difficiles à marier » p. 46 et les rosés suggérés avec les charcuteries (*voir* la rubrique « Les compagnons rêvés des charcuteries » p. 53). Mais il est difficile de marier vins et œufs ! On peut donc partir à l'aventure, mais on doit tenir compte des ingrédients utilisés.

Omelette aux truffes

Voici l'exception à la règle, une préparation où la truffe joue le rôle principal, reléguant au second rang l'omelette, qui se fera discrète… Optez pour des vins rouges de quelques années (cinq à huit ans), servis à 16 à 18 °C : cahors, madiran (Sud-Ouest) – pomerol, saint-émilion grand cru (Bordeaux) – chambertin et autres grands crus de la côte de Nuits (Bourgogne). Toutefois, je garde un souvenir ému d'un savoureux châteauneuf-du-pape blanc du château La Gardine avec une brouillade aux truffes.

Truffes au foie gras en feuilleté
Truffes en brioche

Un seul choix (une fois n'est pas coutume) : un grand cru de Pomerol de quelques années (8 à 10 ans) dégageant de sublimes bouquets de cuir et de truffe. En bouche, le succès est assuré grâce à la présence des tanins évolués et soyeux du merlot, cépage habituellement dominant. Un mariage d'amour à consommer le premier jour… !

Baluchons de canard confit, sauce à l'érable et au vinaigre de cidre
par Jean-Louis Massenavette, recette page 278

MARIAGES RÉGIONAUX D'INSPIRATION FRANÇAISE

Pissaladière (tarte niçoise garnie d'oignons, d'anchois et d'olives)
Salade niçoise

Avec ces deux mets, on opte pour des harmonies provençales forcément, pour voir la vie en rose ! Harmonies de couleurs et de parfums assurées avec ces vins : bandol, bellet, coteaux d'aix, coteaux de pierrevert, coteaux varois, côtes de provence, les baux de provence, palette (tous rosés).

Andouillettes au vin blanc
Jambon à la chablisienne

Deux délices à essayer absolument avec un chablis (ou un petit chablis, si vous avez des goûts plus modestes).

MARIAGES RÉGIONAUX D'INSPIRATION ITALIENNE

Bollito misto alla piemontese (langue et cervelle de bœuf et de veau, bouillies et servies avec sauce verte à l'ail)

Le gattinara est un vin rouge quelque peu rustique du Piémont. En plus des arômes de violette et d'épices, il est assez costaud, charnu et tannique pour tenir tête à cette spécialité.

Insalata di carne cruda
Salade de bœuf mariné, avec champignons et truffes blanches

Une autre spécialité du Piémont qui demande un vin tannique, mais beaucoup plus souple et fruité que le précédent. Barbera d'asti et nebbiolo d'alba feront joyeusement l'affaire.

N'capriata (spécialité des Pouilles : haricots secs bouillis et pilés accompagnés de salade, piments, oignons, tomate et huile d'olive).

Je suggère ici des vins rosés, pour la couleur et surtout pour le côté rafraîchissant qui se chargera d'éteindre le feu allumé par les fortes épices entrant dans la préparation : biferno, bolgheri, castel del monte et IGT des Pouilles élaboré avec les cépages negro amaro.

Risotto aux truffes blanches

J'ai dégusté ce risotto avec un dolcetto d'acqui, vin rouge fruité du Piémont servi légèrement frais (14 °C). Molto buono !

Assortiment de salades marocaines et briouates aux crevettes roses
par Fabrice Mailhot, recette page 269

Les pâtes

Bien que l'origine des pâtes remonte sans doute à l'Antiquité, ce n'est qu'au XIIIe siècle que l'on aurait goûté à Venise pour la première fois les pâtes chinoises rapportées par le grand navigateur Marco Polo. On connaît la suite : les pâtes sont devenues synonymes de gastronomie italienne, mais surtout, après les grandes vagues de migration ayant marqué l'Italie, source alimentaire fort prisée, pour ne pas dire populaire, de nombreuses populations.

Qui ne cuisine pas les pâtes ? Des populaires macaronis, spaghettis, lasagnes et raviolis aux plus rares cappellettis, fusillis, bucatinis et conchiglionis en passant par les traditionnels pennes, tagliatelles, linguines et autres farfalles et pappardelles, les pâtes, de plus en plus en demande, sont apprêtées à toutes les sauces, et c'est vraiment le cas de le dire. Des plus légères aux plus relevées, aux épinards, à la crème, à l'ail, avec ou sans tomate ou huile d'olive, ces sauces accompagnent les pâtes avec une heureuse diversité.

Les vins qui se marient aux pâtes sont tout aussi nombreux, et ce sont en fin de compte les condiments, les aromates, les garnitures et les épices entrant dans la composition d'un plat qui détermineront le meilleur choix. Ainsi, crème, beurre et fruits de mer se marient facilement aux vins blancs, le plus souvent secs, mais non dépourvus de rondeur et de souplesse. Les rosés, qui autorisent de belles harmonies de couleurs, sont appréciés notamment en raison du fait qu'ils savent tempérer les préparations épicées, faciliter le mariage avec les tomates et, finalement, étancher la soif des convives. Les vins rouges seront bien sûr au rendez-vous, dans la mesure où leur personnalité s'harmonisera aux ingrédients qui composent les recettes.

Au cours de mes nombreuses escapades au pays des pâtes, j'ai souvent constaté qu'on y avait l'art de les apprêter bien souvent avec beaucoup plus de simplicité que chez nous. Il n'y a rien de plus savoureux en effet qu'une *pasta* cuite *al dente* accompagnée tout simplement de poivre du moulin, d'une pincée de fleur de sel et d'un filet d'huile d'olive soigneusement sélectionnée.

Quoi qu'il en soit, même si j'ai privilégié de nombreuses avenues à l'italienne (en suggérant les appellations les plus connues et les plus exportées), je vous propose d'autres vins, de France et d'ailleurs, afin de souligner justement le caractère universel de ces préparations fort sympathiques.

Tagliatelles aux moules et au safran
par Philippe Mollé, recette page 283

MARIAGES IN BIANCO !

Combinaisons résolument italiennes que ces préparations onctueuses qui incorporent crème, beurre ou fromage et qui ne demandent qu'à être mises en valeur par des vins blancs secs et souples à la fois, dotés d'une bonne acidité qui saura équilibrer le tout. Dans ce cas, il sera difficile de manquer son coup avec des vins de type chardonnay. Si la préparation inclut des herbes (aneth, basilic, oseille, etc.) ou des légumes (les épinards, par exemple) le sauvignon, de ses saveurs végétales, jouera souvent le jeu de l'harmonie, mais il sera intéressant de découvrir les cépages siciliens inzolia et catarratto. Hors d'Italie, d'autres cépages assumeront sans faillir leur responsabilité. Mariages de textures et de couleurs garantis pour assouvir une gourmandise bien légitime ! On gardera les vins les plus chers, mais aussi les plus complexes, pour les préparations plus cuisinées (truffes blanches, homard, pétoncles, etc.).

Fettucines Alfredo
Fettucines au beurre
*Fettucines aux truffes blanches**
Fettucines, spaghettis, linguines ou cheveux d'ange safranés aux fruits de mer
Gnocchis à la crème de crevettes
Lasagnes à la crème et aux épinards
Lasagnes à la mousseline de pétoncles
Lasagnes au homard
Macaronis gratinés au fromage
*Pâtes salsa bianca***
Pizza aux fruits de mer
Tagliatelles aux moules et au safran
Tajarin al tartufo (nouilles aux œufs, beurre, parmesan et truffes blanches)*

🍇🍇

Italie : albana di romagna secco – alcamo – alghero – alto adige – bianco di custoza – bianco di torgiano – breganze – colli berici – colli bolognesi bianco – collio et colli orientali del friuli (chardonnay et pinot bianco) – est ! est !! est !!! di montefiascone – friuli grave ou isonzo (chardonnay, pinot bianco et sauvignon) – gambellara – gavi – greco di tufo – lugana – orvieto classico secco – piemonte (chardonnay et pinot bianco) – pomino – soave classico – trentino – verdicchio dei castelli di jesi – vernaccia di san gimignano – vesuvio (lacryma christi) – vins de pays (IGT) à base de chardonnay ou de sauvignon ainsi que du cépage garganega (Vénétie) – IGT sicilia

France : pinot blanc (Alsace) – beaujolais blanc, bourgogne, mâcon-villages, montagny, saint-véran (Bourgogne) – vins de pays d'oc

Autres pays : cuvées à base de chardonnay et de sauvignon d'Australie, du Chili et de Californie

🍇🍇🍇

Italie : breganze – contea di sclafani – contessa entellina (chardonnay) – fiano di avellino – langhe (chardonnay) – terre di franciacorta – grandes cuvées (IGT) de Toscane à base de chardonnay

Des vins blancs italiens, bien sûr, pour ces préparations savoureuses. Choisissez-les jeunes, secs et de bonne souplesse et servez-les frais (autour de 10 °C).

* Un vin blanc sec piémontais comme le gavi, aux arômes végétaux légèrement citronnés et à l'acidité raisonnable, accompagnera très bien les délicieuses spécialités de cette région renommée pour son vignoble.

** Tous les vins proposés s'harmoniseront aisément avec les fettucines, tagliatelles et spaghettinis nappés de salsa bianca (beurre, crème, parmesan râpé, basilic frais, persil, champignons, vin blanc et condiments divers), s'ils sont dotés d'une bonne rondeur et d'une acidité en équilibre.

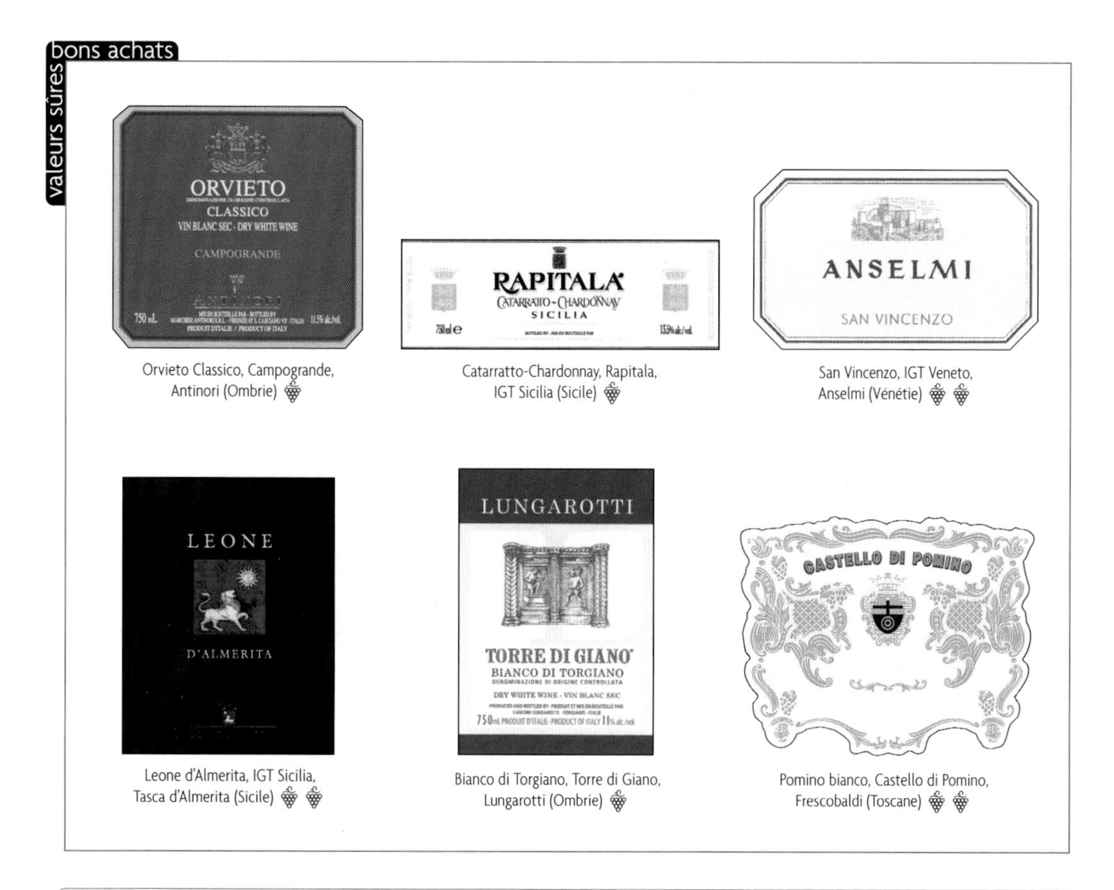

Orvieto Classico, Campogrande, Antinori (Ombrie)

Catarratto-Chardonnay, Rapitala, IGT Sicilia (Sicile)

San Vincenzo, IGT Veneto, Anselmi (Vénétie)

Leone d'Almerita, IGT Sicilia, Tasca d'Almerita (Sicile)

Bianco di Torgiano, Torre di Giano, Lungarotti (Ombrie)

Pomino bianco, Castello di Pomino, Frescobaldi (Toscane)

VINI ROSSI LEGGERI E FRUTTATI

Ces préparations aux sauces peu relevées offrent des arômes peu envahissants qui réclament des vins rouges tout en fruit avec suffisamment de matière ainsi que des tanins relativement discrets et déjà bien assagis. En fait, on ne se complique surtout pas la vie avec ces vins de soif, servis justement entre 14 et 16 °C, qui sont tout indiqués pour des repas amicaux et sans prétention. Et puisqu'il ne faut pas, en matière de plaisir, se limiter en s'imposant des règles trop strictes, je suggère tout de même, avec ces spécialités italiennes, quelques vins d'autres pays.

Bucatini ou fettucine alla matriciana
Cannellonis farcis
Fagottini alla trevisana
Fettucine alla romana (sauce aux foies de volaille)
Fusillis à la napolitaine
Lasagnes à la viande
Pâtes à la sauce tomate et aux champignons (agnolottis, raviolis, gnocchis, tortellinis)
Pizza toute garnie
Raviolis à la viande
Rigatonis aux aubergines frites
Spaghetti et fettucine alla carbonara
Spaghettis, macaronis et tagliatelles à la bolognaise (sauce peu relevée)

Italie : alto – adige (merlot, cabernet franc et pinot nero) – collio et colli orientali del friuli (merlot, cabernet franc et pinot nero) – dolcetto d'alba – friuli grave ou isonzo (merlot, cabernet franc et pinot nero) – grignolino d'asti – piemonte (cépage grignolino) – trentino (merlot, cabernet franc et pinot nero) – vins de pays (IGT) à base du cépage merlot principalement

France : beaujolais-villages, chiroubles, bourgogne passetoutgrain (Bourgogne) – coteaux du lyonnais – buzet, côtes du marmandais (Sud-Ouest) – cheverny, gamay de touraine (Loire) – côtes du ventoux (Rhône) – vin de pays d'oc (cépages merlot et pinot noir)

Autres pays : vins rouges légers et fruités à base de merlot

Rosso di Torgiano, Rubesco, Lungarotti (Ombrie)

Formulæ, IGT Toscana, Barone Ricasoli (Toscane)

Dolcetto d'Alba, Pio Cesare, (Piémont)

Colforte, IGT Delle Venezie, Fratelli Bolla (Vénétie)

Medoro, IGT Marche, Umani Ronchi (Marches)

Aquileia, Merlot, Ca' Vescovo (Frioul)

Fagottini alla trevisana (Pâtes maison farcies)
par Carlo Zopeni, recette page 304

VINI ROSSI... AROMA E STRUTTURA !

Couleurs, arômes et fumets se donnent rendez-vous dans ces préparations bien relevées, simples, teintées d'une rusticité de bon aloi. Les vins se mettront au diapason de la recette. On les choisira avec beaucoup de fruit et de saveur, charnus et assez costauds pour soutenir les sauces piquantes et les farces bien assaisonnées. Ici encore, il faut savoir mettre de côté les œillères et se faire plaisir aussi en essayant des vins d'autres pays.

Bigoli con anatra
(spaghettis au ragoût de canard)
Cannellonis farcis
Lasagnes à la viande
Lasagnes aux aubergines
et aux saucisses italiennes épicées
Macaronis au ragoût de bœuf
Pappardelles au canard
Pizza toute garnie, assez épicée
Spaghetti alla puttanesca
(sauce piquante aux câpres et aux olives)
Spaghettis, macaronis, rigatonis, spaccatellas et
tagliatelles à la bolognaise (sauce pimentée)

🍇 / 🍇 🍇

Italie: alto-adige (cabernet sauvignon, schiava) – biferno – breganze – canonnau di sardegna – colli berici (cabernet) – collio et colli orientali del friuli (cabernet sauvignon) – friuli grave ou isonzo (cabernet sauvignon) – molise – montepulciano d'abruzzo – morellino di scansano – nebbiolo d'alba – piemonte (barbera) – pomino rosso riserva – rosso piceno – sangiovese di romagna – torgiano – trentino (cabernet sauvignon, lagrein) – valpolicella classico – vini del piave (cabernet sauvignon) – vins de pays à base des cépages cabernet sauvignon et sangiovese (IGT Toscana), de primitivo (IGT puglia) et de nero d'avola (IGT sicilia)

France: cabardès, corbières, coteaux du languedoc, côtes du roussillon-villages, faugères, fitou, minervois, saint-chinian, vin de pays à base de cabernet sauvignon (Languedoc-Roussillon) – cahors, côtes du frontonnais, gaillac, marcillac, pécharmant (Sud-Ouest) – costières de nîmes, côtes du rhône-villages, crozes-hermitage, lirac (Rhône) – coteaux d'aix-en-provence, coteaux varois, côtes de provence (Provence) – ajaccio – patrimonio – vin de corse (Corse)

Espagne: penedès – ribera del duero – rioja reserva

Portugal: alentejo – douro

Autres pays: cuvées d'Australie (shiraz), d'Argentine (malbec), du Chili (cabernet sauvignon) et de Californie (zinfandel)

🍇 🍇 🍇

Italie: barbera d'alba et barbera d'asti – breganze – chianti classico – contessa entellina (cabernet sauvignon et nero d'avola) – morellino di scansano riserva – rosso di montalcino – sant'antimo (cabernet sauvignon)

Il faudra, autant que faire se peut, servir les vins les moins corsés avec les préparations les moins relevées. Servir les plus légers très jeunes et à une température située entre 14 et 18 °C. Les vins suggérés dans la deuxième échelle de prix supporteront aisément trois ou quatre ans de vieillissement. Température de service : 16 à 18 °C.

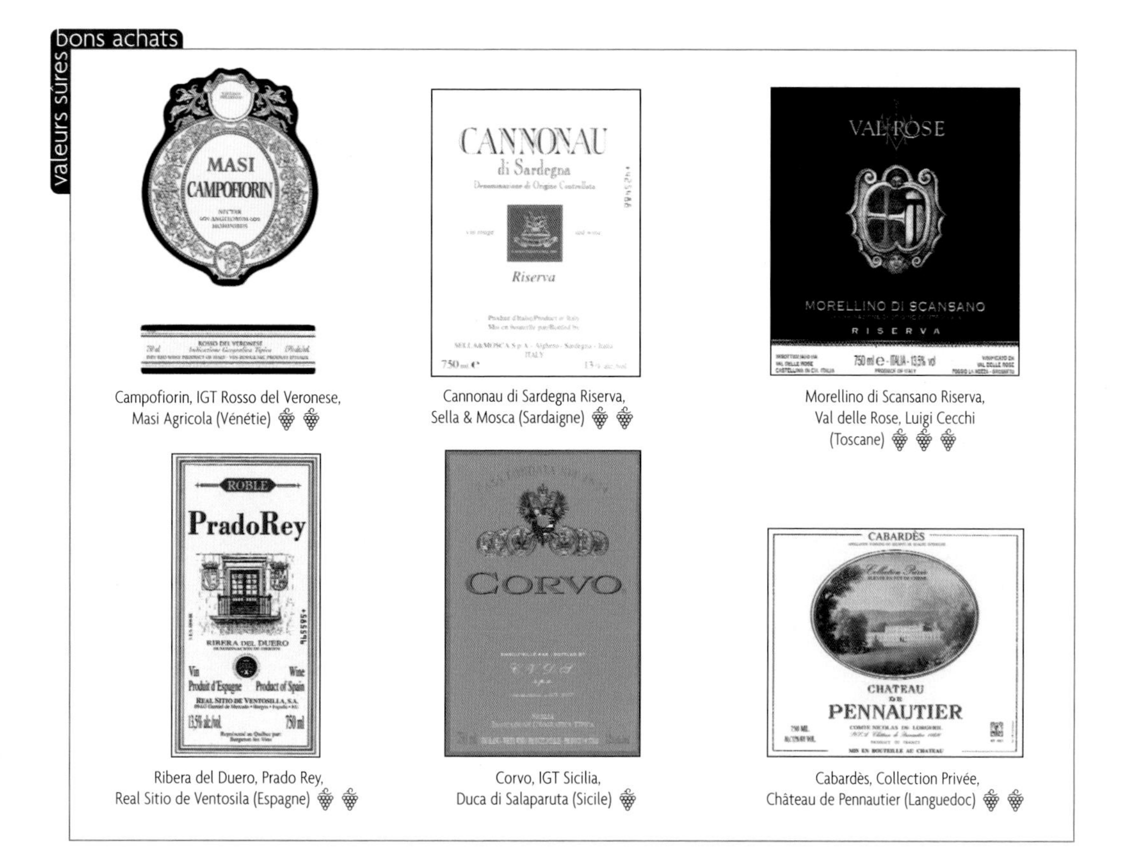

Campofiorin, IGT Rosso del Veronese, Masi Agricola (Vénétie)

Cannonau di Sardegna Riserva, Sella & Mosca (Sardaigne)

Morellino di Scansano Riserva, Val delle Rose, Luigi Cecchi (Toscane)

Ribera del Duero, Prado Rey, Real Sitio de Ventosila (Espagne)

Corvo, IGT Sicilia, Duca di Salaparuta (Sicile)

Cabardès, Collection Privée, Château de Pennautier (Languedoc)

LA DOLCE VITA... IN ROSA !

Harmonies de couleurs, bien sûr, mais aussi d'intensité. Dans le cas des préparations pas trop relevées, le fruité du rosé mettra en valeur les saveurs apportées par les aromates et les condiments tout en assagissant l'acidité parfois gênante des tomates. La fraîcheur du vin apaisera le feu de certains mets fortement épicés. Hélas, peu de rosés italiens sont offerts au consommateur. Aussi, je vous recommande également des vins de France, d'Espagne et d'ailleurs.

Pâtes, sauce tomate et fromage pecorino
*Pâtes salsa rosa**
Penne all'arrabiata
Pennes ou spaghettis aux trois poivrons
Pizza aux tomates et poivrons
Pizza margherita (tomates, basilic et mozzarella)
Spaghetti et fettucine alla carbonara
Spaghettis ou tortellinis aux légumes
Spaghettini al pesto
Tagliatelles à la marjolaine, sauce tomatée
Tagliatelles au prosciutto
Tagliolini a l'ortolana

Italie : rosés secs des Abruzzes, de l'Ombrie (IGT umbria), de Toscane (rosato di carmignano), des Pouilles (castel del monte) et de Vénétie

France : corbières, coteaux du languedoc, côtes du roussillon, faugères, saint-chinian, vin de pays (Languedoc-Roussillon) – béarn, côtes du frontonnais (Sud-Ouest) – costières de nîmes, côtes du luberon, côtes du rhône, lirac, tavel (Rhône) – coteaux d'aix-en-provence, coteaux varois, côtes de provence (Provence) – patrimonio – vin de corse (Corse) – arbois (Jura)

Espagne : penedès – ribera del duero - rioja – valencia

Portugal : douro

Chili : rosé de cabernet-sauvignon

* Tous ces vins s'accorderont particulièrement bien avec les tortellinis, les cappellettis et autres raviolis nappés de salsa rosa (pâte de tomate, oignons rouges, huile d'olive, crème, basilic, prosciutto et condiments divers). Servir bien frais (8 à 10 °C).

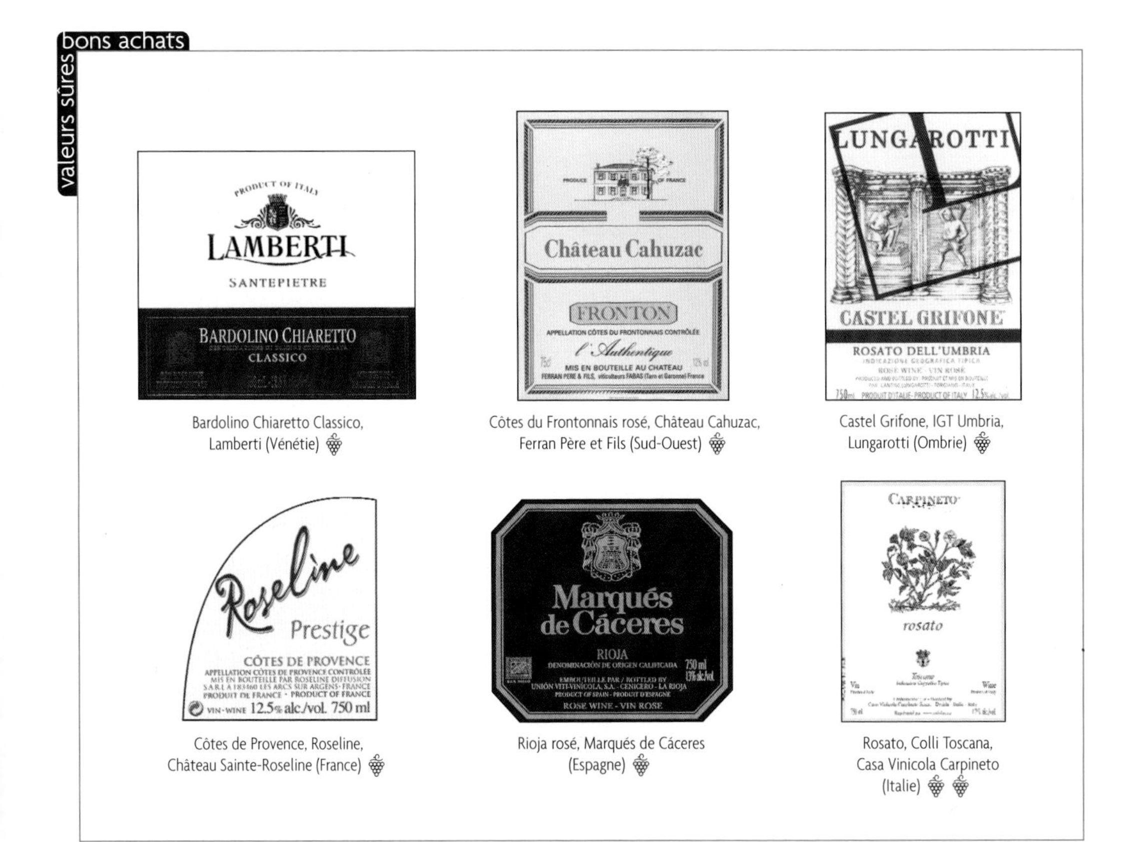

Bardolino Chiaretto Classico, Lamberti (Vénétie)

Côtes du Frontonnais rosé, Château Cahuzac, Ferran Père et Fils (Sud-Ouest)

Castel Grifone, IGT Umbria, Lungarotti (Ombrie)

Côtes de Provence, Roseline, Château Sainte-Roseline (France)

Rioja rosé, Marqués de Cáceres (Espagne)

Rosato, Colli Toscana, Casa Vinicola Carpineto (Italie)

Tagliolini a l'ortolana (Pâtes fines aux œufs à la saveur du jardin)
par Carlo Zopeni, recette page 307

Les fruits de mer

« Sur la plage abandonnée, coquillages et crustacés [...] » Ainsi chantait langoureusement la belle Brigitte Bardot voilà déjà bien des années, à une époque où les congés payés s'installaient pour de bon dans les habitudes françaises et européennes. C'était le temps, béni et nouveau pour les heureux travailleurs, des départs en juillet vers la grande bleue et l'océan Atlantique, pour se reposer et profiter de l'air marin.

De Collioure à Saint-Trop' et de Biarritz à Honfleur en passant par La Baule et Saint-Malo, les vacanciers découvraient les plaisirs de la mer, du sable chaud et des châteaux qu'on en faisait lorsqu'il était mouillé; puis, tôt le matin, très tôt parfois, la pêche, le plus souvent miraculeuse à nos yeux d'enfants.

Nous pêchions des coques appelées localement des « rigadeaux », des moules et des crevettes. Parfois, entre deux étoiles de mer échouées à marée basse, nous taquinions le couteau, coquillage en forme de l'ustensile du même nom, qui ne savait pas s'il devait sortir du sable ou y rester caché en attendant que la mer remonte.

C'est ainsi que j'ai découvert, dans le sud de la Bretagne, très jeune et de façon bien anodine, ce qui allait devenir au fil des ans les mets parmi les plus recherchés du gastronome. Des huîtres aux palourdes en passant par le homard, l'araignée et le tourteau, je me suis vite rendu compte que la mer était généreuse et qu'elle avait des adeptes qui s'intéressaient à autre chose qu'à la baignade et la navigation. Il faut s'être régalé au moins une fois dans sa vie du traditionnel plateau de fruits de mer, meilleur à mon avis aux abords de l'océan que sur les rives de la Méditerranée, pour en saisir toutes les nuances, les subtilités et les gourmandises. Généralement déposés sur un lit de goémons, araignées et crabes se disputent la place avec les oursins, les praires, les huîtres, bien sûr, les palourdes, les coques, les bigorneaux et autres amandes de mer, et les crevettes, grises et roses... Bouquet de saveurs... dans l'assiette comme dans le verre !

Disons que l'avenir a démontré que les crustacés et autres mollusques ont profité du tourisme estival pour se démocratiser quelque peu et quitter le cercle d'une certaine élite en se mettant à la portée de tous, malgré leur prix souvent trop élevé.

En effet, sans parler du poisson, source de vitamines et de plaisirs gustatifs, les amateurs ont vite découvert les vertus fabuleuses d'une coquille Saint-Jacques, d'une langouste ou des huîtres aux parfums de noisette, accompagnées de vin blanc sec et souvent fruité.

Le vin, justement, de son côté, a fait ses preuves depuis longtemps, mettant en valeur les poissons de mer, arrivés frais chaque semaine sur le marché, et les poissons d'eau douce, attrapés par de zélés et patients pêcheurs. Et puis, les vacances aidant, on a découvert le guilleret muscadet, le bordeaux blanc fraîchement sauvignonné et les rosés de Provence, désaltérants à souhait avec les moules crues et la bouillabaisse avalée sans souci.

Médaillons de homard et coulis de poivrons rôtis
par Philippe Mollé, recette page 282

Le vin blanc sec gomme le salé tout en étant mis en valeur par les fruits de mer, mais c'est aussi pour des raisons de couleur, de texture, de préparation, d'usage et de tradition que je vous propose, à quelques exceptions près, dans les pages suivantes, des vins blancs de tous horizons, des plus simples aux plus délicats, des moins chers aux plus difficiles à se procurer.

Parmi les coquillages, les moules, les huîtres et les pétoncles remportent certainement la palme. Qu'elles soient grillées ou simplement apprêtées à la marinière comme le veut la coutume, les moules que l'on consomme au restaurant ne peuvent se passer de vin blanc. Le mariage régional (et de bon goût) nous invite à servir l'incontournable muscadet, mais n'oublions pas l'entre-deux-mers, le bourgogne aligoté ou le côtes de duras, sans négliger les vins de pays, ainsi que l'orvieto et la vernaccia di san gimignano d'Italie, ou le vif et sémillant vinho verde du Portugal, pour ne nommer que ceux-là.

Même choix pour les huîtres, auxquelles on pourra ajouter, noblesse oblige, un bon riesling, un chablis ou un graves, des vins à prix encore abordables. Je suggère de les servir le plus naturellement possible, sans citron ni vinaigrette à l'échalote, afin de ne pas contrarier le vin et de profiter au maximum du bon jus iodé. C'est ainsi que mon père les gobait, sur le rocher et sans artifices, le verre de gros-plant ou de muscadet jamais bien loin.

Quant aux moules à la provençale, j'y vais de deux suggestions qui sauront mettre en valeur la préparation: des vins blancs secs assez relevés, comme un côtes du rhône ou un châteauneuf-du-pape (si le budget le permet, et qui existe en blanc en très petite quantité), ou bien un vin rosé, de Provence ou du Rhône méridional, tel que le célèbre tavel.

Selon la recette, les pétoncles seront accompagnés de vins divers, tous aussi agréables les uns que les autres. Des vins secs parfumés et fins comme le sancerre, le pouilly-fumé ou un riesling alsacien seront délicieux avec des pétoncles grillés. Légèreté de saveurs et de textures!

Par contre, des vins fins plus souples et plus gras en bouche seront mieux adaptés aux pétoncles au gratin et à la délectable coquille Saint-Jacques servie avec son corail. À titre d'exemple, dénichez un pouilly-fuissé, un chablis grand cru ou d'autres grands vins de Bourgogne et de Pessac-Léognan, ayant presque atteint le cap de la décennie, sans négliger pour autant certaines belles bouteilles d'Italie ou de Californie.

Qui dit crustacé, dit surtout homard et langoustine. Quand ces fruits de mer sont servis froids avec une mayonnaise, les mêmes types de vins blancs que ceux qui sont suggérés avec les huîtres et les moules s'associeront au mieux à ce mode de préparation relativement simple.

Si les crustacés sont apprêtés de façon plus subtile et complexe, il sera important de choisir des vins plus fins et soutenus.

Ce n'est quand même pas tous les jours que l'on mange un gratin de langoustines! Aussi, serait-il dommage et peu gratifiant pour le crustacé (et celui ou celle qui est en cuisine) que de l'accompagner d'un vin «sans vice ni vertu».

Enfin, et même si cette mode a tendance à régresser, que dire de l'utilisation malhabile du beurre à l'ail qui persiste dans certains restaurants (et à la maison)? Sous prétexte, au départ, de recette prétendument provençale, on a, peut-être sans le vouloir, dérapé en servant ce qu'on appelle aujourd'hui ces fameux scampis (qui ne sont pas toujours ce que l'on croit!) pataugeant dans un beurre à l'ail envahissant. On enlève ainsi toute idée d'harmonie avec le vin. À la limite, un rosé sec et non pétillant limitera les dégâts...

On ne répétera jamais assez que c'est souvent dans les recettes les plus simples que l'on trouve les véritables saveurs. C'est particulièrement vrai en ce qui concerne les fruits de mer. Pochés, grillés, seuls ou accompagnés d'une sauce, ils s'accordent avec de nombreux vins, des plus modestes aux plus distingués, des plus légers aux plus puissants. Mais je vous devine amateur et surtout respectueux des justes délices que la vie nous offre. Que ce soit avec du homard, des moules au vin blanc ou un buisson de ces crustacés d'eau douce que forment ces diables d'écrevisses, vous réaliserez, pour quelques instants de bonheur partagé, les plus beaux accords gourmands.

DES BLANCS SECS ET VIFS, COMME LE VENT DE LA MER

Voici des mets qui nous rappellent bien des souvenirs : un plateau de coquillages et de crustacés lors de vacances passées à la mer, des moules marinière dégustées entre amis ou un plateau d'huîtres en famille, à Noël. Chaque fois, le vin blanc sec, vif et sémillant a régalé les convives, jouant de son fruit et de son acidité pour mettre en valeur les notes iodées des fruits de mer.

Brochettes de pétoncles à la lime
Calmars frits
Crevettes aux fines herbes
*Huîtres nature**
Mouclade
Moules crues
Moules marinière
Moules ou palourdes farcies
*Pétoncles à l'orange et au basilic***
Pétoncles grillés
Plateau de fruits de mer

🍇 / 🍇🍇

Alsace : pinot blanc, riesling, sylvaner
Bordeaux : bordeaux – entre-deux-mers – graves
Bourgogne : bourgogne aligoté – chablis – montagny – petit chablis – saint-véran
Languedoc-Roussillon : clairette du languedoc sec – corbières – coteaux du languedoc (la clape et picpoul de pinet)
Loire : cour-cheverny – gros-plant – menetou-salon – muscadet sèvre-et-maine – saumur – sauvignon de touraine
Sud-Ouest : bergerac sec – jurançon sec – pacherenc du vic bilh sec – vins de pays
Autres régions : côtes de provence – côtes du ventoux, crozes-hermitage, saint-péray (Rhône)
Italie : albana di romagna secco – alcamo – alghero – bianco di custoza – colli lanuvini – colli orientali del friuli (tocai friulano) – est ! est !! est !!! di montefiascone – gavi – greco di tufo – grave del friuli (sauvignon) – lison-pramaggiore (verduzzo, sauvignon) – lugana – nuragus di cagliari – orvieto classico secco – trebbiano di romagna – verdicchio dei castelli di jesi – vernaccia di san gimignano
Autres pays : sauvignon du Nouveau Monde (Californie, Chili, Nouvelle-Zélande, etc.) – vinho verde (Portugal) – penedès (Espagne)

🍇🍇🍇

Bordeaux : pessac-léognan
Bourgogne : auxey-duresses – chablis premier cru – mercurey – pouilly-fuissé – pouilly-vinzelles
Loire : pouilly-fumé – sancerre – vouvray sec

🍇🍇🍇🍇

Bourgogne : chablis grand cru – puligny-montrachet
Jura : château-chalon (pour les inconditionnels de vin jaune)

Tous ces vins blancs sont secs et fruités. Certains sont légers, d'autres plus corsés, et leur acidité apporte un certain équilibre au plat. Vins sans grandes prétentions pour la plupart, ils agrémenteront en toute simplicité vos repas entre amis. Servir frais (8 à 10 °C).

* Comme j'ai un faible pour les huîtres en généralet pour les belons en particulier (huîtres plates bretonnes de la rivière du même nom), je dois avouer que j'ai essayé une multitude de vins pour les accompagner. Si le Chablis, par son aspect minéral au nez et en bouche, est excellent, tous les vins que je cite relèvent le défi élégamment. Mais il faut dire – et les personnes qui me connaissent savent que je ne verse pas facilement dans le chauvinisme – que l'harmonie avec un muscadet de noble constitution est difficile à égaler. Sec, vif, aux parfums de noisette parfois légèrement iodés, le populaire cépage de la région de Nantes offre naturellement une bonne acidité qui remplacera le citron trop souvent inutile. Pour les grandes occasions, un champagne brut blanc de blancs n'est pas mal non plus, surtout avec des huîtres gratinées au champagne ! Mais, au risque de me répéter, pas de vinaigrette à l'échalote, sinon ça ne sert à rien de se casser la tête à chercher le vin idéal...

** L'orange, le basilic et les pétoncles jouent ici en une palette de couleurs et de saveurs qui ne demandent qu'à s'exprimer en compagnie de vins blancs aux arômes de fruits et de fleurs, des vins ronds, tendres et légèrement fruités (saint-véran, côtes de provence blanc, soave classico, etc.). Servez à une température autour de 10 °C.

Muscadet Sèvre et Maine, Château de la Pingossière, Guilbaud Frères (Loire)

Cour-Cheverny, Domaine des Huards, (Loire)

Entre-Deux-Mers, Château Bonnet, André Lurton (Bordeaux)

Verdicchio dei Castelli di Jesi, Casal di Serra, Umani Ronchi (Italie)

Chablis, Champs Royaux, William Fèvre (Bourgogne)

Sauvignon Blanc, Marlborough, Babich (Nouvelle-Zélande)

Sauté de crevettes aux chanterelles, linguinis tomatés et jeunes pousses d'épinards
par Anne Desjardins, recette page 251

DE LA RONDEUR ET DU CARACTÈRE...

Les choses les plus simples sont souvent les meilleures. Voilà sans doute pourquoi cette façon d'apprêter les crustacés (en les grillant ou en les cuisant dans un court-bouillon, comme le proposent la plupart des recettes suivantes) comble d'aise les gourmets. Chacun, en fonction de son budget, choisira un vin blanc assez souple, moyennement fruité, mais montrant suffisamment de caractère pour se mettre au diapason du plat.

Coquilles Saint-Jacques aux cèpes
*Crabe farci, bananes plantains et tomates aux herbes**
Croquettes de fruits de mer
*Crustacés mayonnaise** (araignée, crabe, étrilles, homard, langouste, langoustines, etc.)*
Dos de homard rôti au whisky
Écrevisses ou homard à la nage
Émincé de coquilles Saint-Jacques aux petits légumes en feuilleté
Homard ou langoustines grillés
Langouste à la parisienne
*Langoustines au cari****
Mousseline de pétoncles
Pinces de crabe des neiges grillées
*Risotto aux crevettes ou aux langoustines*****
Sauté de crevettes aux chanterelles

🍇 / 🍇🍇

Alsace: riesling
Bordeaux: graves
Bourgogne: bourgogne – beaujolais blanc – chablis – mâcon-villages – saint-véran
Loire: menetou-salon – muscadet sèvre-et-maine – saumur – quincy – touraine
Italie: bianco di torgiano – breganze – colli orientali del friuli (pinot grigio) – pomino – soave classico
Autres pays: chardonnay d'Australie, du Chili et de Californie – riesling sec allemand et autrichien

🍇🍇🍇

Alsace: alsace grand cru riesling
Bordeaux: graves – pessac-léognan
Bourgogne: auxey-duresses – chablis premier cru – mercurey premier cru – pouilly-fuissé – pouilly-vinzelles – rully
Loire: pouilly-fumé – pouilly-sur-loire – sancerre – savennières – vouvray sec
Italie: breganze – langhe (chardonnay) – pomino – terre di franciacorta

🍇🍇🍇🍇

Bordeaux: pessac-léognan (crus classés)
Bourgogne: chablis grand cru – corton-charlemagne – puligny-montrachet – vougeot
Rhône: châteauneuf-du-pape – condrieu – hermitage
Italie: grandes cuvées à base de chardonnay (Toscane)
Autres pays: grandes cuvées d'Australie et de Californie à base de chardonnay

* Des vins blancs secs et assez capiteux (de la vallée du Rhône et de Californie) relèveront aisément le défi avec cette spécialité antillaise, et plus précisément de la République dominicaine.

** Grillés ou cuits simplement au court-bouillon, puis servis avec une délectable mayonnaise, voilà certainement la façon la plus courante d'apprêter les crustacés ! Et le vin, du plus simple au meilleur, remplit toujours son office. Je me souviens d'ailleurs d'avoir souvent observé au restaurant les tourtereaux se dévorant des yeux en dévorant un gros tourteau. Muscadet ou corton-charlemagne ? Les soupirs étaient toujours aussi grands... ! (servir entre 10 et 12 °C).

*** Avec cette recette aux accents indiens, optez pour un blanc aromatique à base du cépage viognier (vin de pays d'oc, condrieu, si vous avez envie de vous gâter, ou une bonne cuvée californienne).

**** Pourquoi pas des vins blancs italiens avec cette préparation savoureuse ? Choisissez-les jeunes, secs et de bonne souplesse et servez-les bien frais (8 à 10 °C environ).

Bourgogne Blanc
Chartron et Trébuchet (France)

Muscadet Sèvre et Maine, Cardinal Richard,
Sauvion et Fils (Loire)

Saint-Véran, Domaine des Valanges
(Bourgogne)

Chardonnay, Central Coast,
Private Selection, R. Mondavi
(Californie)

Chardonnay, Valle de Casablanca,
Errazuriz Estate
(Chili)

Contessa Entellina, Chiarandà,
Donnafugata (Italie)

DE LA CLASSE, EN SEC OU EN MOELLEUX

Avec des plats savamment cuisinés comme ceux que je vous propose ici, il serait dommage de servir des vins trop simples, pour ne pas dire médiocres. En effet, les saveurs de ces fruits de la mer seront suffisamment marquées pour supporter des vins fins, certes, mais de forte personnalité. Et comme je ne mange pas de cette cuisine tous les jours, j'économise et j'ouvre un chevalier-montrachet pour accompagner mon tout simple homard cardinal... N'oubliez pas, comme le dit un éminent sommelier parisien devant un grand cru: «Lorsqu'on atteint de tels niveaux, le plat doit modestement s'effacer devant les vins!» Enfin, tout est relatif!

*Brochettes de coquilles Saint-Jacques à la crème**
Coquilles Saint-Jacques au gratin
*Crustacés en sauce**
Feuilleté de coquilles Saint-Jacques à la nage
Gratin de langoustines ou de pétoncles
Gratin de queues d'écrevisses
Homard à l'américaine
Homard cardinal (aux truffes)
*Homard ou langouste à la crème et au sauternes**
Huîtres Rockefeller
Huîtres soufflées
Médaillons de homard et coulis de poivrons rôtis
Poêlée de Saint-Jacques au poivre vert
*et à l'hermitage***
Rouleau de crabe des neiges à la menthe

🍇🍇/🍇🍇🍇

Alsace: alsace et alsace grand cru, gewürztraminer, riesling et tokay pinot gris

Bordeaux: pessac-léognan

Bourgogne: auxey-duresses – chablis premier cru – mercurey blanc – pouilly-fuissé – rully – saint-aubin

Rhône: crozes-hermitage – saint-joseph

Italie: breganze – terre di franciacorta (cépage chardonnay)

Autres pays: chardonnay du Nouveau Monde (Australie, Californie, Chili et Nouvelle-Zélande)

🍇🍇🍇🍇

Bordeaux: pessac-léognan (crus classés)

Bourgogne: chablis grand cru – chassagne-montrachet – corton-charlemagne – meursault – montrachet – puligny-montrachet – premiers et autres grands crus

Champagne: champagne brut

Rhône: condrieu – hermitage

Autres pays: grandes cuvées à base de chardonnay de Toscane, de Vénétie, d'Australie et de Californie

On se fera plaisir avec des blancs à la fois secs et moelleux, aux arômes aussi intenses que fins et délicats. Les grands crus légèrement boisés apporteront au nez et en bouche une certaine race qui sera magnifiée par les effluves et les saveurs des sauces d'accompagnement. Enfin, le gras de ces vins (servis entre 10 °C et 12 °C) enrobera la chair du crustacé.

* Pour une belle harmonie de textures, choisir avec ces plats en sauce, le plus souvent crémée, des vins blancs moelleux, pas trop riches et dotés d'une bonne acidité pour résister à la crème. Servez-les très frais (barsac – cérons – loupiac – coteaux de l'aubance – montlouis et vouvray demi-sec et moelleux – alsace gewürztraminer avec les mets en sauce relevée).

** On servira sans hésiter le même vin que celui qui entre dans la confection de la sauce.

Bergerac sec, Cuvée des Conti, Château Tour des Gendres (Sud-Ouest)

Alsace Grand Cru, Tokay pinot gris, Cave de Pfaffenheim (France)

Saint-Aubin Premier Cru, Les Cortons Domaine de Brully (Bourgogne)

Champagne Brut, Pol Roger (France)

IGT Veneto, Capitel Foscarino, Anselmi (Italie)

Viognier, Le Mistral, California, Joseph Phelps (États-Unis)

SPÉCIALITÉS ET AUTRES PRÉPARATIONS

Ce sont surtout les rosés bien secs, désaltérants à souhait, mais possédant suffisamment de caractère, qui s'harmoniseront judicieusement avec ces préparations assez relevées, notamment les plats aux accents méditerranéens, riches en tomates et en poivrons et rehaussés d'herbes aromatiques, d'ail et d'huile d'olive. Les amateurs de blancs choisiront des vins secs, souples mais assez corsés comme peuvent l'être un bon châteauneuf-du-pape, un hermitage et le fameux rias baixas (Espagne) à base d'albarino.

Coquilles Saint-Jacques à la provençale
Crevettes grillées au safran
Gratin de fruits de mer à l'italienne
Moules à la sauce thaï
Moules farcies
Moules grillées à la provençale
Moules safranées à la fondue de poireaux
Paella basquaise
Pétoncles coquilles Pec-Nord au jus de fraises, vinaigre de rose de Nel et liqueur de fraises des bois*
Pilaf de crevettes à l'indienne
*Ragoût de homard au vin rouge***
Ragoût de moules aux tomates et au piment fort

Corse : patrimonio – vin de corse

Languedoc-Roussillon : cabardès – corbières – coteaux du languedoc – faugères – minervois – saint-chinian – vin de pays

Provence : bandol – coteaux d'aix-en-provence – coteaux varois – côtes de provence – les baux de provence – palette

Autres régions : béarn, côtes du frontonnais (Sud-Ouest) – costières de nîmes, côtes du luberon, côtes du rhône, lirac, tavel (Rhône)

Italie : rosés secs de l'Ombrie (rosato di torgiano), de Toscane (bolgheri, rosato di carmignano) et de Vénétie

Espagne : navarra – penedès – ribera del duero – rioja

Portugal : dão – douro

De toute évidence, la préparation provençale, riche en tomates, en herbes aromatiques, en huile et en ail, réclame ces vins délicieux, tous élaborés en rosé, mais qui ont du caractère et des propriétés désaltérantes. Je devine d'ici les yeux satisfaits et gourmands des amateurs de ce type de vin ! Servez très frais (8 °C) et profitez des vacances ensoleillées !

* Pétillante harmonie de couleurs et de saveurs avec un kir effervescent à la liqueur de fraises.

** Autre spécialité provençale qui fera appel bien entendu à un vin rouge assez jeune, aromatique (le même que pour la préparation), bien charpenté mais aux tanins très souples, servi à 15 °C : côtes de provence, coteaux d'aix et les grands domaines des baux, sans oublier le surprenant palette.

Costières de Nîmes rosé, Château Mourgues du Grès (Rhône)

Coteaux du Languedoc, Rosé de Saignée, La Bergerie de l'Hortus (Languedoc)

Rias Baixas, Albarino Martin Codax (Espagne)

Crozes-Hermitage blanc, La Mule Blanche Paul Jaboulet Aîné (Rhône)

Châteauneuf du Pape blanc, Château de La Gardine (Rhône)

Côtes de Provence rouge, Vieilles Vignes Domaine Saint-André de Figuière (Provence)

Pétoncles coquilles Pec-Nord au jus de fraises, vinaigre de roses de Nel et liqueur de fraises des bois, persil marin frit par Daniel Vézina, recette page 297

Le poisson

La scène se passe au Clos de Vougeot dans les années 1980, et nous sommes reçus par la Confrérie des Chevaliers du Tastevin. Le décor est à la fois grandiose, intime et bon enfant, beaucoup de monde s'affaire dans cette belle salle et de nombreux invités sont sur le qui-vive... L'instant est pour nous solennel, car nous savons que nous ne reviendrons probablement pas de sitôt. Certains ont fait de l'espionnage pour connaître le menu. D'après ce qu'on raconte, nous devrions être gâtés.

Sur les escargots, le pinot beurot – qui est en fait du pinot gris – est une excellente entrée en la matière, puis nous avons droit au feuilleté de saint-pierre, présenté de belle façon et, surprise agréable, servi très chaud malgré la forte assistance.

Nous venions de goûter le merveilleux puligny-montrachet premier cru Les Referts. Il s'était présenté dans sa robe dorée aux reflets verts, avec ses arômes qui rappelaient la noisette et la fougère. Nous commencions à goûter le poisson quand, tout à coup, silence total ! La brigade de service avait réussi à servir tout le monde simultanément. Et les 120 convives, à quelques mandibules près, associaient en même temps dans leur bouche cette chair moelleuse, fine et délicate du poisson cuit à point, au puligny ample et très long. Ces deux minutes de silence ont été deux minutes d'un intense plaisir gastronomique. Nous n'étions pas loin du recueillement et nous en avons parlé longtemps...

Voilà l'une des nombreuses anecdotes, toutes aussi succulentes les unes que les autres, auxquelles le poisson me ramène. En fait, je crois qu'il s'agit d'un des aliments permettant de réaliser avec les vins des alliances des plus fameuses et des plus délicates, mais aussi des plus logiques, question de couleur et de saveur... quand le dosage des condiments et la cuisson idéale sont respectés. À ce sujet, je ne peux m'empêcher de relater l'expérience beaucoup plus récente vécue en Crête au fameux hôtel Peninsula de Porto Elounda, l'un des centres de villégiature les plus luxueux d'Europe. Chaque chambre a sa propre piscine et le site est enchanteur. De passage pour une soirée au restaurant Calypso dirigé par le grand Jacques Le Divellec, nous avons savouré en sa compagnie un filet de mérou en purée de laitue. Fraîcheur du poisson, il va de soi, simplicité d'exécution, tant dans la cuisson (brève) que dans le dosage des saveurs, tous les éléments étaient réunis pour créer une juste harmonie avec le fruité et la vivacité du roditis 2001 venu directement du Péloponnèse et vinifié par le domaine Kokotos. Grâce au talent du chef Jean-Charles Métayer, nous avons tous palpé ce soir-là les bienfaits du régime crétois...

Bar grillé au fenouil
par Jean-Paul Grappe, recette page 264

Du simple maquereau grillé et mangé sur les bords d'une falaise bretonne aux filets de sole de Douvres au Noilly, dégustés dans un Relais & Châteaux, en passant par le merluchon en sauce blanche et la brandade de morue des vacances, le poisson, en plus de ses vertus nutritives, a toujours une qualité intéressante. Il laisse une grande place au vin, tout en se servant de lui pour se montrer sous son plus beau jour.

En général, il aime se faire escorter de vins blancs. C'est logique, considérant que l'absence de tanin facilite l'harmonie avec la chair du poisson. La notion de fraîcheur qu'apporte l'acidité du vin blanc renforce cet usage qui s'est généralisé au fil des ans. En contrepartie, la chair de nombreux poissons atténue l'acidité des vins blancs un peu trop vifs ; voilà une théorie qui nous amène à l'équilibre, donc à l'accord parfait. Toutefois, il existe beaucoup de vins blancs et une grande variété de poissons, d'où l'intérêt et la pertinence de l'exercice. La sardine, en effet, ressemble bien peu au saint-pierre, et le doré se distingue de bien des façons du rouget !

De plus, les condiments utilisés, la préparation et la cuisson du poisson semblent être des facteurs déterminants dans le choix d'un vin. Des éperlans grillés, par exemple, n'offrent pas la même complexité de saveurs qu'une truite saumonée à l'oseille ou une dorade farcie au fenouil. Et puis les habitudes alimentaires ont évolué, ce qui est très heureux. Aussi, je ne peux passer sous silence les alliances du vin avec sushis et sashimis, ni oublier de vous inciter fortement à servir dans certains cas un rouge ou un rosé. Tout cela se fait à condition d'être vigilant quant au choix du vin, à son âge, à sa température de service et, surtout, au type de poisson utilisé.

C'est donc à partir des cuissons et des sauces d'accompagnement, quand il y en a, que je formule les suggestions d'harmonie. Restent les spécialités régionales, qui ont pris leur inspiration non seulement dans les ingrédients disponibles dans un rayon géographique assez limité, mais aussi dans les vins issus des vignobles avoisinants, comme c'est le cas de l'indissociable duo lamproie-bordeaux. Tous les éléments jouent un rôle primordial, mais la tradition l'emporte parfois. Reconnaissons cependant qu'il n'est pas facile d'associer un vin, aussi équilibré soit-il, avec un beurre noir dominé par le citron et l'amertume des câpres. Il faut dès lors rester simple dans ses choix et se faire plaisir avant tout avec ce qu'on a vraiment envie de boire, tout en respectant les règles minimales de base. C'est dans cet esprit que j'indique plus loin quelques spécialités recherchées par les inconditionnels.

POISSONS FRITS, POISSONS GRILLÉS, POISSONS MEUNIÈRE

Particulièrement agréables en été, les poissons frits, grillés ou meunière ne nous compliquent pas trop la vie en ce qui a trait à la cuisson et au choix des vins. La simplicité des saveurs et l'approche culinaire de ce type de mets sont tout à fait adaptées à un rythme de vie plus décontracté et surtout à un climat chaud, qui exige en retour une fraîcheur dans l'assiette et une légèreté de bon aloi.

On peut se conformer à la règle d'or suivante : des vins blancs secs, vifs et rafraîchissants avec les poissons frits et grillés, et des vins secs plus souples avec les poissons préparés à la meunière, c'est-à-dire tout simplement cuits à la poêle après avoir été assaisonnés de sel et de poivre, puis passés légèrement dans la farine (du meunier...).

Ces recommandations se justifient par la texture du poisson une fois qu'il est cuit, surtout lorsqu'il est servi tel quel, tout juste accompagné de son beurre noisette et du traditionnel citron. Pour rétablir l'équilibre, le citron exige du vin une bonne acidité. C'est d'ailleurs pour cette raison que certains vins moins vifs paraissent mous et font piètre figure, aussi bons soient-ils dans d'autres circonstances.

Petit chablis et bourgogne aligoté seront certainement de la fête. Vins de Loire ou vins de Savoie, riesling et sylvaner d'Alsace ou sauvignon du Nouveau Monde ne seront pas en reste. Le poisson grillé accompagné d'une sauce, qu'elle soit béarnaise, choron ou hollandaise, est également délicieux. Dans ce cas, la sauce jouera un rôle prépondérant dans le choix du vin.

Votre esprit créatif vous guidera certainement vers de jolies et sympathiques trouvailles et contribuera au succès de la table. Une constante demeure cependant : plus le poisson est fin, plus le vin doit l'être. En effet, il serait aussi injuste (pour le vin et son producteur) que ridicule d'ouvrir un grand bourgogne pour accompagner des sardines grillées, comme il serait dommage et frustrant (pour le plat... et le maître-queux) de servir un petit vin sans attrait et sans personnalité sur une (vraie) sole de Douvres cuite à point !

DES VINS BLANCS SECS ET FRINGANTS

La préparation pas compliquée pour un sou des éperlans, dorades et autres saumons frits et grillés fait qu'ils se marient merveilleusement bien à des vins blancs secs et fringants. La cuisine est sans prétention, les vins le seront tout autant : simples et agréables, de bonne vivacité et surtout rafraîchissants. C'est tout ce qu'on leur demande. La seule condition est de les servir jeunes et bien frais (8 à 10 °C). Ces vins peuvent également accompagner les poissons panés et ceux qui sont servis froids avec une mayonnaise.

Poissons frits

Beignets d'éperlans
Cabillaud à la provençale (morue)
Maquereau aux graines de sésame
Merlans
Rougets sauce tartare
Tempura de poisson, sauce soya

Poissons grillés

Bar grillé au fenouil
Bar au basilic
Darne de colin (merlu)
Darne de saumon, avec ou sans sauce hollandaise
Dorade aux herbes
Espadon aux piments, citron, ail et herbes aromatiques
Maquereau au citron
*Petits rougets au pesto et à la cannelle**
Sardines
Saumon grillé aux asperges
*Thon à la provençale (tomate et ail)**
Truite farcie aux épinards
Truite, rouget ou saumon aux herbes*
*Truite saumonée**
Turbot sauce béarnaise

🍇 / 🍇🍇

Alsace : pinot blanc, riesling, sylvaner

Bordeaux : bordeaux – entre-deux-mers – graves

Bourgogne : bourgogne aligoté – bouzeron – chablis – montagny – petit chablis

Languedoc-Roussillon : clairette du languedoc sec – corbières – coteaux du languedoc (la clape et picpoul de pinet) – vin de pays d'oc (cépage sauvignon principalement)

Loire : anjou sec – coteaux du giennois – gros-plant du pays de nantes – menetou-salon – muscadet sèvre-et-maine – quincy – saumur – sauvignon de touraine – valençay

Sud-Ouest : bergerac sec – côtes de duras – gaillac – jurançon sec – pacherenc du vic bilh sec

Autres régions : côtes de provence – côtes du luberon – côtes du ventoux – vin de savoie

Italie : albana di romagna secco – alcamo – alghero – bianco di custoza – bolgheri vermentino – cinqueterre – colli lanuvini – colli orientali del friuli (tocai friulano) – est ! est !! est !!! di montefiascone – gavi – greco di tufo – grave del friuli (sauvignon) – lison-pramaggiore (verduzzo, sauvignon) – lugana – nuragus di cagliari – orvieto secco – trebbiano d'abruzzo – verdicchio dei castelli di jesi – vernaccia di san gimignano

Autres pays : sauvignon et pinot blanc du Nouveau Monde (Australie, Californie, Canada, Chili, Nouvelle-Zélande) – dão, vinho verde (Portugal) – penedès (Espagne) – mantinia (Grèce)

🍇🍇🍇

Bordeaux : pessac-léognan
Loire : jasnières – pouilly-fumé – sancerre – vouvray sec
Rhône : crozes-hermitage – saint-joseph – saint-péray
États-Unis : sauvignon et fumé blanc californiens

🍇🍇🍇🍇

Bourgogne : chablis grand cru – puligny-montrachet
Jura : château-chalon (pour les inconditionnels de vin jaune)
Rhône : châteauneuf-du-pape – hermitage

Pour le poisson grillé accompagné d'une sauce (béarnaise ou hollandaise, par exemple), il est conseillé d'utiliser les mêmes vins que ceux qui sont proposés avec la préparation à la meunière (*voir* suggestions pages suivantes).

* *Voir* la rubrique « Osez le rosé ! » p. 89 pour d'excellents mariages avec ces préparations.

bons achats

valeurs sûres

Muscadet Sèvre et Maine, Château du Cléray (Loire) 🍇

Gaillac, Cuvée Mélanie, Mas Pignou (Sud-Ouest) 🍇🍇

Bianco del Veneto, Serègo Alighieri, Masi (Italie) 🍇

Bordeaux blanc, Sirius, Sichel (France) 🍇🍇

Bolgheri, Vermentino, Antinori (Toscane) 🍇🍇

Sauvignon blanc, Valle Central, Caliterra (Chili) 🍇

OSEZ LE ROSÉ !

Frits ou cuits sur le gril, les poissons (*voir* la liste des mets suivis d'un astérisque p. 86) comme le saumon, le rouget ou la truite saumonée se marient bien avec le vin rosé en raison de leur chair rouge et des ingrédients qui entrent dans leur préparation. Le rosé sera sec, il aura parfois des arômes épicés, il sera vif et assez généreux pour résister aux saveurs engendrées par la cuisson et la présence des aromates. Il est important de servir ces vins bien frais (8 °C).

France : corbières, coteaux du languedoc, côtes du roussillon, faugères, saint-chinian, vin de pays (Languedoc-Roussillon) – béarn, côtes du frontonnais (Sud-Ouest) – costières de nîmes, côtes du luberon, côtes du rhône, côtes du ventoux, lirac, tavel (Rhône) – coteaux d'aix-en-provence, coteaux varois, côtes de provence (Provence) – patrimonio, vin de corse (Corse) – arbois (Jura)

Italie : rosés secs de l'Ombrie (rosato di torgiano), de Toscane (bolgheri, rosato di carmignano) et de Vénétie

Espagne : penedès – ribera del duero – rioja

Portugal : douro

Chili : rosé de cabernet sauvignon

Italie : franciacorta

États-Unis : cuvées brut de Californie

France : champagne brut rosé

bons achats

valeurs sûres

Côtes du Ventoux rosé, La Vieille Ferme (Rhône)

Côtes du Luberon rosé, Château Constantin-Chevalier (Rhône)

Corbières rosé, La Tour Grand Moulin Jean-Noël Bousquet (Languedoc)

Vin de Pays des Cévennes, Domaine de Gournier (Languedoc)

Costières de Nîmes rosé, Château Saint Cyrgues (Rhône)

California, Vin gris de Cigare, Bonny Doon Vineyard (États-Unis)

Escalopes de mahi-mahi, sauce vierge à l'avocat par Philippe Mollé, recette page 284

MARIAGES TOUT EN RONDEUR ET EN SOUPLESSE

De nombreux vins blancs se marient bien aux plats suivants dans la mesure où ils offrent un bon équilibre acidité-rondeur. La cuisson donnant aux poissons une texture souple et moelleuse, il faut prévoir des vins fondus, parfois âgés de quelques années. D'autres, aux arômes de noisette et d'amande, serviront admirablement les préparations meunière et, à plus forte raison, les poissons garnis d'amandes effilées.

Poissons poêlés et meunière

Bar à l'ail des bois et aux échalotes
Darne de colin
Darne de saumon
Escalopes de mahi-mahi, sauce vierge à l'avocat
Filet de doré (apparenté au sandre)
Filets de plie aux crevettes et citron vert
Filets de truite
Flétan
Minute d'omble chevalier du Grand Nord
*Sole de Douvres**
*Truite aux amandes***
Truite aux champignons

🍇

Alsace : pinot blanc
Autres régions : costières de nîmes – côtes du luberon – vin de pays à base de chardonnay
Italie : bianco di custoza – bianco di torgiano – colli orientali del friuli (pinot bianco et grigio) – IGT veneto à base de garganega
Autres pays : chardonnay du Nouveau Monde (Argentine, Californie et Chili) – bucelas (Portugal)

🍇🍇

Alsace : pinot gris
Bourgogne : bourgogne – beaujolais blanc – chablis – mâcon villages – montagny premier cru – saint-véran
Loire : muscadet sèvre-et-maine – saumur – touraine
Italie : fiano di avellino – gavi – pomino – soave classico – vernaccia di san gimignano
Autres régions : crozes-hermitage – cassis – côtes de provence blanc – graves
Autres pays : chardonnay d'Australie, du Chili et de Californie

🍇🍇🍇

Alsace : alsace grand cru pinot gris
Bourgogne : auxey-duresses – chablis premier cru – pouilly-fuissé – pouilly-vinzelles
Loire : jasnières – pouilly-fumé – pouilly-sur-loire – sancerre – savennières – vouvray sec
Italie : breganze – contessa entellina – langhe (chardonnay) – pomino – terre di franciacorta – vins de Toscane à base de chardonnay
Autres pays : certaines cuvées d'Australie et de Californie à base de chardonnay

* Les vins à base de chardonnay (Bourgogne et Californie, entre autres) s'associent de belle façon à la sole de Douvres, dont la chair est fine et délicate.

** Grâce à une légère pointe d'amande amère en fin de bouche, les vins blancs italiens, notamment le soave et le fiano di avellino, accompagnent judicieusement la truite aux amandes. Température de service pour tous ces vins : 10 à 12 °C.

Chardonnay, Vin de Pays d'Oc, Laroche (Languedoc) 🍇

Capitel Croce, IGT Veneto, Anselmi (Italie) 🍇 🍇

Mercurey, Château de Chamirey, Marquis de Jouennes (Bourgogne) 🍇 🍇 🍇

Fiano di Avellino, Mastrobernardino (Italie) 🍇 🍇

Chardonnay, Rosemount Estate (Australie) 🍇

Vouvray sec, Champalou (Loire) 🍇 🍇 🍇

POISSONS BRAISÉS ET POISSONS RÔTIS

Quand on parle de poisson braisé, on fait référence à une cuisson qui s'applique le plus souvent à de grosses pièces et qui se réalise soit au vin blanc, soit au vin rouge. Le poisson est placé dans un récipient (appelé «braisière» ou «poissonnière») préparé à cet effet, puis mouillé à mi-hauteur avec du fumet et du vin (blanc ou rouge, selon la préparation). La cuisson se fait au four et la sauce est préparée ensuite dans une sauteuse. On peut également faire rôtir le poisson au four.

En règle générale, ces cuissons permettent de garder toute la saveur des poissons et donnent aux mets beaucoup de personnalité. Les textures sont assez fermes et les fumets sont concentrés, d'autant plus que de nombreux aromates entrent dans la préparation. Dans la plupart des recettes, un vin blanc sec, aromatique (bouqueté pour ceux qui ont vieilli quelques années) et de belle construction sera parfait. Cependant, le vin rouge, mais pas n'importe lequel, peut très bien accompagner certaines préparations tomatées ou des poissons cuits au vin rouge. Quant au rosé, pourquoi pas? Si les invités en sont amateurs et qu'il fait chaud, place aux vins de soif, à des vins de caractère qui tiennent tête aux aromates et que l'on sert très frais pour le plus grand plaisir des gourmets déshydratés.

*Aiglefin en papillote**
Brochet braisé à la crème
*Brochet, colin, dorade, omble chevalier ou saumon braisé au vin blanc***
Dorade aux champignons
Filet de plie à la crème de ciboulette
Rougets au four
*Rougets en papillote**
*Truite ou turbot au chablis et aux herbes***
*Truite saumonée farcie aux langoustines****

🍇 / 🍇 🍇

Alsace: pinot blanc, riesling et tokay pinot gris
Bourgogne: beaujolais blanc – bourgogne – chablis – mâcon-villages – saint-véran
Loire: jasnières – muscadet sèvre-et-maine – quincy – menetou-salon – saumur – touraine
Autres régions: costières de nîmes – côtes du luberon – crozes-hermitage – côtes de provence blanc – graves – vin de corse – vin de pays à base de chardonnay
Italie: alto adige (chardonnay) – bianco di torgiano – breganze – fiano di avellino – gavi – soave classico – orvieto classico secco – vernaccia di san gimignano
Autres pays: chardonnay du Nouveau Monde (Argentine, Chili et Californie) – santorini (Grèce) – dão, douro (Portugal) – riesling allemand et autrichien

🍇 🍇 🍇

Alsace: alsace grand cru (riesling et tokay pinot gris)
Bordeaux: pessac-léognan
Bourgogne: auxey-duresses – chablis premier cru – mercurey – pouilly-fuissé – pouilly-vinzelles
Loire: pouilly-fumé – pouilly-sur-loire – sancerre – savennières – vouvray sec
Italie: breganze – contessa entellina – langhe (chardonnay) – pomino – terre di franciacorta
Autres pays: chardonnay d'Australie et de Californie (réserve)

🍇 🍇 🍇 🍇

Bourgogne: chablis grand cru – puligny-montrachet et autres crus en blanc de la côte de beaune
Rhône: châteauneuf-du-pape – condrieu – hermitage
Autres pays: grands vins à base de chardonnay (Toscane et Piémont en Italie), d'Australie et de Californie

Dans l'ensemble, les vins seront blancs, secs, assez aromatiques et relativement souples, car la plupart des préparations renferment de la crème. Cependant, pour tenir tête à l'onctuosité de la sauce, les vins doivent présenter une bonne acidité, à plus forte raison avec des poissons plus gras comme le brochet. La majorité des vins proposés dans les troisième et quatrième échelles de prix doivent être servis entre 10 et 12 °C. Les vins des premières catégories peuvent être servis plus froids (8 °C).

* La cuisson en papillote, celle qui consiste à mettre au four un mets enfermé hermétiquement dans une feuille de papier (sulfurisé ou d'aluminium), permet une extraction de saveur digne de vins aux caractères assez prononcés.

** Il va de soi que l'on servira le même vin que celui employé dans la confection de la sauce. Par exemple, un riesling d'Alsace d'une grande maison, assez jeune, fruité, racé et présentant un bon équilibre entre le corps et l'acidité. Pour les poissons au chablis, on choisira un chablis premier cru de quelques années (de six à huit ans); la question ne se pose même pas... Ne le servez pas trop froid (10 à 12 °C).

*** Quant à la truite saumonée, il faudra opter pour un grand cru, préférablement élaboré avec du chardonnay, pour un accord entre le moelleux du vin et la texture onctueuse de la farce.

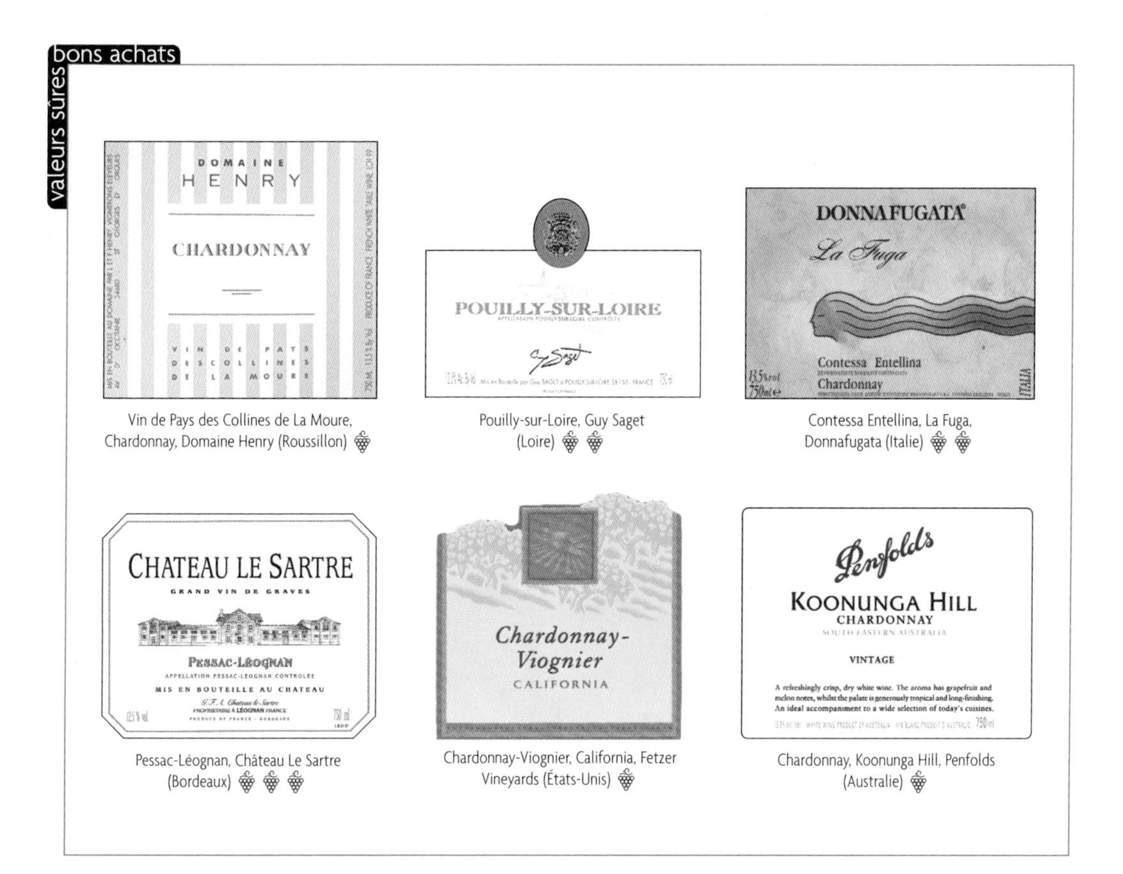

Vin de Pays des Collines de La Moure, Chardonnay, Domaine Henry (Roussillon) 🍇

Pouilly-sur-Loire, Guy Saget (Loire) 🍇 🍇

Contessa Entellina, La Fuga, Donnafugata (Italie) 🍇 🍇

Pessac-Léognan, Château Le Sartre (Bordeaux) 🍇 🍇 🍇

Chardonnay-Viognier, California, Fetzer Vineyards (États-Unis) 🍇

Chardonnay, Koonunga Hill, Penfolds (Australie) 🍇

MARIAGES À LA MÉDITERRANÉENNE

Offrant saveurs et fumets concentrés grâce à la présence de nombreux aromates, les poissons aux textures fermes, généralement braisés ou rôtis, apprêtés avec du fenouil, de l'ail ou de l'estragon, ne demandent que de beaux vins blancs à forte personnalité, assez riches et bien structurés pour se faire valoir. Je propose ici des vins aux arômes légèrement épicés, qui prennent bien en bouche, qui sont secs et non dénués d'acidité, malgré leur origine méridionale pour la plupart. À servir frais (autour de 8 à 10 °C).

Cabillaud rôti en croûte de poivre du Séchuan
Dorade farcie au fenouil
Lotte rôtie en gigot
Morue à la portugaise
Saumon rôti sur sa peau
Vivaneau aux câpres et aux olives

🍇

Languedoc-Roussillon : corbières – coteaux du languedoc-la clape – côtes du roussillon – minervois

Portugal : dão – douro

🍇 🍇

Corse : ajaccio – patrimonio

Jura : arbois – côtes du jura

Provence : bandol – côtes de provence – palette

Rhône : crozes-hermitage – saint-joseph

Espagne : penedès – rioja

🍇 🍇 🍇 / 🍇 🍇 🍇 🍇

Rhône : châteauneuf-du-pape – hermitage – saint-joseph

Les amateurs de rosés pourront choisir des vins assez généreux, au goût légèrement poivré (bandol, coteaux d'aix, côtes de provence, costières de nîmes, lirac, tavel et corbières en France ; navarra, rioja et valdepeñas en Espagne). Quant aux irréductibles du rouge, ils opteront pour des vins relativement légers et souples, servis quelque peu rafraîchis (12 à 14 °C) : gamay de touraine, sancerre rouge, côtes du ventoux, minervois, beaujolais-villages, bourgogne passetoutgrain, chiroubles, côtes de duras, alsace pinot noir et saint-joseph en France ; cannonau di sardegna et valpolicella classico (rouges plus soutenus, si la sauce est légèrement épicée) en Italie.

Dao, Quinta dos Roques (Portugal) 🍇

Côtes de Provence blanc, Château La Tour de l'Évêque (France) 🍇 🍇

Coteaux Varois blanc, Pyramus, Château Routas (Provence) 🍇 🍇

Saint-Joseph blanc, Domaine Coursodon (Rhône) 🍇 🍇 🍇

Minervois blanc, Château Villerambert Julien (Languedoc) 🍇 🍇

Bianco Regaleali, IGT Sicilia, Tasca d'Almerita (Italie) 🍇 🍇

Minute d'omble chevalier du Grand Nord, écrasée de pommes de terre nouvelles, émulsion légèrement crémée à l'huile d'olive

par Anne Desjardins, recette page 250

POISSONS POCHÉS ET POISSONS EN SAUCE

Pocher le poisson ou le servir en sauce sont deux façons de cuisiner qui donnent lieu à de nombreuses préparations culinaires. Le poisson en sauce est déposé dans un plat de cuisson préalablement beurré. Puis il est assaisonné, garni et mouillé (à mi-hauteur) de vin blanc et de fumet de poisson. On procède ensuite à une réduction avec de la crème fraîche, qui apporte richesse et onctuosité. Le poisson poché, quant à lui, est directement placé dans l'eau froide portée à ébullition. Il est servi accompagné d'une sauce, qu'elle soit hollandaise, mousseline ou au beurre blanc.

Ces deux méthodes de cuisson nous donnent des textures de chair fines et souples, pour ne pas dire moelleuses, et suggèrent l'utilisation de vins fins dans un registre semblable. Les vins à base de chardonnay seront tout indiqués, mais ils figurent souvent parmi les plus chers. Secs et souples à la fois, surtout quand on a eu la patience de les attendre quelques années, ce sont des vins très fins et dont la complexité aromatique et le gras s'harmonisent avec les poissons les plus subtils comme les plus cuisinés.

On a tendance, et c'est dommage, à délaisser les grands vins de Graves, d'appellation pessac-léognan. Pourtant, de très beaux châteaux de quelques années, classés ou non, font la fête au plus délicieux des poissons. La sauce joue aussi un rôle dans le choix final, et l'utilisation de crème en grande ou en petite quantité est un critère à ne pas négliger. Mais c'est le goût de chacun qui résoudra la question.

Finalement, je ne voudrais pas oublier les petits budgets et laisser croire que, faute de moyens, on ne peut se régaler de grande cuisine. Si vous avez envie de ces préparations des grands jours sans vous ruiner à la cave, la qualité et la réputation de la maison ou du propriétaire du vin seront vos principaux alliés. Vous trouverez ainsi, même à prix raisonnable, des vins qui auront au moins le mérite d'être bien faits.

Poissons pochés

Alose, sauce aux herbes
*Brochet ou saumon au beurre blanc**
Brochet sauce mousseline
Brochet, truite ou tassergal au vin blanc
Filets de morue à la dijonnaise
Filets de saint-pierre à la crème de caviar
Filets de saint-pierre en feuilleté
Filets de sole au vermouth
Morue et skrei (cabillaud de l'Arctique) au beurre fondu
*Poissons pochés au crémant***
Quenelles de poisson
Raie au beurre de câpres et de citron vert
Sandre poché au chou et aux oignons
Saumon sauce hollandaise
Truite au bleu (poisson cuit au court-bouillon après avoir été préalablement assommé et passé dans le vinaigre) servie avec beurre fondu
Turbot, sauce mousseline
Vivaneau, sauce aux crevettes

En plus des « Variations autour du chardonnay » (p. 98), consultez la liste des vins conseillés avec les poissons braisés.

* Heureux mariage que celui d'un fringant muscadet avec un brochet au beurre nantais (proche du beurre blanc). Très grande harmonie que celle du même brochet au beurre blanc avec un savennières-coulée de serrant âgé de cinq ans au moins.

** Pour les amateurs de bulles, harmonie assurée avec le même crémant que celui qui a été utilisé pour la cuisson (Alsace, Bourgogne, Limoux, Loire).

Poissons en sauce

Darnes de colin (ou de turbot) à la crème
Escalopes de saumon aux moules
Filets de saint-pierre au gratin
Filets de sole en paupiette
*Lotte à l'américaine**
Matelote d'anguilles
*Matelote de sole à la normande**
*Médaillon de lotte aux écrevisses***
*Saumon ou truite saumonée à l'oseille****
Truite aux herbes et à la crème

Si un chablis va merveilleusement bien avec une sole au goût passablement iodé, il faut veiller à ne pas le marier trop souvent avec un poisson plus gras comme le saumon. Ce n'est pas tant l'acidité mais l'aspect minéral du simple chablis qui ne serait pas valorisé, et le poisson prendrait toute la place. Un chablis grand cru relèvera mieux le défi. Température de service : 10 à 12 °C.

En plus des crus cités précédemment, les amateurs de vins moelleux et liquoreux (vins doux ayant une présence de sucres résiduels après fermentation) peuvent se faire plaisir, notamment avec les poissons en sauce. Choisir parmi les bonnezeaux, coteaux du layon, coteaux de l'aubance et montlouis (demi-sec) de la vallée de la Loire, ainsi que les barsac, cérons, cadillac, loupiac, sainte-croix-du-mont et sauternes de la région de Bordeaux, sans pour autant négliger les vins allemands, doux mais beaucoup moins forts en alcool, de la Moselle et du Rheingau. Attention cependant de retenir des vins offrant une bonne acidité ! Sinon, le vin paraîtra mou, sans relief, et il n'aura plus rien à dire à son partenaire d'agapes, devenu par le fait même envahissant. Température de service : 8 à 10 °C environ.

* Sans hésiter avec ces deux plats : un meursault de quelques années, sec et rond à la fois, qui aura su développer un bouquet de noisette et de beurre fermier (température de service : 10 à 12 °C).

** Avec ce poisson appelé aussi « baudroie » (à tort, car la véritable lotte vit en eau douce), je vous suggère un alsace riesling grand cru : finesse et richesse de la chair du poisson associée à la nervosité et à l'ampleur du vin. Un délice ! Température de service : 10 °C.

*** Mariage de textures et d'arômes avec un pouilly-fumé vivace ou un menetou-salon fruité, et complicité entre l'oseille, le fruit du sauvignon et son acidité (température de service : 8 à 10 °C).

VARIATIONS AUTOUR DU CHARDONNAY

Ah ! Le chardonnay ! Ce cépage dont une experte en la matière disait que le vigneron adore le cultiver, le vinificateur, l'élever, et nous tous, le boire. Il est vrai que le chardonnay est connu aux quatre coins de la planète et qu'il se prête à l'élaboration de crus dont les caractéristiques essentielles sont la souplesse et la rondeur, la finesse et la complexité s'il provient de nobles terroirs. Ce qui ne l'empêche pas, lorsqu'il est bien vinifié, de présenter une acidité qui apportera structure et équilibre aux préparations relativement onctueuses. La texture du chardonnay lui permet d'escorter les poissons à chair tendre : il faut en profiter ! Effet garanti avec les poissons braisés, pochés et en sauce. Comme je le signale régulièrement, il sera important de ne pas servir ces vins trop froids (autour de 12 °C).

bons achats

valeurs sûres

Arbois Chardonnay, Les Graviers, Stéphane Tissot (Jura)

Chardonnay, Gran Vina Sol, Miguel Torres (Espagne)

Rully blanc, Château de Rully, Antonin Rodet (Bourgogne)

Chardonnay, Cuvée Alexandre Casa Lapostolle (Chili)

Chardonnay, Livermore Valley, Murrieta's Well (Californie)

Cervaro della Sala, IGT Umbria, Antinori (Italie)

Filets de saint-pierre à la crème de caviar
par Jean-Paul Grappe, recette *page 268*

SPÉCIALITÉS ET AUTRES PRÉPARATIONS

Bouillabaisse

Brandade de morue

Je privilégie le rosé pour sa couleur (présence des tomates) et son côté désaltérant qui adoucira le feu de certaines épices et ingrédients, dont l'ail qu'on peut retrouver dans la brandade (spécialité provençale ou languedocienne de morue émincée et pochée, puis pilée avec de la crème, de l'ail et de l'huile d'olive). Les blancs joueront ce même rôle, et leur couleur ira bien avec cette même brandade. Servez tous ces vins très frais : clairette de bellegarde, corbières rosé, coteaux du languedoc (la clape et picpoul de pinet), costières de nîmes blanc et rosé, lirac rosé, tavel, vin de corse rosé et vins de pays ; bandol, cassis, coteaux d'aix-en-provence, côtes de provence, palette (en blanc et en rosé).

Ceviche

Délicieuse spécialité d'origine sud-américaine (notamment du Pérou, mais aussi préparée au Mexique) à base de poisson cru mariné dans du jus de citron et de lime auquel on ajoute des oignons, des échalotes, des piments frais, des poivrons et d'autres ingrédients comme la menthe et la coriandre. Aiglefin, bar, dorade et mérou sont fréquemment utilisés. Et pourquoi pas saumon et thon ?

Les notes citronnées jouant un rôle prépondérant dans ces préparations, je recommande des vins blancs aux parfums et aux saveurs d'agrumes et pourvus d'une bonne vivacité.

On se fera plaisir, sans hésiter avec des vins à base de riesling (d'Alsace, d'Allemagne, d'Autriche et du Canada) et de sauvignon (sancerre, valençay, coteaux du giennois, menetou-salon, pouilly-fumé, quincy, vin de pays d'oc, du Chili, de Californie, d'Uruguay ou de Nouvelle-Zélande ; pour plus de détails, *voir* la rubrique « Variations autour du sauvignon » p. 101).

Koulibiac (ou coulibiac) de saumon

Pâté de saumon

Pochouse (ou pauchouse)

Des vins blancs secs, fruités et assez ronds, surtout avec la pochouse (spécialité bourguignonne de matelote à base de poissons de rivière) et le koulibiac (genre de tourte de poisson d'inspiration russe). Servez-les à une température oscillant entre 10 et 12 °C (mâcon-villages, auxey-duresses, beaujolais blanc, pouilly-vinzelles, saint-romain, saint-véran, meursault, pouilly-fuissé ; chardonnay d'Italie, d'Argentine, d'Australie, de Californie et du Chili).

Raie au beurre noir

La raie est un poisson assez maigre et facile à digérer, même si la préparation qu'on en fait, c'est-à-dire un beurre fondu très foncé, n'allège pas l'ensemble. Gros-plant, vins de savoie et vins de pays blancs et vifs tireront leur épingle du jeu pour accompagner cette préparation où l'acidité, le salé et l'amertume due aux câpres dominent. Servez ces vins plutôt froids.

VARIATIONS AUTOUR DU SAUVIGNON

Avec ces préparations de saumon, on pourrait certes servir d'autres vins, des crus de Bourgogne à base de chardonnay, dont le chablis ou le puligny-montrachet. Mais il reste que le sauvignon (appelé aussi fumé blanc au Chili et en Californie), par ses arômes floraux et d'agrumes, épouse judicieusement les préparations dans lesquelles on trouve des saveurs acidulées: les herbes (aneth, ciboulette, estragon, etc.), l'oseille, le citron vert (ou limette) et autres agrumes dont le pamplemousse rose ou le yuzu. Son fruité en bouche et son acidité présente juste ce qu'il faut se conjuguent à un rapport qualité-prix digne de mention. Servir assez frais (8 à 10 °C). En général, les vins de la Loire se prêtent au jeu à merveille, mais on pourra se tourner sans problème vers le Bordelais, l'Australie, le Chili, l'Uruguay et la Californie, sans oublier les fort attrayantes cuvées néo-zélandaises.

Saumon fumé
*Saumon mariné au gingembre et à l'orange**
Saumon ou esturgeon mariné aux fines herbes
Saumon ou truite à l'oseille
Gravlax (savoureuse spécialité scandinave qui signifie « saumon mariné à l'aneth, avec une pointe de sucre »)

* Les préparations dans lesquelles on utilise le gingembre se prêtent aussi à d'excellentes harmonies avec des vins à base de pinot gris qui ont du gras et de la matière (alsace et alsace grand cru).

Menetou-Salon, Chavet et Fils (Loire) 🍇🍇

Sauvignon blanc, Sonoma County, Kenwood Vineyards (Californie) 🍇🍇

Bordeaux sec, Château Reynon, 70 % de sauvignon, D. Dubourdieu (France) 🍇🍇🍇

Touraine, Sauvignon, Domaine de la Charmoise (Loire) 🍇🍇

Alghero, Le Arenarie, Sella & Mosca (Italie) 🍇🍇

Sancerre, Les Baronnes, Henri Bourgeois (Loire) 🍇🍇🍇

SUSHIS ET SASHIMIS

On raconte que c'est à Osaka, important centre économique du Japon, que les marchands de riz ont créé les sushis avec du riz vinaigré mélangé à d'autres ingrédients afin de créer des bouchées aussi invitantes pour l'œil que savoureuses. Mais c'est à Tokyo, ville célèbre pour son marché de poissons, que le terme sushi désigne habituellement le nigiri-sushi, qui est généralement à base de poisson, de coquillages et de crustacés. On prépare les nigiri-sushis au thon, au saumon grillé, à l'anguille, au congre et au poisson blanc. Quant au maki-sushi (ou rouleau de sushi), le plus connu et celui qui se prête à de nombreuses variations, il se compose de poisson ou de légumes disposés sur un lit de riz vinaigré, le tout enrobé d'une feuille de nori, variété d'algue riche en calcium, en phosphore et en vitamine A. Enfin, le sashimi est la spécialité gastronomique que l'on vous sert au Japon lors des grands repas. Les poissons suivants, servis crus et sans riz, doivent évidemment être très frais et sont découpés en fines lamelles : orphies, merlans, thon, maquereau, dorade, saumon et sérioles. Est-ce l'exotisme ambiant, mais ce sont surtout ces fameux sashimis, joliment présentés et servis habituellement avant les sushis, que j'ai particulièrement appréciés lors de mon séjour en terre nippone. Bien entendu, c'est en essayant de faire abstraction des sauces soya et du wasabi (crème verte très relevée issue d'une variété de raifort) que j'ai pu réaliser d'agréables mariages avec les vins blancs fruités, élaborés avec le cépage koshu. Produits dans la région de Yamanashi, ils présentent curieusement quelques similitudes avec le muscadet de ma jeunesse.

Mais soyons réalistes ! Faute de koshu, vous pouvez accompagner vos sushis préférés de vins blancs très fruités qui présentent parfois une dose de sucre résiduel non négligeable, et vous obtiendrez des harmonies de contrastes qui surprendront vos invités. Je pense au cépage gros manseng (vin de pays des côtes de Gascogne et Jurançon) cueilli en surmaturité, au chenin blanc du vouvray demi-sec ou d'Afrique du Sud, au riesling de la Moselle et du Rheingau en Allemagne.

Pour ma part, j'aime les vins plus secs, et je crois que le fruité et la palette aromatique de certaines variétés comme le sauvignon, le gewürztraminer, le viognier, la malvoisie et le torrontés conviennent également aux saveurs multiples apportées par les sushis. Les amateurs de xérès, notamment de fino, auront de belles surprises avec ce vin espagnol très particulier. Les puristes, quant à eux, pourront toujours se procurer une bouteille de saké, servi bien frais. Enfin, avec un sashimi de thon, sans sauce soya, on peut servir un rouge souple, très fruité et non tannique à base des cépages gamay (Beaujolais) et pinot noir (de la Loire, d'Alsace ou... de l'Ontario et de Colombie-Britannique).

bons achats

valeurs sûres

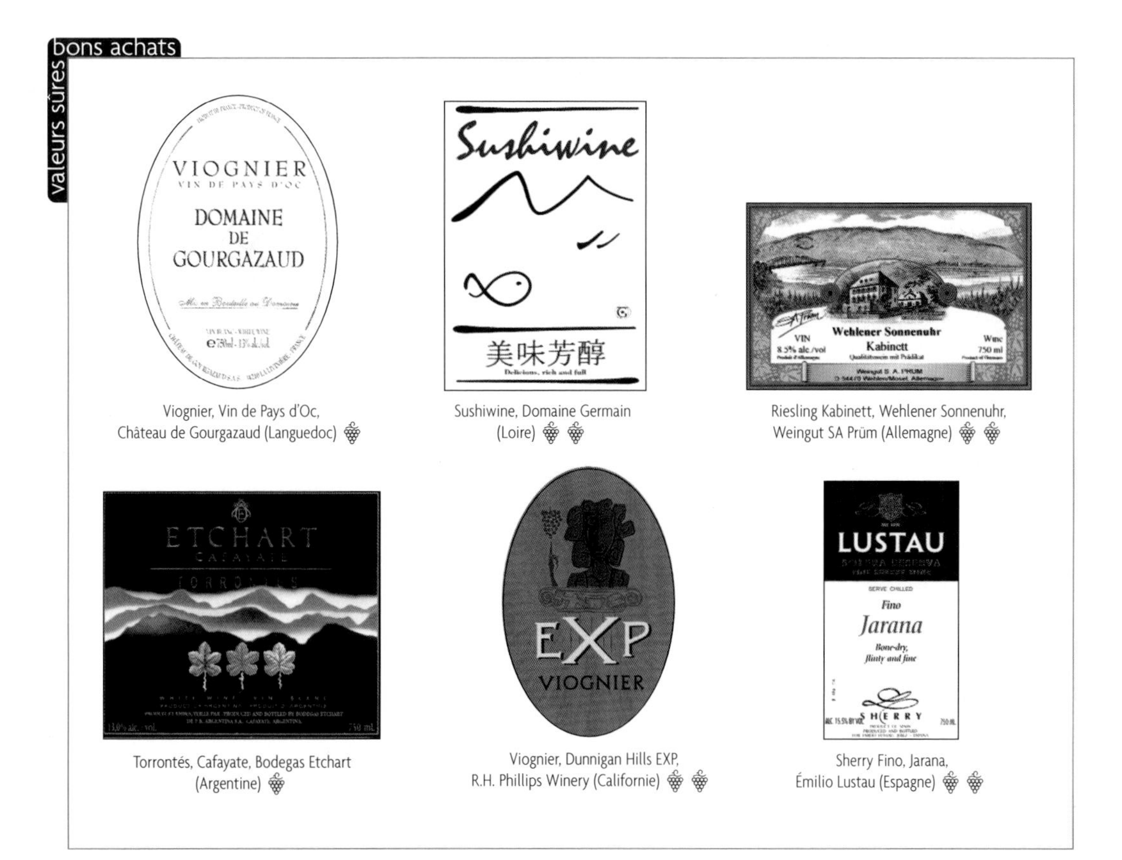

Viognier, Vin de Pays d'Oc, Château de Gourgazaud (Languedoc)

Sushiwine, Domaine Germain (Loire)

Riesling Kabinett, Wehlener Sonnenuhr, Weingut SA Prüm (Allemagne)

Torrontés, Cafayate, Bodegas Etchart (Argentine)

Viognier, Dunnigan Hills EXP, R.H. Phillips Winery (Californie)

Sherry Fino, Jarana, Émilio Lustau (Espagne)

CHASSÉS-CROISÉS EN ROUGE ET BLANC

Poisson à chair rouge ou poisson à chair blanche, ils sont unis dans ce cas de figure pour une cause commune, une alliance de bon goût dans laquelle le vin rouge, tout en fruit, en rondeur et en souplesse, saura souligner les textures et les saveurs engendrées par la préparation.

Bar ou rougets aux poivrons rouges et à la coriandre
Carpaccio de thon aux poivrons rôtis
*Doré au beurre rouge**
Espadon grillé, sauce aux tomates séchées
*Lamproie à la bordelaise***
*Lotte ou saumon braisé, sauce au vin rouge**
*Matelote d'anguille au vin rouge***
Pavé de thon à la basque
Filets de poisson grillés à la tomate concassée cuite et parfumée au basilic frais*
*Truite au beurre rouge (pochée dans un fumet de poisson)**

* Vin rouge souple ou rosé de caractère avec ces poissons à la chair fine et onctueuse (grâce à la cuisson), accompagnés d'une sauce au vin rouge, montée au beurre. Servez-le à 15 °C: alsace pinot noir, bourgogne, côte de beaune-villages, maranges, marsannay rouge et rosé, monthélie, morgon (et autres crus du Beaujolais), bourgueil, chinon et sancerre rouge, arbois rouge et rosé.

** Des vins rouges de Bordeaux, bien entendu, aux tanins plutôt doux et souples. Accord délicieux de couleurs et de parfums, en toute réciprocité. Choisissez des vins jeunes pour le bordeaux et de quelques années pour les autres, et servez-les à une température autour de 16 °C (bordeaux, fronsac, graves, médoc, pessac-léognan, premières côtes de blaye, saint-émilion). La lamproie est un drôle de poisson à chair fine; deux espèces sont plus connues. Celle de mer, d'un mètre environ, remonte les fleuves, notamment l'estuaire de la Gironde, pour se reproduire. La lamproie d'eau douce, appelée parfois «suce-pierre» ou «flûte à sept trous», est plus petite. Ce poisson est habituellement préparé comme l'anguille, en matelote ou à l'étuvée.

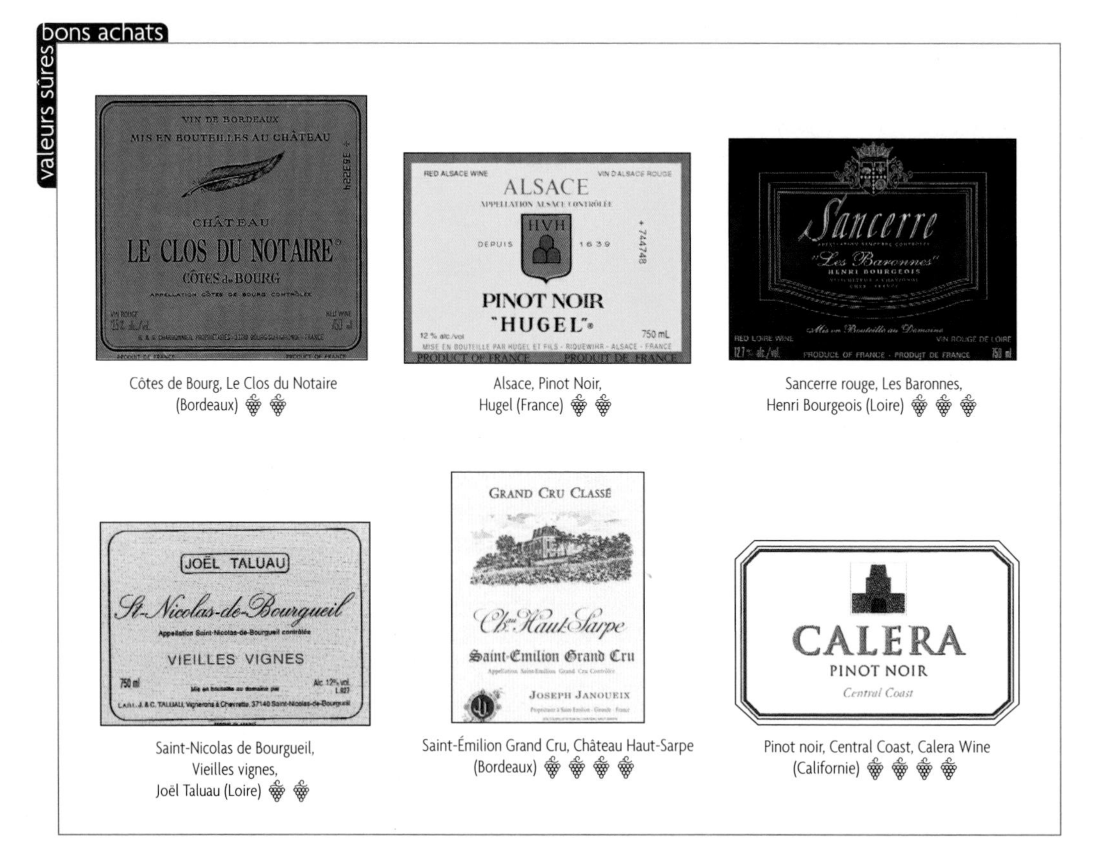

Côtes de Bourg, Le Clos du Notaire (Bordeaux)

Alsace, Pinot Noir, Hugel (France)

Sancerre rouge, Les Baronnes, Henri Bourgeois (Loire)

Saint-Nicolas de Bourgueil, Vieilles vignes, Joël Taluau (Loire)

Saint-Émilion Grand Cru, Château Haut-Sarpe (Bordeaux)

Pinot noir, Central Coast, Calera Wine (Californie)

Filets de poisson grillés à la tomate concassée cuite et parfumée au basilic frais
par Jean-Louis Massenavette, recette page 276

Les volailles

Qu'est-ce que je vais servir avec mon poulet rôti ? À cette question qui revient souvent, une réponse surgit promptement : pas de problème ! Puisque j'ai affaire à une viande blanche, je n'hésite pas un seul instant et je me précipite dans ma réserve de vins blancs.

Erreur, car ce n'est pas aussi simple que ça, et vous allez peut-être passer à côté de plaisirs délectables si vous tirez des conclusions aussi rapidement.

Car, si c'est dans la couleur de la viande – le poulet et la dinde ont une chair blanche, tandis que le canard, l'oie et la pintade, pour ne citer que ceux-là, ont une chair brune – c'est aussi dans la cuisson et la préparation que se trouve la réponse à cette question si simple en apparence.

Une même volaille offre des saveurs différentes selon qu'elle est grillée, rôtie, sautée ou pochée. La recherche du choix idéal doit se soumettre aux règles élémentaires de l'harmonie des mets et des vins.

Cuissons, sauces d'accompagnement, place dans le repas (et, pourquoi pas, dans la journée), voilà autant d'éléments qui, déclinés à l'infini, permettent de nombreuses unions, célébrées de mille et un flacons.

Prenons comme exemple le bon vieux poulet, parfois de grain, trop souvent « industriel », classique sur toutes les tables occidentales, que les enfants adorent pour sa texture, que les mamans privilégient pour sa facilité de préparation... et sa popularité ! On peut créer de nombreuses harmonies en faisant judicieusement varier les associations, pour le plaisir de ses hôtes et l'amour de l'art culinaire.

Canard aux navets confits
par Jean-Pierre Carrière, recette page 247

Essayez un jurançon sec (blanc fruité) en compagnie d'un poulet sauté au citron ; goûtez ensuite un bardolino (rouge léger) sur un poulet grillé, puis un coteaux du tricastin rouge sur du poulet, rôti cette fois, et enfin un cadillac (blanc moelleux) sur une poularde pochée servie avec sa sauce suprême.

Vous aurez chaque fois respecté les bons principes voulant que saveurs et arômes aillent dans le même sens tout en se faisant valoir mutuellement. Avec son petit côté fruit exotique, le manseng, cépage du vif Jurançon, souligne la sauce légèrement citronnée du plat. Le bardolino, léger à souhait, fera équipe en toute discrétion avec les saveurs simples issues de la non moins simple cuisson du poulet grillé. Le poulet rôti et sa sauce brune donnent du relief au tricastin, servi plutôt frais, assez pauvre en tanin, mais offrant quand même suffisamment de corps et de fruit pour faire ressortir les sucs du rôti. Quant à la poularde à la crème, il s'agit là d'un mariage de couleurs et d'une harmonie de textures renforcée par une acidité qui équilibre le tout.

En fin de compte, il est facile de trouver la solution sans se ruiner. La règle est simple : intensité, qualité et nature des impressions doivent jouer en toute réciprocité. C'est ce que je vous propose avec les trois volets suivants : le poulet, le canard et enfin, réunies pour des rires et des saveurs, l'oie, la dinde et la pintade.

Accords gourmands avec le poulet

Comme je le disais au début de ce chapitre, s'il est une chair à la mode de nos jours, c'est bien celle du poulet! Que ferions-nous et que feraient toutes les mamans du monde si ce volatile n'existait pas? Oui, il faudrait l'inventer! Des sandwichs du quotidien au suprême des grandes occasions, en passant par les ailes grillées sur le barbecue et le poulet rôti dont on lèche la sauce brune au restaurant familial, le poulet fait partie aujourd'hui de notre univers alimentaire tout comme il participe à nos joies gastronomiques.

Qu'on le décline à l'italienne avec le cacciatore, à la française en crapaudine ou à la diable, histoire d'exorciser nos vieux démons, le poulet fait souvent l'unanimité. Les enfants apprécient sa chair tendre et les adultes aiment se faciliter la vie avec cette viande dont les préparations varient à l'infini, même si notre imagination a aussi ses limites, tout cordons-bleus que nous soyons. Il vaut mieux parfois nous en tenir à nos bonnes vieilles recettes qui satisfont notre goût plutôt que de nous empêtrer dans des méandres culinaires recherchés dont l'objectif inavoué est davantage d'épater les amis que de les régaler. Maître-queux averti ou cuistot du dimanche, hôte et hôtesse, à vos ustensiles et à vos bouteilles! Le poulet va se laisser séduire par des vins blancs secs, doux et demi-secs, par des vins rosés, des rouges légers et des plus corsés. Tout dépendra des épices et des aromates choisis, de la cuisson et de la sauce, sans oublier les préférences des convives et l'esprit du moment.

POULET RÔTI OU GRILLÉ: DES ROUGES ET DES ROSÉS

Le beau temps revenu nous donne le goût des choses simples, et il nous sera bien agréable de ne pas nous casser la tête avec ces préparations qui se contenteront pour la plupart de vins légers, fruités et souples.

Que la volaille soit grillée, rôtie et servie avec son jus, le vin se fera discret, d'autant plus qu'on le servira légèrement rafraîchi. Deux avenues s'offrent à vous selon le contexte et l'occasion. Première situation: c'est l'été, il fait chaud et vous avez envie de vous désaltérer tout en mangeant votre poulet grillé nature, tout simplement, ou accompagné d'herbes ou d'épices. Pourquoi ne pas vous faire plaisir avec un rosé comme le tavel? Plus léger, plus fruité dans la même couleur, essayez aussi un rosé de Provence. Si le soleil persiste, pourquoi pas un rosé d'Espagne ou d'Italie?

Deuxième solution: avec le poulet rôti, vos invités n'aiment pas spécialement le rosé, votre menu contient quelques bons fromages pas trop relevés et vous ne voulez pas faire de mélanges. Offrez-vous un vin rouge, fruité et gouleyant (ayant très peu de tanins). Beaujolais, gamay de touraine, coteaux du lyonnais, côtes du vivarais ou merlot du pays d'oc et de Vénétie se feront assez discrets pour mettre en valeur votre volaille. Cette dernière proposition s'applique aussi au poulet frit.

Rôtir la volaille constitue sans doute la préparation la plus courante pour ce type d'aliment. Avec les recettes incluant ce mode de cuisson, des vins rouges peu corsés et souples feront l'affaire, d'autant plus si la viande est servie simplement avec un jus ou une sauce peu relevée.

Ailes de poulet grillées aux épices
*Blanc de poulet, sauce satay**
*Brochette de poulet yakitori**
Croquettes de volaille
Cuisses de poulet grillées aux herbes
Poulet à la diable
*Poulet à la toscane***
Poulet au vinaigre
Poulet grillé en crapaudine
Poulet rôti et son jus

Bordeaux: bordeaux – premières côtes de blaye

Bourgogne: beaujolais-villages – bourgogne passe-toutgrain

Languedoc-Roussillon: corbières rosé – côtes du roussillon rosé – faugères rosé – minervois rosé et rouge léger – saint-chinian rosé – vins de pays d'oc (merlot et pinot noir)

Loire : anjou gamay – gamay de touraine

Autres régions : arbois rosé – coteaux du lyonnais – côte roannaise – côtes de provence rosé – côtes du forez – côtes du frontonnais rosé – côtes du vivarais – coteaux du tricastin – costières de nîmes – vins de pays des côtes de gascogne

Italie : bardolino – colli crientali del friuli rosato – dolcetto d'alba – lison-pramaggiore (cépage merlot)

Espagne : navarra rosé – rioja rosé – vins de pays (vino de la tierra)

Alsace : pinot noir

Loire : menetou-salon rouge

Rhône : lirac rosé – tavel

Autres pays : vins d'Afrique du Sud et du Chili à base de merlot

Le lecteur aura remarqué que je ne propose pas de vins dans la troisième catégorie de prix. La raison est simple : je ne servirai pas de très grands crus (surtout à un prix élevé) sur des préparations aussi modestes, même si elles sont très bonnes. Les vins rosés seront servis très frais, à la température du réfrigérateur (environ 8 à 10 °C) ; les rouges supporteront aussi une température plus fraîche qu'à l'ordinaire, c'est-à-dire située entre 12 et 14 °C. Rouges ou rosés, les vins seront jeunes, dans leurs deux premières années.

* Avec ces spécialités asiatiques accompagnées ou non de sauce épicée (pour le yakitori) et d'une sauce relevée aux arachides, à l'ail et au lait de coco (pour le satay), des rosés secs et de caractère feront souvent l'affaire.

** Alliance régionale pour ce mets italien légèrement relevé et agrémenté d'une sauce tomatée (carmignano rosso – rosso di montalcino).

Cabernet Sauvignon rosé, Dona Paula, Vina Santa Rita (Chili)

Somontano, Enate (Espagne)

Orléanais rouge, Clos Saint-Fiacre (Loire)

Beaujolais-Villages, Vieilles vignes, Mommessin (France)

Lirac rosé, Château de Bouchassy (Rhône)

Vin de Pays des Côtes de Gascogne, Alain Brumont (Sud-Ouest)

POULET SAUTÉ : ROUGE OU BLANC, ÇA DÉPEND...

Le vin choisi pour accompagner une volaille sautée doit ressembler théoriquement à la couleur d'ensemble du plat dans sa finition. Que l'on parle de poulet chasseur ou de coq au chambertin, le vin rouge est roi avec ces morceaux de volaille assaisonnés, enfarinés, puis saisis au beurre très chaud et dont le déglaçage est assuré par un fond brun. En fait, ce n'est pas le vin utilisé dans le déglaçage qui fait la différence, puisqu'il s'agit la plupart du temps de vin blanc, mais plutôt la couleur du fond, les garnitures (champignons, tomates, aromates divers, etc.) qui composent la recette et la couleur de la viande, dans le cas de l'oie et de la pintade, comme du pigeon (*voir* «Le gibier à plume» p. 183).

Un bon poulet cacciatore, par exemple, nécessite du vin blanc (parfois du rouge), de la tomate en sauce et en concentré, du brandy ou du cognac, des champignons et j'en passe. Un vin plutôt jeune, pas trop corsé, aux tanins souples et à l'acidité réservée complétera à merveille ce repas.

Même application avec le poulet à la basquaise ; en plus de la tomate, la recette contient poivrons et jambon de Bayonne. Et s'il est difficile dans ce cas de trouver le cru de la région, on peut toujours se faire plaisir avec les vins que je propose plus loin.

Je privilégie les vins de Bourgogne, pour ceux qui en ont les moyens... Souplesse des tanins et arômes de petits fruits rouges du pinot noir justifient en partie cette décision.

L'approche est tout autre quand il s'agit de volaille sautée «à blanc». Les morceaux sont assaisonnés, raidis, c'est-à-dire passés rapidement dans une matière grasse sans en colorer la chair, et l'élément du déglaçage est toujours un fond blanc de volaille. Généralement, la finition fait intervenir la crème fraîche. Dans ce cas, on jettera son dévolu sur des vins blancs, mais les garnitures et autres aromates susciteront la recherche du dénominateur commun. Par exemple, les préparations légèrement citronnées inviteront à choisir des vins à base de riesling (d'Alsace, d'Allemagne, d'Autriche et du Canada), ou des appellations peu connues mais intéressantes, comme le jurançon (sud-ouest de la France). Quant à l'acidité du vin, elle joue un rôle de modérateur face à la sauce crémée et est en grande partie responsable de l'équilibre des saveurs.

Enfin, je dois dire que ce mode de cuisson apporte une dimension intéressante à l'harmonie des mets et des vins. La réussite de la préparation réside dans le saisissement des chairs et la caramélisation des sucs qui se fixent au fond du récipient, ce qui favorise l'opération ultime du déglaçage, étape importante s'il en est, pour la réussite de la sauce.

Suprêmes de poulet au sésame et aux poivrons doux
par Jean Soulard, recette page 289

AVEC DÉGLAÇAGE AU FOND BRUN : DES ROUGES CHARNUS ET FRUITÉS

On dit qu'il faut se méfier de l'eau qui dort. Il en est de même pour certains vins qui, sous des allures sobres, donnant l'air de ne pas y toucher, possèdent en fait une forte personnalité qui se reconnaît à coup sûr dans le verre. Les robes sont belles, attrayantes, et l'on retrouve en bouche une certaine matière, une présence de fruits ainsi que des tanins assouplis mais bien mûrs, donnant une indéniable rondeur à l'ensemble empreint de simplicité.

*Coq au vin rouge (coq au chambertin)**
*Poulet au curry et au gaillac rouge**
Poulet aux olives
Poulet aux tomates et aux poivrons verts
*Poulet à la basquaise***
*Poulet chasseur (cacciatore)****
Poulet de grain en crapaudine,
aux épices et au romarin
Poulet sauté aux champignons
Poulet sauté aux morilles
Poulet sauté aux poivrons rouges
Suprêmes de poulet au sésame et
aux poivrons doux

🍇 / 🍇🍇

Bordeaux : bordeaux – bordeaux supérieur – côtes de castillon – graves – lussac-saint-émilion – montagne-saint-émilion – premières côtes de bordeaux

Bourgogne-Beaujolais : bourgogne pinot noir – chénas – côte de beaune-villages – côte de brouilly – juliénas – morgon – moulin à vent – saint-amour

Languedoc-Roussillon : cabardès – corbières – coteaux du languedoc – faugères – minervois – vins de pays (cépages carignan, grenache, merlot et cabernet sauvignon)

Loire : anjou-villages – bourgueil – chinon – menetou-salon rouge – saumur-champigny – touraine

Rhône : costières de nîmes – coteaux du tricastin – côtes du rhône – lirac – vacqueyras

Sud-Ouest : buzet – gaillac – madiran

Italie : alto adige (schiava) – lison-pramaggiore (merlot et cabernet) – sangiovese di romagna – IGT toscana à base de sangiovese

Autres pays : catalunya, penedès, somontano, yecla (Espagne) – douro (Portugal) – pinot noir de Hongrie – carmenère et cabernet sauvignon du Chili – malbec d'Argentine – tannat (Uruguay) – merlot de Californie – pinotage, pinot noir et merlot d'Afrique du Sud

🍇🍇🍇

Bordeaux : canon-fronsac – lalande de pomerol – moulis – saint-émilion

Bourgogne : givry – mercurey – pernand-vergelesses – saint-romain – santenay –

Rhône : gigondas – saint-joseph

Italie : barbera d'alba – barbera d'asti – barco reale – breganze – carmignano

Autres pays : pinot noir de Suisse, de l'Oregon et de Californie

🍇🍇🍇🍇

Bordeaux : margaux – saint-estèphe

Bourgogne : aloxe-corton – chambolle-musigny – gevrey-chambertin – morey-saint-denis – vosne-romanée – vougeot

Autres pays : pinot noir de Californie et d'Oregon (Reserve)

La plupart des vins proposés dans la première échelle de prix seront servis jeunes (deux ou trois ans) à une température de 14 à 16 °C. Les vins suggérés dans la deuxième échelle de prix auront quelques années (trois à cinq ans) et seront servis à une température de 16 à 18 °C. Quant aux très grands, il faut choisir des vins âgés de cinq à huit ans au moins, et les servir eux aussi à une température oscillant entre 16 et 18 °C. Pour les amateurs, certains rosés secs et généreux pourraient convenir, surtout si l'on a affaire à une préparation relevée, comme du poulet épicé au basilic (spécialité thaï).

* Pour des raisons évidentes, on servira le même vin que celui qu'on a utilisé dans la préparation. Mais allez-vous vraiment servir un chambertin avec votre coq au chambertin ? Je l'espère ! Si vous avez mis du chambertin dans la recette, c'est que vous n'êtes sûrement pas à une bouteille près de ce délicieux et célèbre nectar ! Sinon, essayez quand même de rester dans les beaux vins rouges de la côte de Nuits – en fonction de vos moyens, bien sûr.

** Tous les vins cités précédemment, mais si l'on veut respecter l'accord régional, un irouléguy rouge, vin rare du Pays basque élaboré avec cabernets et tannat. Sinon, un madiran assez souple du Béarn voisin fera tout aussi bien l'affaire.

*** Si le poulet chasseur est réellement « cacciatore », le vin italien lui ira comme un gant.

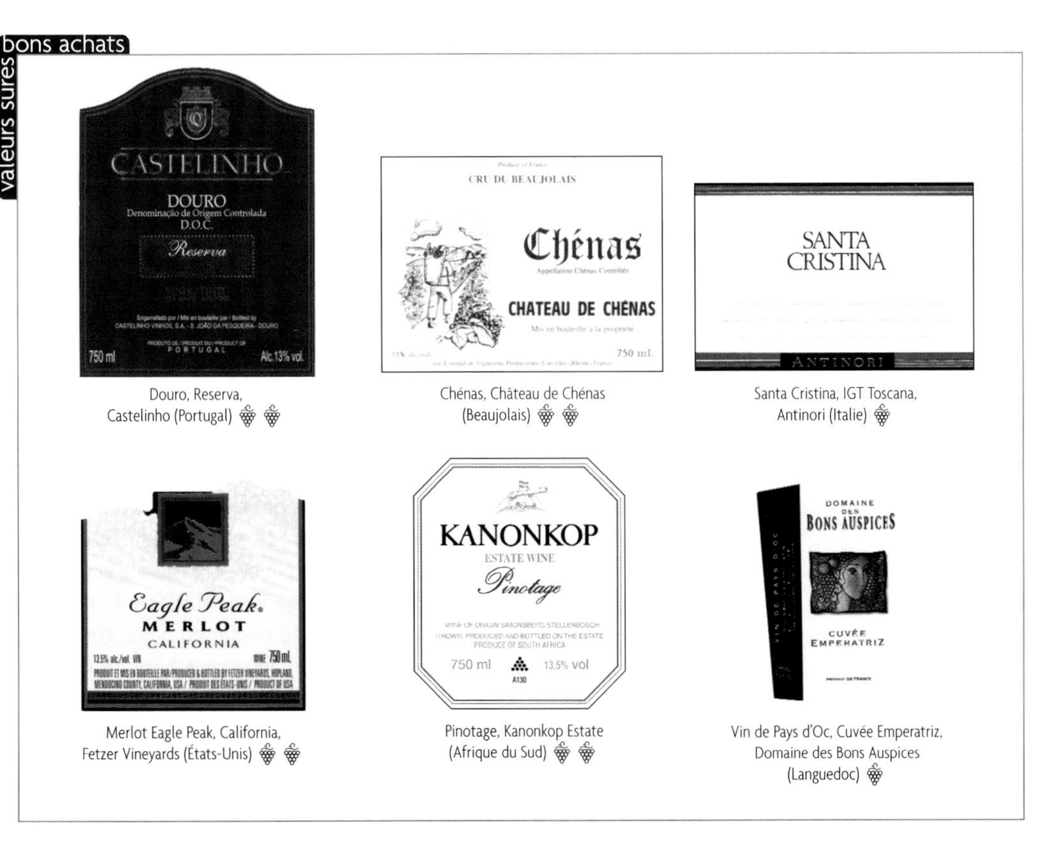

Douro, Reserva, Castelinho (Portugal)

Chénas, Château de Chénas (Beaujolais)

Santa Cristina, IGT Toscana, Antinori (Italie)

Merlot Eagle Peak, California, Fetzer Vineyards (États-Unis)

Pinotage, Kanonkop Estate (Afrique du Sud)

Vin de Pays d'Oc, Cuvée Emperatriz, Domaine des Bons Auspices (Languedoc)

VOLAILLE POCHÉE: UN BLANC GÉNÉREUX, EN SEC OU EN MOELLEUX

La texture d'une volaille pochée ainsi que la sauce généralement crémeuse et onctueuse qui l'accompagne nous font opter pour un autre style de vin. Généralement, poules et poulardes se prêtent au jeu de ce procédé, qui consiste à cuire l'aliment en immersion dans une quantité plus ou moins grande de liquide (eau, fond, court-bouillon) porté à une température se rapprochant le plus près possible du point d'ébullition. Après la cuisson, on confectionne une sauce d'accompagnement à l'aide du fond.

En fonction du plat, donc, mais aussi en fonction des goûts de chacun, on peut choisir deux types de vins blancs. Les premiers, moelleux ou liquoreux, c'est-à-dire ayant une certaine quantité de sucre résiduel, se présentent avec une robe dorée et des arômes très présents; ils sont souvent généreux. Ils ont pour noms coteaux du layon, vouvray, loupiac, sainte-croix-du-mont, recioto di soave, sans oublier les vendanges tardives d'Alsace et les grands vins moelleux allemands.

Les autres, secs mais fondus en bouche, amples et assez capiteux, vont à ravir avec des mets tout aussi raffinés les uns que les autres. Si vous en avez les moyens, je vous suggère d'essayer avec une poularde à la crème et aux pleurotes un grand blanc de la côte de Beaune, tels le montrachet et le corton-charlemagne, ou le rare condrieu de la vallée du Rhône septentrional, pour vous en convaincre.

Femelle du coq domestique et oiseau de basse-cour au plumage coloré, si la poule glousse et caquette sans cesse, elle nous offre donc une chair tendre qui se prête à des préparations riches et « gloutonnes ». On obtiendra dès lors de belles alliances de textures, aussi soyeuses dans le vin que dans la sauce, avec des blancs moelleux et sensuels comme avec des crus secs et capiteux. L'essentiel est qu'ils soient tous pourvus d'une bonne acidité (mais non volatile; ce n'est pas parce que c'est du poulet...).

Poularde à la crème
Poularde à la normande
Poularde au vin blanc
Poularde à la crème (aux morilles ou aux truffes)
Poularde aux pleurotes
Poule au pot
Poulet à la crème de safran
Poulet au miel
Volaille pochée sauce suprême

Vins blancs doux et moelleux*

Bordeaux: barsac – cadillac – cérons – loupiac – sainte-croix-du-mont

Loire: bonnezeaux – coteaux du layon – coteaux de l'aubance – montlouis moelleux – vouvray moelleux

Sud-Ouest: côtes de bergerac moelleux – haut-montravel – jurançon – monbazillac – pacherenc du vic bilh

Alsace: tokay pinot gris vendanges tardives

Bordeaux: barsac – sauternes

Loire: coteaux du layon-villages – quarts de chaume

Italie: albana di romagna passito – breganze torcolato – recioto di soave – vini santi de la Toscane

Autres pays: grands moelleux d'Allemagne (riesling beerenauslese) – vins de glace canadiens (cépage riesling)

Vins blancs secs**

Savoie: roussette de savoie

Italie: collio – grave del friuli – lison-pramaggiore (pinot grigio) – IGT veneto à base du cépage garganega

Autres pays: chardonnay d'Argentine, du Chili et de Californie

Alsace : alsace grand cru (riesling et tokay pinot gris)
Bourgogne : auxey-duresses – chablis premier cru – mercurey premier cru – pouilly-fuissé – pouilly-vinzelles – saint-aubin
Loire : savennières
Autres pays : chardonnay de Californie et d'Australie

Bourgogne : chablis grand cru – chassagne-montrachet – corton-charlemagne – puligny-montrachet
Loire : savennières – coulée de serrant
Rhône : châteauneuf-du-pape – condrieu
Italie : grands vins toscans à base de chardonnay
Autres pays : grandes cuvées d'Australie et de Californie à base de chardonnay

* La plupart des vins doux et moelleux seront servis à une température allant de 6 à 8 °C (10 °C pour les plus corsés). Ceux qui sont suggérés dans la troisième catégorie de prix seront déjà âgés de quelques années (entre 5 et 10 ans).

** Grands moments garantis avec les crus puissants, racés et longs en bouche que sont les montrachet (Chevalier, Bâtard, etc.) ou le corton-charlemagne. Mais on peut aussi se faire plaisir à moins cher avec les autres vins proposés. Température de service : 10-12 °C.

Que choisir entre vin doux et vin sec ? Le choix final peut se faire en fonction du plat suivant (un fromage à pâte persillée, par exemple, se plaira très bien en compagnie du vin doux que vous avez servi avec le plat de résistance) ou en fonction des préférences de vos invités.

bons achats

valeurs sûres

* Coteaux de l'Aubance, Domaine de Haute Perche (Loire) 🍇🍇

** Condrieu, Domaine du Monteillet, Antoine et Stéphane Montez (Rhône) 🍇🍇🍇🍇

** Chardonnay, Yattarna, Penfolds (Australie) 🍇🍇🍇🍇

* Alsace, Tokay pinot gris Vendanges Tardives, Domaine Weinbach (Alsace) 🍇🍇🍇

* Pacherenc-du-Vic Bilh, Château Laffite Teston (Sud-Ouest) 🍇🍇

** Chardonnay, Sonoma County, Grand Archer, Arrowood Winery (Californie) 🍇🍇🍇

RACE ET DISTINCTION POUR LE CANARD

Pour le plaisir de tout gastronome, le canard, tout comme le poulet, se prête bien à l'exercice de l'accord parfait. Il ne reste qu'à trouver le meilleur vin en fonction de la recette utilisée. Dans ce cas, tel un aristocrate débonnaire heureux de vaquer librement à des occupations prétendument roturières, un grand vin rouge, même à prix élevé, saura souligner de son charme et de sa délicatesse le juteux caneton, qu'il soit mulard ou huppé. Lorsque la recette est un peu plus compliquée, il convient de se tourner vers des vins très fins, mais surtout plus soutenus. Avec un canard aux navets, par exemple, une appellation de la Côte d'Or trouve certainement sa place. Les tanins souples mais tout de même présents de ce type de vins réagissent bien avec des viandes aux saveurs marquées et délicates à la fois. Toutefois, j'ai en mémoire de jolies combinaisons avec de beaux crus du Beaujolais tels les chénas et moulin à vent. D'ailleurs, pour rester dans la même région et souligner ce qui fait la magie d'une belle gamme aromatique, je pense tout à coup à un délicieux canard aux cerises dégusté (pour ne pas dire dévoré) un soir de décembre en agréable compagnie, mis en valeur par un morgon de bonne composition et de quelques années, exaltant des senteurs de kirsch. Un duo parfait ! C'est justement avec différentes recettes de canard que j'ai sélectionné les vins qui suivent.

Est-ce l'engouement récent pour le foie gras tendre et riche ou la popularité du magret, mot aux consonances sympathiques, qui explique la présence plus grande aujourd'hui du canard dans nos assiettes ? Quoi qu'il en soit, il est indéniable que cet oiseau aussi palmipède qu'attachant a toujours autorisé des agapes savoureuses et des harmonies avec le vin qui le sont tout autant.

Même s'il existe quelque 80 espèces de canards, celui de Pékin, tel le canard du lac Brome, le colvert appelé « malard » et le canard de Barbarie, à la chair un peu plus ferme, permettent des préparations culinaires qui font une place de choix à toutes sortes de fruits. Que ce soit avec l'orange et les pruneaux, les airelles ou les cerises, la chair assez grasse du canard s'accommode bien de l'acidité naturelle de ces fruits. On constate alors, si le dosage des ingrédients est bien respecté, un équilibre gustatif invitant au même exercice avec le vin. Quant aux modes de cuisson, si le canard se prépare le plus souvent rôti, il peut être braisé, ce qui lui donne des saveurs et surtout une texture moelleuse qui ne manqueront pas d'influencer le choix du vin.

Et, pourquoi pas, en essayant de ne pas trop déraper, j'ai pensé faire des suggestions aux amateurs de vins blancs, pour peu que le canard ait été apprêté différemment. Il me vient notamment à l'esprit une canette à l'ananas avec un sensuel et liquoreux château de Sauternes, ou un canard à la choucroute accompagné d'un tokay pinot gris d'Alsace puissant et racé : mariages de contrastes pour mieux réunir les convives !

Dans la liste qui suit, j'ai regroupé plusieurs plats assez différents les uns des autres, j'en conviens, mais qui favorisent un choix commun de vins rouges délicieux, pleins de fruits, offrant un bel équilibre entre, d'une part, l'acidité (réelle mais assez discrète), des tanins présents, souples et bien fondus, et, d'autre part, un certain moelleux qui enveloppe le tout. Les saveurs engendrées par les cuissons prendront toute leur dimension avec des vins dits de terroir, dont la race et l'origine (on parle parfois de « typicité ») l'emportent sur la grandeur et la distinction. On réalisera dès lors des accords aussi séduisants que le prix de ces vins.

Tourte de canard à la maghrébine
par Philippe Mollé, recette page 285

Aiguillette de canard au poivre vert
*Canard à l'orange**
Canard aux navets confits
*Canard aux pêches****
Canard braisé au vin rouge
Canard braisé aux olives
Canard braisé aux pommes et aux marrons
*Canard braisé aux raisins verts****
*Canard rôti aux cerises***
Canard rôti aux pruneaux
*Canette croustillante à la cannelle****
*Confit de canard*****
Magret de canard aux olives et au poivron rouge
Poitrine de canard, sauce aux airelles
Tourte de canard à la maghrébine

🍇 / 🍇🍇

Bordeaux : bordeaux supérieur – bordeaux côtes de francs – côtes de castillon – premières côtes de bordeaux
Bourgogne : chénas – côte de nuits-villages – morgon – moulin à vent – saint-amour
Loire : anjou-villages – bourgueil – chinon – menetou-salon rouge – saint-nicolas-de-bourgueil – saumur-champigny – touraine
Rhône : costières de nîmes – coteaux du tricastin – côtes du luberon – côtes du rhône-villages – côtes du ventoux
Sud-Ouest : cahors vieux – côtes de bergerac – côtes de saint-mont – gaillac – irouléguy-madiran – pécharmant
Autres régions : côtes de provence – les baux de provence – vin de corse
Italie : dolcetto d'alba – lison-pramaggiore (cabernets) – sangiovese di romagna – IGT toscana à base de sangiovese
Autres pays : cabernet sauvignon du Nouveau Monde – carmenère et merlot du Chili – malbec d'Argentine

🍇🍇🍇

Bordeaux : fronsac – lalande de pomerol – puisseguin-saint-émilion – saint-émilion
Bourgogne : ladoix – pernand-vergelesses
Loire : sancerre (rouge)
Rhône : crozes-hermitage – saint-joseph
Sud-Ouest : madiran
Italie : breganze – carmignano rosso – rosso di montalcino
Autres pays : cabernet sauvignon d'Australie et de Californie (Reserve)

🍇🍇🍇🍇

Bordeaux : pomerol – saint-émilion grand cru
Bourgogne : aloxe-corton – bonnes-mares – clos de tart – clos de vougeot – morey-saint-denis – nuits-saint-georges – volnay

La plupart des vins proposés dans les premières échelles de prix doivent être servis jeunes (deux ou trois ans) à une température de 14-16 °C. Les vins suggérés dans la deuxième échelle de prix auront quelques années (de trois à cinq ans) et seront servis à une température de 16-18 °C. Quant aux très grands, il faut choisir des vins de cinq à huit ans minimum et les servir à une température oscillant entre 16 et 18 °C.

* En plus des vins cités plus haut, les beaux châteaux de Pomerol et de Saint-Émilion (avec leur petit rappel d'agrumes) tout particulièrement se marient au difficile et incontournable canard à l'orange. Certains préconisent le vin jaune du Jura mais, pour l'avoir essayé, je n'en suis pas convaincu.

** J'ai déjà parlé du morgon avec le canard aux cerises, mais pour les plus aventureux, je suggère l'extravagant et merveilleux vin doux naturel du Roussillon: le maury au bouquet complexe d'épices et de fruits cuits (essayez les séduisantes cuvées du Mas Amiel: difficile de résister!).

*** Partons à l'aventure en jouant sur l'union des contrastes. Ainsi, les inconditionnels de blancs liquoreux essaieront le sauternes avec le canard aux pêches ou aux raisins verts. Celui-ci ne se laissera pas impressionner; au contraire, il en profitera pour exhiber ses saveurs fruitées. Et pour prendre encore des risques, agréables, au demeurant, pourquoi pas un rivesaltes rancio? J'ai essayé, c'est délicieux!

**** Savoureux et classiques à la fois: un madiran ou un cahors de quelques années, par leur acidité en équilibre et leurs tanins adoucis, joueront les mousquetaires contre le gras du confit.

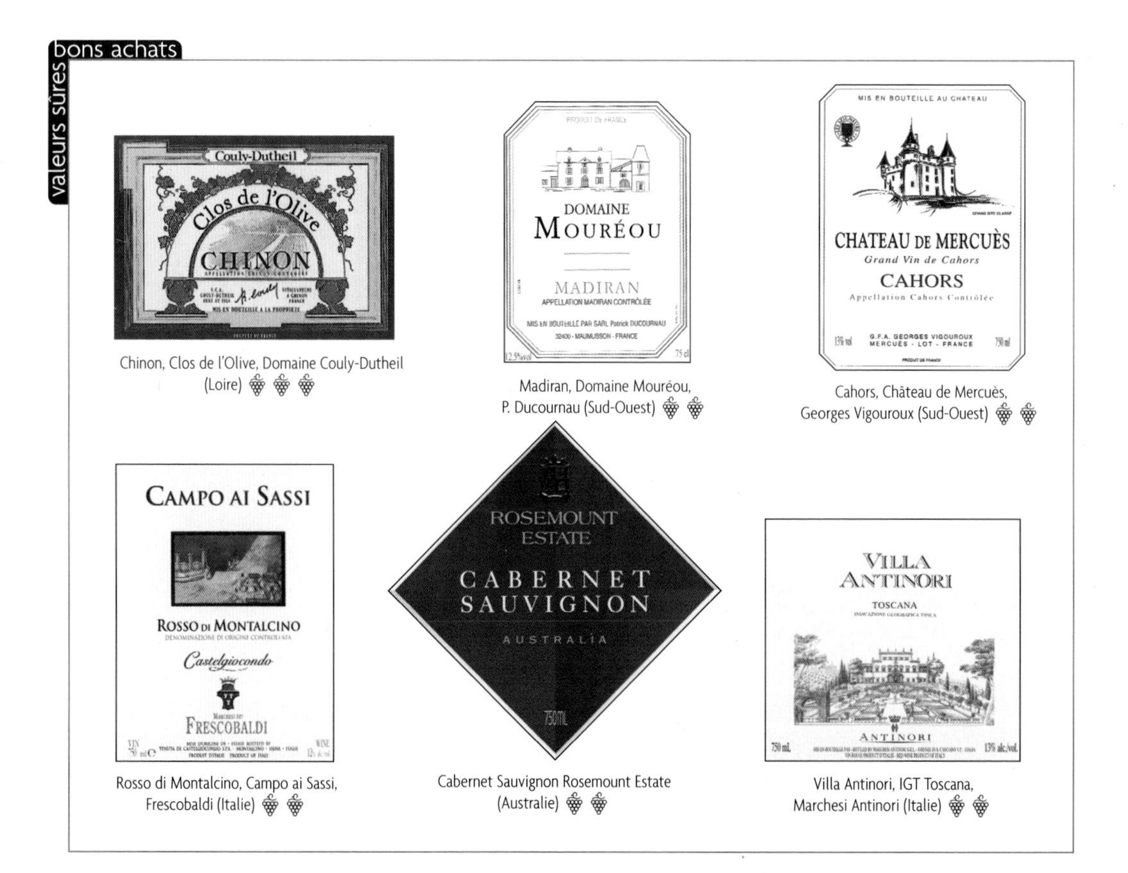

Chinon, Clos de l'Olive, Domaine Couly-Dutheil (Loire)

Madiran, Domaine Mouréou, P. Ducournau (Sud-Ouest)

Cahors, Château de Mercuès, Georges Vigouroux (Sud-Ouest)

Rosso di Montalcino, Campo ai Sassi, Frescobaldi (Italie)

Cabernet Sauvignon Rosemount Estate (Australie)

Villa Antinori, IGT Toscana, Marchesi Antinori (Italie)

DINDE, OIE ET PINTADE CHERCHENT UNION DURABLE

Dinde, oie et pintade : voilà un trio que l'on rencontre la plupart du temps lors des occasions spéciales, pour un repas raffiné, une rencontre familiale et, bien entendu, les traditionnelles fêtes de fin d'année. On se demande d'ailleurs comment on ferait si la bonne et juteuse dinde nous faisait faux bond une fois la décision prise de réunir la parenté et de faire de ce grand oiseau le roi des plaisirs de la table.

Bonne humeur, éclats de rire et chansons sont bien souvent au programme de ces réunions conviviales, le tout facilité par un plat qui se prépare à l'avance comme on peut le faire si justement avec l'oie, la dinde ou la pintade.

Quant à l'harmonie avec les vins, il s'agit à première vue d'une question de couleur. La dinde, blanche de son état, recherche habituellement des vins blancs pour se mettre en valeur, tandis que l'oie et la pintade, de chair brune, réalisent une belle association avec les vins rouges. Le choix serait facile si ce n'était des cuissons, des épices et des aromates qui composent la recette. Vous trouverez donc dans les pages qui suivent davantage de vins blancs avec la dinde et de vins rouges avec l'oie et la pintade, ce qui n'empêchera pas le contraire. Avec une pintade aux pruneaux, un fronsac ou un lalande de pomerol raviront l'amateur le plus éclairé, quand il associera en bouche la prune très mûre et le fruit apporté par cabernet et merlot, ainsi que la souplesse des tanins mise en valeur par une viande à la chair tendre et délicate. Mais, entre nous, quoi de meilleur avec une pintade à la crème et aux champignons (à la normande) qu'un bon vin blanc de caractère montrant une certaine souplesse ?

Quant à la traditionnelle dinde farcie, il importe de tenir compte du degré de saveur de la farce. Bien des vins se prêtent au jeu de la séduction : du blanc, peut-être, pour ceux qui préfèrent cette couleur, et un rouge tout en fruit, doté d'une charpente suffisante pour escorter avec panache la fameuse dinde aux marrons.

C'est ce que ces viandes nous permettent de faire : aller à l'aventure, essayer autre chose, remettre ses habitudes en question et prendre quelques risques, il faut l'avouer, sans grandes conséquences. On pourra également se référer aux choix de vins que je propose dans les pages précédentes, en fonction des cuissons avec le poulet et le canard.

Suprêmes de pintade farcis à la mangue, moutarde forte et chou vert, crème de lard
par Laurent Godbout, recette page 260

DU NERF, DU CARACTÈRE ET DE LA SOUPLESSE

On servira la volaille sautée à blanc, c'est-à-dire passée rapidement dans une matière grasse sans colorer la chair, comme c'est le cas avec la plupart de ces plats, avec des vins blancs. Surtout si l'on ajoute à cela, pour la sauce, un fond blanc de volaille et un soupçon de crème fraîche. On n'hésitera pas sur le type de vin : un blanc sec, très souple pour ne pas brusquer l'onctuosité de la sauce, mais assez vif pour apporter à l'ensemble un certain équilibre. Servir à 10 °C environ. Pour une vue d'ensemble sur les types de vins, allez voir à la rubrique « Avec déglaçage au vin blanc : des vins vifs et aromatiques » p. 114.

Blanc de dinde à la crème
Blanquette d'oie
Escalopes de dinde au curry
Fricassée de dindonneau à la crème
Gratin de macaronis à la dinde
Pintadeau à la normande
Pintade sautée au vin blanc
Rôti de dinde à la normande
Suprême de pintade farcis à la mangue, moutarde forte et chou vert, crème de lard

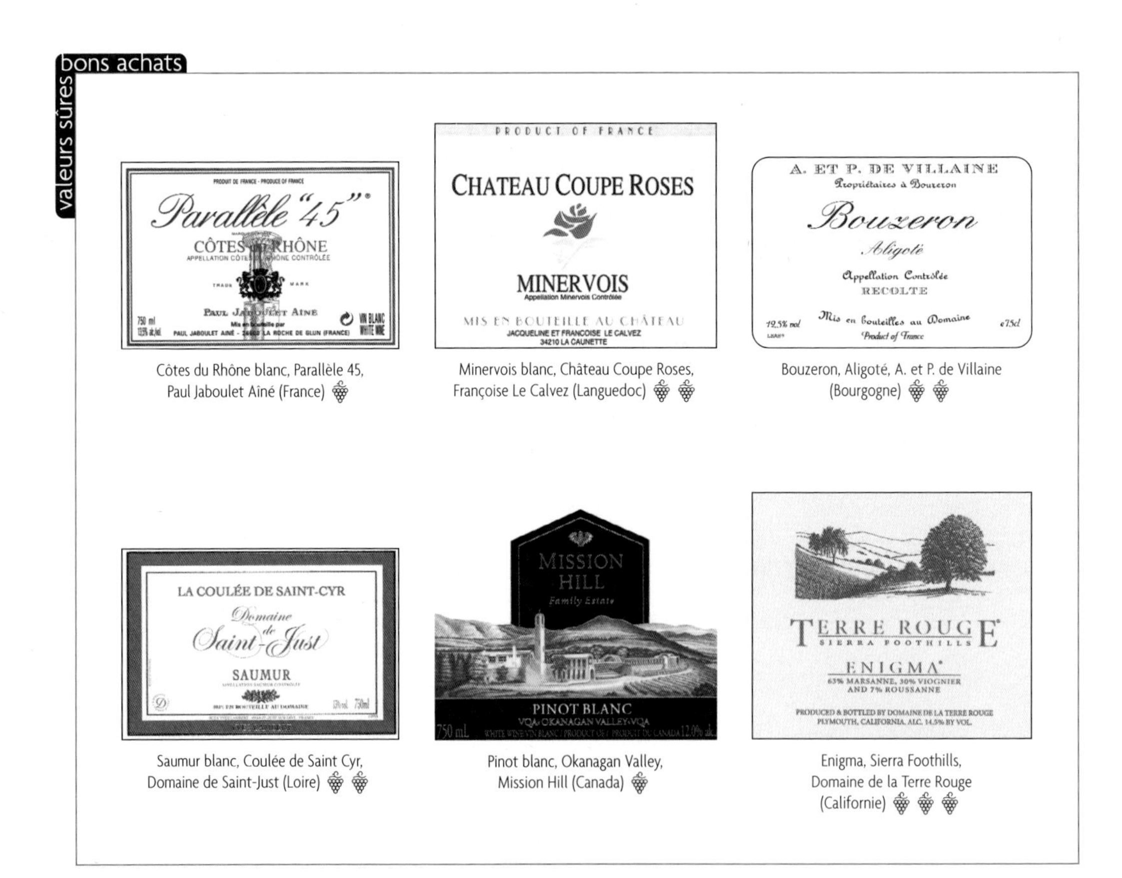

Côtes du Rhône blanc, Parallèle 45, Paul Jaboulet Aîné (France) 🍇

Minervois blanc, Château Coupe Roses, Françoise Le Calvez (Languedoc) 🍇🍇

Bouzeron, Aligoté, A. et P. de Villaine (Bourgogne) 🍇🍇

Saumur blanc, Coulée de Saint Cyr, Domaine de Saint-Just (Loire) 🍇🍇

Pinot blanc, Okanagan Valley, Mission Hill (Canada) 🍇

Enigma, Sierra Foothills, Domaine de la Terre Rouge (Californie) 🍇🍇🍇

DUOS EN ROUGES POUR UN TRIO

Avec les préparations suivantes, le type de cuisson (viande rôtie ou sautée), la farce pour certaines recettes, les champignons pour d'autres et, enfin, l'utilisation de fond brun pour confectionner la sauce d'accompagnement sont autant d'éléments qui vous feront opter pour des vins rouges de caractère. Bien structurés et charnus à la fois, aux arômes bien sentis (c'est le cas de le dire), ils seront dotés de tanins relativement fondus. Plusieurs des vins que je suggère ici offrent une très légère rusticité sympathique qui fera merveille avec certains plats, notamment la pintade au chou et le ragoût d'oie. Pour ce qui est des vins plus corsés, il sera judicieux de les choisir âgés de quelques années. Servir à 16-18 °C.

Confit, ragoût ou sauté d'oie
Dinde farcie aux marrons ou aux noix
Dindonneau à la basquaise
Escalope de dinde à la milanaise
Oie farcie aux pommes et aux pruneaux
Pintade au chou, aux griottes ou aux pruneaux
Pintadeau aux morilles
Pintadeau flambé à l'armagnac
Pintadeau rôti au jus d'oranges amères
Pintade piquée à l'ail
Pintade rôtie, gratin de potiron
Roulé de dinde au jambon
Rôti de dinde
Rôti de dinde flambée au rhum
Rôti de dindonneau en croûte

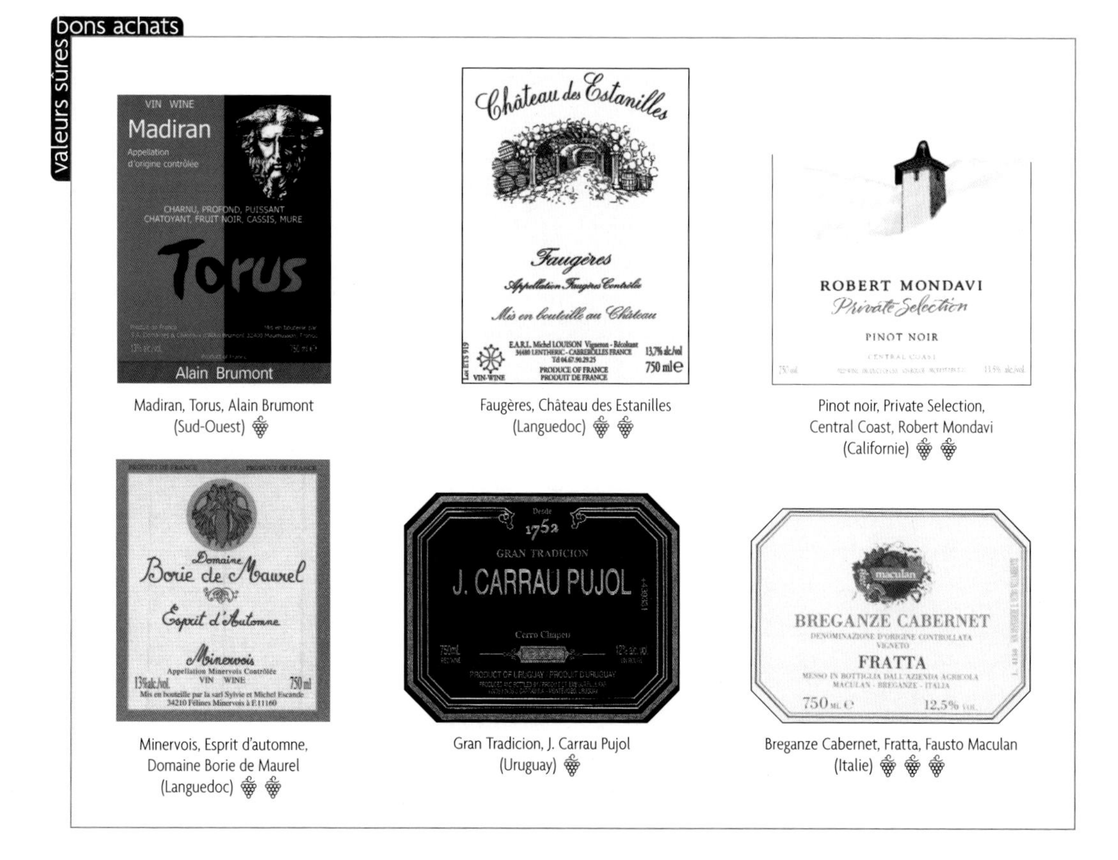

Madiran, Torus, Alain Brumont (Sud-Ouest) 🍇

Faugères, Château des Estanilles (Languedoc) 🍇 🍇

Pinot noir, Private Selection, Central Coast, Robert Mondavi (Californie) 🍇 🍇

Minervois, Esprit d'automne, Domaine Borie de Maurel (Languedoc) 🍇 🍇

Gran Tradicion, J. Carrau Pujol (Uruguay) 🍇

Breganze Cabernet, Fratta, Fausto Maculan (Italie) 🍇 🍇 🍇

Le lapin

Longtemps oublié dans le cadre des plaisirs de la table, le lapin semble séduire de nouveaux épicuriens. Tant mieux, car cet animal, peut-être trop sympathique pour qu'on veuille le manger, se prête à plusieurs préparations délicieuses, faciles à réaliser et idéales pour un groupe d'invités quand on veut que la cuisinière ou le cuisinier puisse participer aux agapes comme tout le monde. Et c'est là un avantage non négligeable quand on reçoit, car on peut cuisiner le lapin à l'avance et le réchauffer, ce qui simplifie les choses. Sa chair facile à travailler autorise plusieurs variations dans la cuisson ainsi que dans les condiments et aromates utilisés.

En effet, le lapin peut être rôti, cuit en fricassée et le plus souvent sauté ou en civet. Pour se régaler, ceux qui ont un penchant pour le vin blanc pourront confectionner un plat dans lequel un de leurs vins préférés sera utilisé. Par exemple, une bonne fricassée au vin blanc invite à un vin blanc, et même si ce n'est pas très fréquent et assez coûteux, un civet au vin jaune (vin particulier du Jura) sera accompagné du vin entrant dans la marinade. Un délice ! Dans un registre identique, un lapereau à l'oseille préparé avec du vin blanc à base de sauvignon réclamera un vin issu du même cépage. C'est bien connu, l'oseille et le sauvignon font bon ménage ! Aussi, n'hésitez pas et ouvrez les pouilly-fumé, sancerre, coteaux du giennois et autres menetou-salon qui n'attendent que ça pour se mettre en valeur. Quand on sait qu'il est toujours hasardeux de marier un vin avec des préparations dans lesquelles entrent l'oseille, les épinards ou les asperges (vertes), le cépage sauvignon est le bienvenu, car il offre souvent l'avantage d'apaiser les saveurs acidulées, amères et végétales.

Si le lapin est rôti, servi simplement avec son jus, ce qui, soit dit en passant, est excellent (c'est souvent avec les préparations les plus simples qu'on se régale le plus), je suggère des vins rouges fruités, souples mais tout de même bien charpentés. Par exemple, avec une forestière de lapin, je suggère sans hésiter un rouge bien souple, certes, mais non dépourvu de bouquet afin de soutenir la présence odoriférante des champignons.

Servi avec une sauce à la moutarde, le lapin rôti supportera un vin tout en fruit doté d'une structure tannique comme savent l'être dans leur jeunesse certains crus du Beaujolais et de la côte chalonnaise. Je pense au chénas, au côte de brouilly, au délicieux morgon ainsi qu'aux givry et mercurey.

Enfin, avec le lapin aux pruneaux, dénichez dans le sud-ouest de la France (où le pruneau est roi) des vins rouges aux arômes de fruits mûrs, peu tanniques, charnus et offrant une bonne rondeur, comme certains crus de Buzet, de Bergerac et de Gaillac. Naturellement, à tous ces vins et toutes ces appellations françaises correspondent de bonnes bouteilles issues de nombreux pays que l'on dénichera pour le plaisir de ses invités. Venant d'Europe et du reste du monde, ces vins joueront sans l'ombre d'un doute le jeu de l'harmonie.

Lapereau sauté minute aux herbes du jardin
par Jean-Pierre Carrière, recette page 248

LAPIN ET VIN BLANC

La chair du lapin se prête bien, dans certaines recettes, à l'utilisation de vin blanc. Si, en plus, on compte sur la crème pour lier le tout, on ne trouve pas mieux comme compagnon qu'un vin sec, parfumé et surtout doté d'une bonne acidité pour compenser l'onctuosité de la sauce. Les aromates jouent aussi un rôle prépondérant.

*Civet de lapin au vin jaune**
Émincé de lapereau à la crème et au céleri-rave
Fricassée de lapin au vin blanc
*Lapereau au vin blanc et à l'oseille***
*Lapin à la bière****
Lapin poêlé au fromage de chèvre et
à la menthe fraîche
*Râble de lapereau au citron et à la sauge*****
Râble de lapin au cari

🍇 / 🍇🍇

Alsace: pinot blanc, riesling
Bordeaux: bordeaux – entre-deux-mers – graves
Languedoc-Roussillon: coteaux du languedoc (la clape – picpoul de pinet) – vin de pays d'oc (cépage sauvignon principalement)
Loire: coteaux du giennois – menetou-salon – quincy – sauvignon de touraine – valençay
Sud-Ouest: bergerac sec – buzet – vin de pays des côtes de gascogne
Italie: alto adige – collio – friuli grave (sauvignon) – orvieto secco – soave classico – verdicchio dei castelli di jesi – vernaccia di san gimignano
Autres pays: riesling sec d'Allemagne – sauvignon, riesling et pinot blanc du Nouveau Monde (Afrique du Sud, Australie, Californie, Canada, Chili, Nouvelle-Zélande) – dao, vinho verde (Portugal) – penedès, rueda (Espagne)

🍇🍇🍇

Jura: arbois – côtes du jura
Loire: pouilly-fumé – sancerre
Autres pays: fumé blanc et sauvignon du Nouveau Monde

* Union parfaite pour les amateurs de vins jaunes d'Arbois, des côtes du Jura et à fortiori de château-chalon (spécialité du Jura; le vin issu d'une vinification spéciale offre des parfums de noix verte; il est sec, capiteux et d'une très grande persistance en bouche). Dans ce cas, la question ne se pose pas; le même vin que celui qui a servi à la marinade se retrouvera tout bonnement sur la table. Température de service: 13-15 °C environ. Essayez de mettre la main sur le fameux château-chalon de Désiré Petit.

** Mariage sympathique des arômes du sauvignon et de l'oseille. La fraîcheur du vin apportée par le cépage allégera l'ensemble lié par la crème.

*** Évidemment, les amateurs de cervoise opteront pour une bière ambrée ou une rousse à la mousse généreuse.

**** Un bon riesling, plus porté sur le fruit et les notes citronnées que sur la minéralité, fera un compagnon idéal avec cette savoureuse recette.

Fransola, Penedès,
Miguel Torres (Espagne)

Coteaux du Giennois,
J. Balland-Chapuis (Loire)

Sauvignon, Valle de Casablanca,
Medalla Real, Santa Rita (Chili)

Graves, Caroline, Château de Chantegrive
(Bordeaux)

Alsace, Riesling, Kaefferkopf,
Cuvée Jean-Baptiste Adam (France)

Rhine Riesling, Klein Constantia
(Afrique du Sud)

LAPIN ET VIN ROUGE

D'une simple fricassée de lapin à un râble mariné au genièvre en passant par le classique lapin chasseur, voici des suggestions générales suivies de conseils plus précis en fonction des préparations.

🍇 / 🍇🍇

Beaujolais : beaujolais-villages – brouilly – fleurie – morgon – régnié – saint-amour

Bordeaux : bordeaux – bordeaux supérieur – bordeaux côtes de francs – côtes de castillon

Languedoc-Roussillon : côtes du roussillon – faugères

Loire : anjou-villages – bourgueil – saint-nicolas-de-bourgueil – saumur – touraine

Provence : bandol – côtes de provence – les baux de provence

Sud-Ouest : bergerac – buzet – cahors vieux – côtes de saint-mont – côtes du frontonnais – gaillac – madiran – marcillac – pécharmant

Autres régions : ajaccio, vin de corse – côtes du ventoux, côtes du vivarais (Rhône) – vins de pays (merlot et cabernet-sauvignon)

Italie : alto adige (merlot) – caldaro – colli orientali del friuli (merlot) – dolcetto d'alba – IGT toscana à base de sangiovese

Autres pays : alentejo, douro (Portugal) – ribera del duero, rioja (Espagne) – cabernet-sauvignon et merlot du Nouveau Monde – malbec d'Argentine – tannat d'Uruguay

🍇🍇🍇

Bordeaux : canon-fronsac – fronsac – haut-médoc – lalande de pomerol – médoc – moulis

Bourgogne : auxey-duresses – côte de nuits-villages – givry – mercurey – pernand-vergelesses

Italie : barco reale – breganze – rosso di montalcino

Autres pays : pinot noir de Suisse, merlot et pinot noir du Nouveau Monde (Argentine, Canada, Chili, États-Unis, etc.)

🍇🍇🍇🍇

Bourgogne : aloxe-corton – chassagne-montrachet rouge – volnay

Bordeaux : margaux – saint-julien

Italie : barbaresco – vino nobile de montepulciano – IGT de Toscane à base de cabernet-sauvignon

Il sera souhaitable de choisir des vins relativement jeunes (de un à trois ans) dans la première échelle de prix. Dans la deuxième, les vins pourront avoir de trois à cinq ans, tandis que les grands vins supporteront une évolution déjà marquée (de cinq à dix ans). Tous ces vins seront servis à une température oscillant entre 15 et 18 °C.

DES ROUGES TOUT EN FRUIT ET EN RONDEUR

Ce sont principalement de bons vins rouges fruités, souples et pas trop corsés qui permettront une harmonie de saveurs et d'intensités avec les préparations suivantes. Étant donné la chair blanche du lapin, ce serait dommage de servir des vins trop puissants, mais il faudra tout de même choisir des cuvées affichant une certaine personnalité, assez forte pour mettre l'ensemble en valeur : mariage de textures (moelleuses) avec les pruneaux, mariage de couleurs avec les tomates, mariage de fumets et de saveurs avec les champignons.

Forestière de lapin (avec champignons)
Lapereau grillé
Lapereau sauté minute aux herbes du jardin

*Lapin aux pruneaux**
*Lapin chasseur (lapin cacciatore ou à l'italienne)***
Râble de lapin aux petits légumes

* Pour des raisons régionales, mais aussi parce qu'il y aura complicité entre la prune très mûre et le fruit apporté par cabernets, merlot et autres cépages, et association de textures entre la chair blanche du lapin et les tanins souples du vin de quelques années déjà. Servez-les (bergerac, buzet, côtes de saint-mont, côtes du frontonnais, pécharmant) à une température située entre 14 et 16 °C.

** Pourquoi pas votre vin italien préféré avec ce lapin cacciatore ? À condition de jouer dans le fruit et la souplesse.

bons achats
valeurs sûres

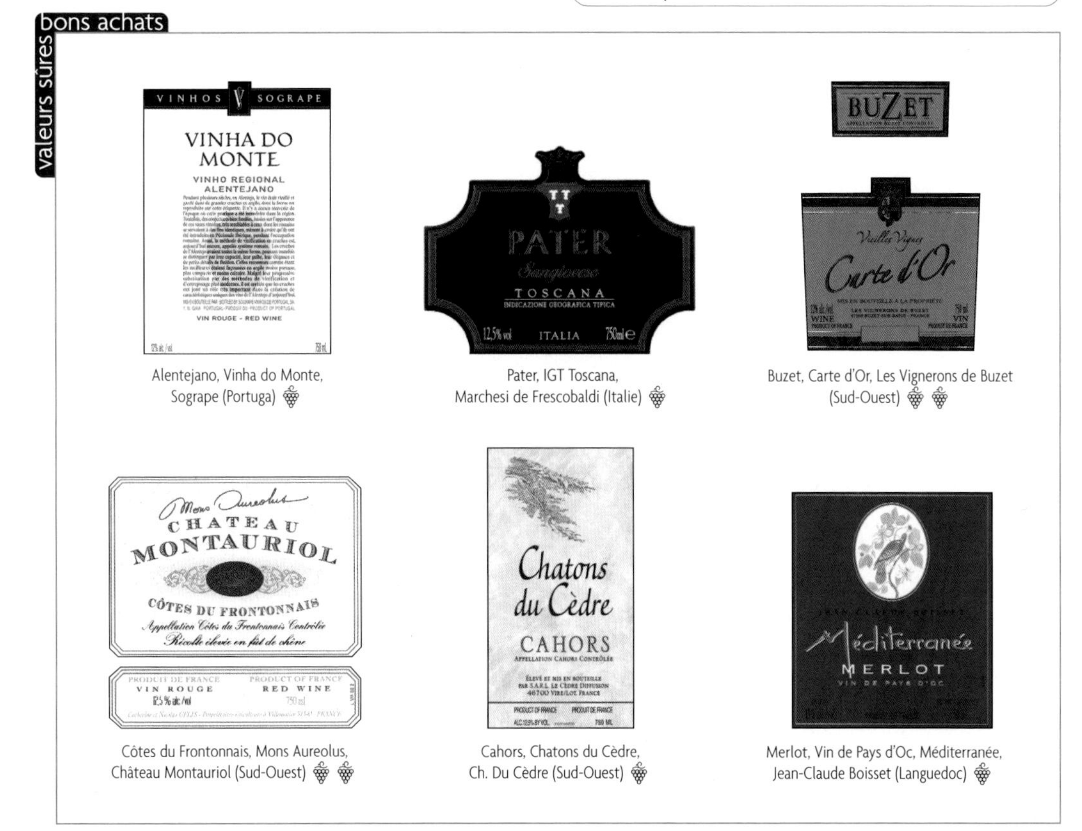

Alentejano, Vinha do Monte, Sogrape (Portuga) 🍇

Pater, IGT Toscana, Marchesi de Frescobaldi (Italie) 🍇

Buzet, Carte d'Or, Les Vignerons de Buzet (Sud-Ouest) 🍇 🍇

Côtes du Frontonnais, Mons Aureolus, Château Montauriol (Sud-Ouest) 🍇 🍇

Cahors, Chatons du Cèdre, Ch. Du Cèdre (Sud-Ouest) 🍇

Merlot, Vin de Pays d'Oc, Méditerranée, Jean-Claude Boisset (Languedoc) 🍇

DES ROUGES PLUS SOUTENUS ET DE BONNE CONSTITUTION

Avec les préparations énumérées plus loin, ce sont surtout la cuisson, les marinades et les aromates utilisés qui génèrent des saveurs, bien plus que la viande elle-même. Il ne faut donc pas se gêner pour choisir des vins rouges charnus et de bonne constitution pour appuyer ce type de plat. On évitera cependant les vins trop complexes, trop tanniques ou trop puissants. Le fruit et la matière seront les principaux acteurs à mettre en scène. Le moyen de contourner le problème : servir des vins âgés de quelques années. Température de service : 16-18 °C.

Civet de lapin au vin rouge
Cuisses de lapin au thym frais et à l'ail nouveau
Lapereau rôti à l'ail confit
Lapin à la mélasse
Lapin à la moutarde
Lapin farci aux aromates
Mijotée de lapin à la sauge et au gingembre
*Râble de lapin au genièvre**
Ragoût de lapin aux pommes de terre

* Vino nobile di montepulciano (de cinq à huit ans minimum). Classique, peut-être, mais certainement savoureux, surtout quand on a expérimenté le tout lors d'une douce soirée de printemps au cœur de la Toscane, avec de bons amis.

bons achats

valeurs sûres

Côtes du Roussillon, Cuvée Marie-Gabrielle, Domaines Cazes (France)

Gaillac, La Vigne Blanche, Domaine d'Escausses (Sud-Ouest)

Réserve du Couvent, Vallée de la Bekaa, Château Ksara (Liban)

Madiran, Château d'Aydie, Vignobles Laplace (Sud-Ouest)

Barco Reale di Carmignano, Tenuta di Capezzana (Italie)

Morgon, Marcel Lapierre (Beaujolais)

Cuisses de lapin au thym frais et à l'ail nouveau
par Philippe Mollé, recette page 281

Le porc

Même si on a dit et répété depuis des années que les viandes blanches commandent des vins blancs, admettons que cette association est aujourd'hui plutôt surannée, pour ne pas dire erronée. C'était en fait tirer des conclusions hâtives et surtout passer à côté de jolis plaisirs de la table que de simplifier ainsi les choses. Fort heureusement, les principes vieillots ont évolué et les tenants d'une certaine orthodoxie en matière d'harmonies culinaires ont dû s'adapter. Le grand choix et la diversité des vins mis à notre disposition facilitent de nos jours cette démarche qui consiste à nuancer notre approche dans le mariage des saveurs, des textures et des couleurs.

Qu'elle vienne du porc ou du veau, la viande blanche se prête à de nombreuses combinaisons avec le vin, comme on le verra dans le prochain chapitre. Mais en règle générale une tendance semble se dégager : les cuissons engendrent des textures particulières et les préparations, grâce aux garnitures et aux ingrédients utilisés, des saveurs qui jouent un rôle clé dans la recherche de l'harmonie parfaite. Les vins blancs, généralement secs mais d'une belle rondeur, accompagneront les préparations en sauce, plus particulièrement celles à la crème, et seront les bienvenus avec les recettes qui apportent une texture moelleuse à la viande.

Avec les viandes poêlées et sautées, le vin rouge sera de mise pour peu qu'il soit assez léger, souple et servi plutôt frais. La grillade, quant à elle, présente des saveurs suffisamment prononcées pour supporter des vins rouges ou rosés qui ont du caractère, mais qui ne sont pas trop corsés non plus.

Délicieuses sur le barbecue, les côtes de porc seront en effet mises en valeur avec des vins rosés. L'occasion s'y prête, car l'été revenu nous incite à sortir, à manger dehors sans se compliquer la vie. Les préparations des mets sont assez simples, ce qui n'exclut pas toutefois la présence de saveurs agréables, bien au contraire. Les sauces se font rares et l'heure n'est certes pas aux débordements gastronomiques. En plus, il fait chaud, enfin on l'espère, et il est urgent de se rafraîchir et de se désaltérer. Les rosés arrivent alors à la rescousse, surtout si les tomates sont de la partie, leur acidité étant souvent difficile à atténuer. La couleur du vin épouse les tomates, les piments rouges et les aromates entrant dans la recette. Les reflets affirmés d'un lirac ou, plus pâles, d'un gris de gris scintillant sous le soleil ne feront que vous inciter à la rêverie et à l'insouciance. Piochez dès lors dans votre imagination, fouillez dans votre cave et sortez-en les rosés soutenus de Sancerre et d'Alsace, les robes aux reflets topaze de Tavel, les rosés sympathiques et rieurs de la Provence et de la Rioja.

Côtelettes de porc à l'hysope
par Jean-Paul Grappe, recette page 267

Pour les amateurs de rouge – et cela reste une histoire de « côtes » – jetez votre dévolu sur des vins assez légers, fruités et souples, presque gouleyants. Ils ont pour noms côtes du luberon, côtes du ventoux, coteaux du tricastin ou coteaux du lyonnais, et il faudra les servir frais (entre 12 et 14°C). Ces derniers vins pourront également se présenter avec des rôtis (rôti de porc aux herbes, par exemple), des paupiettes et des brochettes, mais des vins plus fins et légèrement plus soutenus, tels que bourgogne passetoutgrain, beaujolais-villages, fleurie, chiroubles, saumur, saint-nicolas-de-bourgueil et autres vins de pays, feront mieux l'affaire.

Les vins rouges moyennement corsés accompagneront mieux, il est vrai, les viandes rôties, car ce type de cuisson apporte beaucoup plus de goût. On choisira des vins assez généreux et bien charnus, mais pas n'importe lesquels. Il suffira de rester dans une gamme sans grand prestige peut-être, mais pleine d'intérêt, notamment au chapitre du fameux rapport qualité-prix. Lorsque la préparation le demande (farces relevées, marinades, ragoûts, sauce à la moutarde ou au genièvre, etc.), ou que le désir de prendre un vin rouge plus corsé et structuré est plus fort que la raison, il sera judicieux de servir un vin plus âgé (de 8 à 10 ans), en début d'évolution, afin d'aller chercher une couleur moins intense, des tanins assouplis, une acidité atténuée et une rondeur qui rendront le vin beaucoup moins agressif, donc plus attrayant.

HARMONIES AVEC LE PORC GRILLÉ, SAUTÉ OU RÔTI

Grillé, sauté ou rôti, le porc sera mis en valeur par tous les vins que je recommande plus loin. Ce sera alors une question de goût personnel, influencé par le menu dans son ensemble et le moment de l'année. Cependant, il faudra éviter le vin trop tannique, car il prendrait le dessus sur la viande.

Si les vins rosés sont servis très frais, les rouges supporteront aussi une température plus fraîches qu'à l'ordinaire. Rouges ou rosés, les vins seront jeunes, dans leurs deux ou trois premières années. Puisque la préparation joue un rôle prépondérant dans le choix des vins accompagnant le porc, j'indique ici des types de vins en fonction de préparations de base, puis une trentaine de recettes accompagnées de vins spécialement sélectionnés.

Viandes grillées

Brochettes de filet de porc
Côtes de porc

Viandes poêlées et sautées

Côtelettes de porc, sauce à la tomate et à l'ail
Côtes de porc charcutière
Tourtière (spécialité québécoise à base de porc et de veau)

Viandes rôties

Cochon de lait
Longe de porc
Rôti de porc aux pruneaux

🍇 / 🍇 🍇

Alsace: pinot noir

Bordeaux: bordeaux – premières côtes de blaye

Bourgogne-Beaujolais: beaujolais-villages – bourgogne passetoutgrain – brouilly – chiroubles – côte de beaune-villages – fleurie

Languedoc-Roussillon (la plupart en rouge et en rosé): corbières – côtes du roussillon – faugères – minervois – saint-chinian – vins de pays d'oc (merlot, pinot noir et syrah)

Loire: anjou-villages – bourgueil (rouge léger) et rosé – chinon (rouge jeune) – gamay de touraine – menetou-salon rouge et rosé – saumur rouge – touraine

Rhône: costières de nîmes – coteaux du tricastin – côtes du luberon – côtes du rhône – côtes du ventoux – lirac rosé – tavel

Autres régions: arbois rosé – coteaux du lyonnais – côte roannaise – côtes du forez – côtes du frontonnais – côtes du vivarais – vins de corse – vins de provence rosés – vin de savoie (à base de gamay ou de pinot noir)

Italie: alto adige (cabernet, merlot) – bardolino – cerasuolo di vittoria – collio rosato – collio (merlot) – dolcetto d'alba – friuli grave (merlot) – montepulciano d'abruzzo – lison-pramaggiore (merlot) – sangiovese di romagna – torgiano rosso

Espagne: navarra rosé – rioja – vins de pays (vino de la tierra)

Autres pays: cabernet, pinot noir et merlot du Nouveau Monde – malbec d'Argentine – rosés secs de divers pays

🍇 🍇 🍇

Loire: sancerre rouge et rosé

Bourgogne: beaune – rully – saint-romain – santenay

Italie: carmignano rosso – rosso di montalcino

LA VIE EN ROSE

De beaux mariages de couleurs vous sont proposés avec ces plats que l'on met en valeur grâce à des rosés de caractère, secs, vifs et souples à la fois. Il sera important de les servir bien frais (8 °C environ) en tout temps, d'autant plus si l'on souhaite tempérer les ardeurs des préparations plus relevées (marinades, épices, etc.).

Bandes de feuilletés au porc épicé
Brochettes de porc, sauce teriyaki
Côtelettes à la tomate et aux têtes de violon
Côtelettes grillées aux olives
Côtes levées aux tomates séchées
Émincé de porc à la chinoise
Galette de porc haché au thym et aux noix
Jambon de Bayonne
Pain de porc et de jambon à l'ananas
Ragoût de boulettes et de légumes
Tournedos au gingembre et à l'ail confit

Ajaccio rosé, Clos Capitoro (Corse)

Les Baux de Provence rosé, Château Romanin (France)

Costières de Nimes rosé, Château de la Tuilerie (Rhône)

Tavel, Domaine du vieil Aven (Rhône)

Vin de Pays d'Oc, Syrah, Fortant de France (Languedoc)

Corvo Rosa, IGT Sicilia, Duca di Salaparuta (Italie)

UN P'TIT COUP DE ROUGE...

Des vins rouges gorgés de fruits, de bonne structure mais souples en même temps, des tanins discrets et des saveurs en bouche épousant celles du mets : voilà les ingrédients qui assureront l'harmonie à table, pour peu que vous serviez ces vins fringants et sans grande prétention à une température fraîche, autour de 14-15 °C.

Brochettes de porc aux graines de sésame
Côtelettes cordon-bleu
Côtelettes de porc, sauce aux champignons
Côtes de porc charcutière
Escalope farcie au poivron doux
Jambon à l'érable
Noisettes de filet de porc aux petits fruits
Pâté chinois au porc
Paupiettes à la forestière
Poitrine de porc farcie aux bleuets
Tourtière (à base de porc frais)

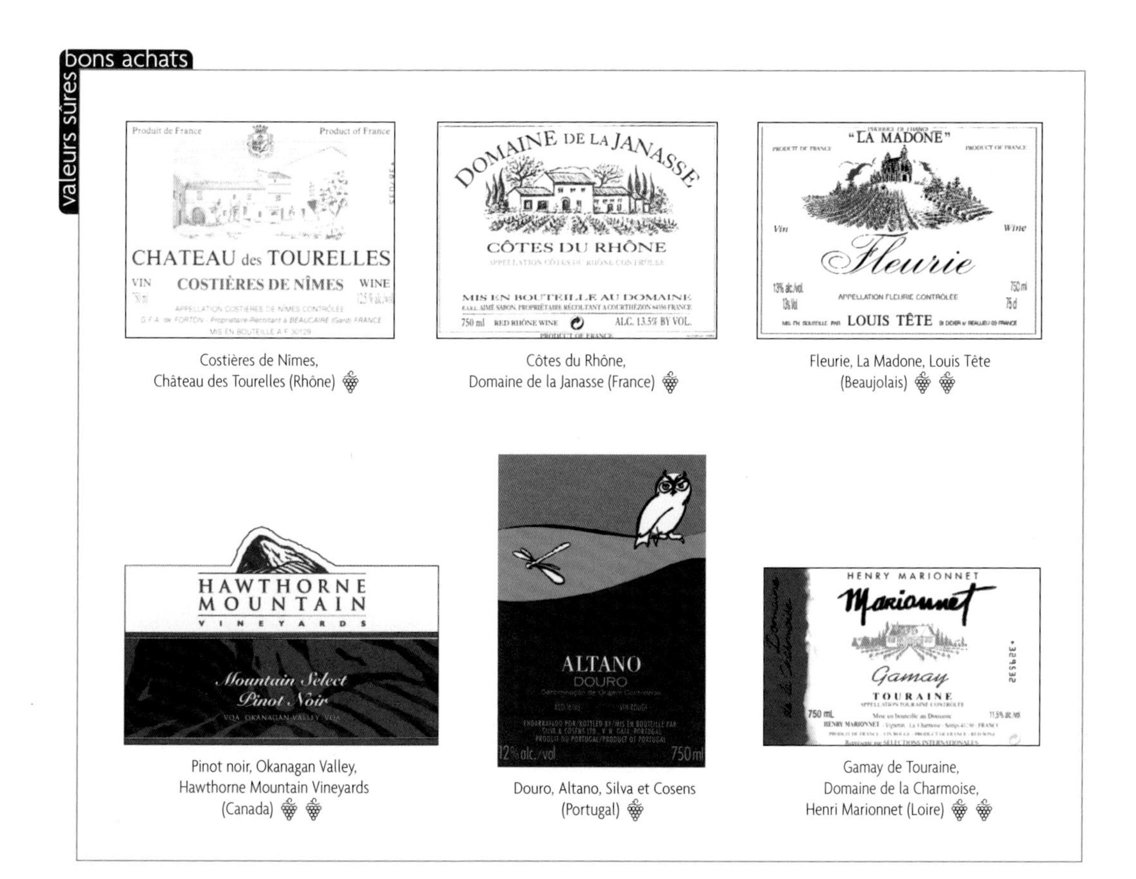

Costières de Nîmes, Château des Tourelles (Rhône)

Côtes du Rhône, Domaine de la Janasse (France)

Fleurie, La Madone, Louis Tête (Beaujolais)

Pinot noir, Okanagan Valley, Hawthorne Mountain Vineyards (Canada)

Douro, Altano, Silva et Cosens (Portugal)

Gamay de Touraine, Domaine de la Charmoise, Henri Marionnet (Loire)

UN BON COUP DE ROUGE...

On trouve sur le marché des vins savoureux que certaines personnes considèrent comme sans intérêt (tant pis pour elles...) malgré un rapport qualité-prix indéniable. Ils sont bien faits, corsés sans prendre trop de place, possèdent beaucoup de fruit et, surtout, grâce à leur composition, ils offrent une structure tannique suffisante pour accompagner ces préparations. Servir à 14-16 °C.

Boulettes de porc épicées et semoule
*Carré de porc farci aux herbes de Provence**
*Cassoulet***
Côtelettes de porc, sauce à la tomate et à l'ail
*Côtes levées aux fines herbes**
Médaillons de porc à la moutarde
*Paupiettes de porc au fenouil**

Porc naturel cuisiné de deux façons
*Rôti de porc au romarin**
Sauté de porc mariné
Train de côtes au four

* Avec ces préparations, vous profiterez des accents méridionaux et des parfums de garrigue si vous choisissez des vins rouges de quelques années: palette, côtes de provence, coteaux d'aix et bandol. Vive la complicité des cépages grenache et mourvèdre!
** Même si on retrouve de l'oie ou du canard dans le cassoulet, j'ai placé ici ce plat à base de porc (couenne, lard, saucisses), de haricots blancs et de beaucoup d'aromates. Des crus assez aromatiques et charpentés (cahors jeune – madiran – minervois assez corsé) tiendront tête à cette préparation.

Cabernet sauvignon, Cafayate, Bodegas Etchart (Argentine)

Faugères, Réserve, La Maison Jaune (Languedoc)

Côtes du Frontonnais rouge, Château Bellevue la Forêt (Sud-Ouest)

Saint-Chinian, Domaine des Jougla (Languedoc)

Corbières, La Tour, Château Grand Moulin (Languedoc)

Brusco dei Barbi, IGT Toscana, Barbi (Italie)

Porc naturel cuisiné de deux façons, le filet poêlé et l'épaule braisée longuement, petit jus de cuisson aux parfums anciens
par Anne Desjardins, recette page 254

AUTRES PRÉPARATIONS : MARIAGES EN BLANC

La couleur de la viande, la présence de la crème, la souplesse de la texture et les ingrédients sont autant de critères qui vous feront opter pour ces vins secs (ou demi-secs), très souples, non dépourvus de fraîcheur, assez simples mais très agréables. En ce sens, beaucoup de cuvées à base de chardonnay répondront à vos attentes, mais d'autres vins, notamment ceux qui sont à base du cépage viognier, feront également l'affaire. Servir frais, mais pas trop (10 °C), pour ne pas casser la finesse aromatique du vin. Ceux qui sont proposés dans la deuxième échelle de prix sont plus soutenus, plus fins et plus longs. Enfin, pour les irréductibles du vin rouge, il suffira de choisir parmi ceux que je suggère à la page 139 et de les servir de la même façon.

Blanquette de porc
Brochettes de crevettes et de porc mariné
Côtelettes de porc à l'hysope
Côtelettes de porc aux pétoncles
Côtes de porc à la crème et au vin blanc
Croustillant de porc mijoté longuement
*Jambon fumé**
Languettes de porc avec pâtes et champignons
*Linguini carbonara (pâtes avec crème, lard fumé, vin blanc et parmesan)***
Longe de porc braisé aux flageolets
Poitrine de porc en cocotte
Tournedos de porc aux oignons rôtis

🍇 / 🍇🍇

Alsace : pinot blanc et tokay pinot gris
Bourgogne : bourgogne – mâcon-villages – montagny – saint-véran
Languedoc-Roussillon : minervois blanc – vin de pays d'oc (chardonnay et viognier principalement)
Loire : anjou (sec ou demi-sec) – montlouis
Rhône : costières de nîmes – côtes du rhône (blanc)
Italie : albana di romagna – soave classico – vernaccia di san gimignano – IGT veneto à base de garganega
Autres pays : auslese riesling d'Allemagne – fendant (cépage chasselas) de Suisse – chardonnay du Nouveau Monde (Australie, Californie, Canada, Chili, Nouvelle-Zélande)

🍇🍇🍇

Bourgogne : pouilly-vinzelles – saint-aubin
Jura : arbois – côtes du jura (à base de chardonnay)
Loire : jasnières – vouvray
Rhône : crozes-hermitage et saint-joseph (blanc) – saint-péray

* Mariage idéal entre un bon côtes du rhône blanc, à l'acidité modérée, et le jambon fumé.

** Il serait logique de jeter son dévolu sur un vin italien.

Sémillon-Chardonnay,
Rawson's Retreat, Penfolds Wines
(Australie)

Alsace, Pinot blanc,
Diamant d'Alsace, Pierre Sparr
(France)

Saint-Véran, Les Terres Noires,
Domaine des Deux Roches
(Bourgogne)

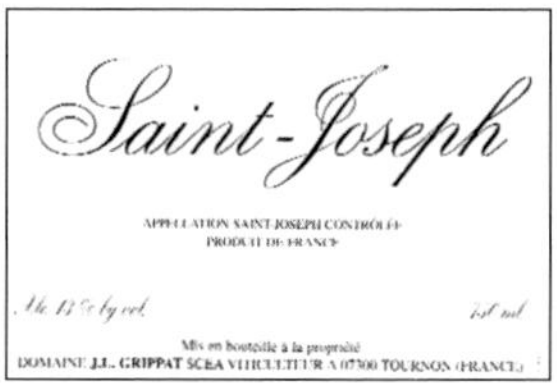

Saint-Joseph blanc, Jean-Louis Grippat
(Rhône)

Viognier, Vin de Pays d'Oc,
Domaine Cazal-Viel (France)

Fendant du Valais, Les Riverettes,
A. Biollaz (Suisse)

MARIAGES À L'ALSACIENNE

Des vins blancs secs et fruités à base de riesling principalement assureront une harmonie de saveurs avec les notes d'agrumes qui caractérisent certaines des préparations suivantes. Ce cépage, un classique, est d'une grande finesse, mais il faut éviter de le choisir trop complexe ou issu d'un trop grand terroir. On n'oubliera ni le pinot blanc tout en fruit ni le pinot gris avec les préparations plus relevées.

Bouilli de jarret de porc aux légumes
Carré de porc au jus de pomme
*Choucroute**
Cubes de porc au caramel
Filet de porc farci aux pêches
Filet de porc, sauce au citron
Poitrine de porc en cocotte
Rôti froid au chou confit à l'orange
Saucisses de porc grillées

* Quiconque est allé en Alsace et n'a pas goûté sur place la célèbre choucroute est prié d'y retourner au plus vite afin de combler cette lacune. Accord classique, bien sûr, «débouchant» sur des vins d'Alsace secs, légers et assez vifs pour tenir tête aux viandes de porc salées et fumées. Réussite assurée avec les sylvaner, riesling et edelzwicker jeunes et légers, servis frais. Idéal pour une grande tablée. Dans un autre registre, une bonne bière blonde sera tout à fait à la hauteur.

Alsace Pinot blanc, F.E. Trimbach (France)

Alsace Riesling, Dopff & Irion (France)

Alsace Riesling, Les Princes Abbés, Domaines Schlumberger (France)

Alsace Pinot blanc, Côte de Rouffac, René Muré (France)

Alsace Sylvaner, Domaine Ostertag (France)

Alsace Tokay pinot gris, Lucien Albrecht (France)

Croustillant de porc mijoté longuement, son jus émulsionné avec une laque au jus de pomme et aux épices, coleslaw de pommes, de choux et de poireaux frits à la vinaigrette de pomme
par Daniel Vézina, recette page 298

Le veau

L'art de concilier mets et vins n'étant pas facile, c'est probablement avec les mets à base de veau que l'on peut affirmer que ce n'est surtout pas une science exacte, qu'il y a beaucoup de subjectivité et que, après tout, chacun fait bien ce qu'il veut. La viande de veau présente un grand avantage : elle se prête volontiers à diverses transformations, à bien des cuissons et à l'utilisation de nombreux aromates. Pané, sauté, grillé, rôti, poêlé, en fricassée ou à la crème, le veau accepte des présentations variées et bien des compagnons.

On l'aime en tourtière, on s'en régale grillé aux framboises, sauté au citron, en escalope aux champignons. Il sert de base tantôt à une farce, tantôt à un pain de viande aux olives, pour le plus grand plaisir des parents, souvent obligés de préparer à l'avance des repas pour leur petite famille.

C'est un fait, le veau connaît une carrière mondiale : que ce soit en piccata ou en osso buco, l'Italie l'a adopté comme viande nationale ; la France l'a déclaré « roi de la blanquette » ; l'Autriche et sa capitale l'ont paré de panure, de citron et même d'anchois, à la demande des puristes. Enfin, même si l'on n'est pas trop riche, on peut apprécier le veau parce qu'il se prête à des recettes toutes simples, le plus souvent familiales, qui le conjuguent à d'autres viandes telles que le porc et le bœuf.

Médaillons de veau au jus de carotte, tarte à l'aubergine
par Jean Soulard, recette page 286

Ces multiples variations culinaires autour du veau autorisent, bien entendu, une multitude d'harmonies de table. Des blancs très secs aux rouges bien charnus en passant par les rosés et les rouges légers, ils sont nombreux les vins parfaits pour cette viande qui montre beaucoup de « diplomatie », sachant faire plaisir à tout le monde en respectant les goûts de chacun.

Pour l'avoir souvent expérimenté des deux côtés de la barrière, quelques classiques, quelques évidences reviennent immanquablement. Ainsi, le vin blanc se mariera bien avec l'escalope. Avec une escalope panée, choisissez un blanc sec, simple, léger et assez vif, type muscadet, sauvignon de Touraine ou du Chili, côtes de duras, picpoul de pinet, vinho verde (Portugal) ou bien, de l'Italie, l'orvieto ou la vernaccia di san gimignano.

Si l'escalope est à la crème, elle s'accommodera mieux, pour des raisons de texture surtout, d'un vin plus souple mais non dépourvu d'acidité, afin de contrecarrer en même temps les effets doucereux de la crème. Les blancs issus du cépage chardonnay, fruités et assez légers comme ceux de Mâcon, par exemple, s'imposeront sans coup férir. Dans le même style, des vins à base de garganega (comme le soave), reconnus pour leur relative rondeur, assumeront gentiment leurs responsabilités.

À ce sujet, il me revient un souvenir de fricassée de veau aux champignons sauvages avec une bonne bouteille de bourgogne blanc très légèrement boisé. Les arômes de noisette du célèbre cépage taquinaient les effluves apportés par les champignons et le gras du vin supportait la viande présentée dans sa sauce légèrement crémée. On en a redemandé !

Dans la même veine que les côtes de porc préparées sur le barbecue, les préparations à base de veau seront bien souvent mises en valeur avec des vins rosés secs et rafraîchissants et des rouges assez légers, fruités et souples, presque gouleyants.

Cependant, c'est quand vient le temps de choisir un vin pour accompagner la fameuse blanquette de veau que l'on a toujours du mal à faire l'unanimité. Les recettes à base de sauce blanche n'ont jamais vraiment fait « copain-copain » avec les vins, et c'est souvent le goût du moment ou les préférences de vos invités qui l'emporteront. Blanc légèrement fruité, demi-sec éventuellement, ou rouge léger, jeune et servi frais s'en tireront sans trop de mal.

Enfin, pour les amateurs d'osso buco, et j'en compte plusieurs parmi mes amis, cette spécialité savoureuse d'inspiration italienne sera mise en valeur par un vin rouge vif, souple et fruité, plus ou moins tannique (en fonction de l'intensité épicée de la sauce) et suffisamment aromatique pour se marier aux saveurs de la préparation apportées par les aromates et la sauce tomatée. Mariage de couleurs et mariage de goûts confondus ! On pourra, références géographiques obligent, se procurer des crus de Toscane, du Piémont, de l'Ombrie et de Vénétie, et ce sera délectable. Mais d'autres vins de la planète sauront souligner cette spécialité de jarret de veau, internationalement reconnue.

DES ROUGES GOULEYANTS ET FRUITÉS

Grillées, sautées ou rôties, les pièces de veau seront mises en valeur par tous les vins proposés plus loin. Comme pour le porc, ce sera alors une question de goût personnel, influencé par le menu dans son ensemble et le moment de l'année. Là encore, surtout pas de vin tannique, surtout pour la première série de recettes, car celui-ci prendrait le dessus sur la viande. Si les vins rosés sont servis très frais, les rouges supporteront aussi une température plus fraîche qu'à l'ordinaire. La préparation joue là aussi un rôle prépondérant dans le choix des vins.

Côtes de veau forestière
Côtes de veau poêlées
Filets de veau grillés aux framboises
Jarret de veau aux pruneaux
Médaillon de veau aux pleurotes
Médaillons de veau au jus de carotte, tarte à l'aubergine
Noisettes de veau au marsala
Noix de veau rôtie
Pain de viande (pain de veau aux olives)
Paupiettes de veau farcies
Tourtière (spécialité québécoise à base de porc et de veau)

🍇 / 🍇 🍇

Alsace : pinot noir

Bordeaux : bordeaux – premières côtes de blaye

Bourgogne-Beaujolais : beaujolais-villages – bourgogne passetoutgrain – brouilly – chiroubles – côte de brouilly – fleurie

Languedoc-Roussillon (la plupart en rouge et en rosé) : corbières – côtes du roussillon – faugères – minervois – vins de pays d'oc (merlot, pinot noir)

Loire : anjou-gamay – bourgueil (rouge léger) et rosé – chinon (rouge jeune) – gamay de touraine – menetou-salon rouge et rosé – saumur

Rhône : coteaux du tricastin – côtes du luberon – côtes du rhône – côtes du ventoux – lirac rosé – tavel

Autres régions : arbois et côtes du jura rouge et rosé – coteaux du lyonnais – côte roannaise – côtes du forez – côtes du frontonnais rosé – côtes du vivarais – vins de corse – vins de provence rosés – vin de savoie (à base de gamay ou de pinot noir)

Italie: alto-adige (cabernet, merlot) – bardolino – cerasuolo di vittoria – collio rosato – collio (merlot) – dolcetto d'alba – friuli grave (merlot) – pramaggiore (merlot) – sangiovese di romagna – torgiano rosso

Espagne: navarra – rioja – vins de pays (vino de la tierra)

Autres pays: cabernet, pinot noir et merlot du Nouveau Monde – rosés secs de divers pays

Loire: sancerre rouge et rosé

Des vins tout en fruit, un peu de matière et une bonne souplesse en bouche grâce à des tanins discrets, une acidité présente mais pas trop marquée: voilà les qualités que l'on attend de ces vins gouleyants et tout simples, faits pour accompagner des plats qui le sont tout autant. Les inconditionnels du rosé consulteront la rubrique «La vie en rose» à la page 138 du chapitre consacré au porc.

Les vins rosés seront servis très frais (environ 8 °C) et les rouges supporteront aussi une température plus fraîche qu'à l'ordinaire, c'est-à-dire entre 12 et 14 °C. Rouges ou rosés, les vins seront jeunes, dans leurs deux ou trois premières années.

Anjou Gamay, Châteliers, Domaine Richou (Loire)

Pinot noir, Vin de Pays de l'Île de Beauté, Laroche (Corse)

Merlot, Valle de Curico, Errazuriz Estate (Chili)

Cabernet, Niagara Peninsula, Château des Charmes (Canada)

Côte de Brouilly, Château Thivin (Beaujolais)

Beaujolais-Villages, Georges Dubœuf (France)

LE SECRET EST DANS LA SAUCE...

Eh oui ! Une fois de plus, le secret est dans la sauce ! En effet, le veau, qui s'accommode de vins blancs, de rosés et de rouges légers, est capable de supporter la comparaison avec des rouges plus soutenus, lorsque la cuisson et les aromates utilisés dans la recette génèrent des couleurs, des senteurs et des saveurs bien marquées. On évitera les vins trop tanniques à cause de leur jeunesse, leur préférant des produits de quelques années ayant commencé à évoluer en bouteille.

Contre-filet de veau, sauce au cognac et aux champignons
*Côtes de veau à la milanaise**
Jarret de veau au miel de romarin et aux épices
Osso buco*
Paupiettes de veau à la moutarde
Piments farcis
Poitrine de veau farcie
Rôti de veau à la dijonnaise
Rôti de veau au vin rouge
Sauté de veau chasseur
Sauté de veau Marengo
Tatin de veau aux endives caramélisées

🍇 / 🍇🍇

Bordeaux : bordeaux supérieur – côtes de castillon – lussac-saint-émilion – premières côtes de bordeaux

Bourgogne-Beaujolais : chénas – côte de beaune-villages – côte de brouilly – morgon – moulin à vent

Languedoc-Roussillon : corbières – coteaux du languedoc – côtes du roussillon-villages – faugères – minervois-la livinière – saint-chinian

Loire : anjou-villages – bourgueil – chinon – saumur-champigny – touraine

Rhône : costières de nîmes – coteaux du tricastin – côtes du luberon – côtes du rhône et côtes du rhône-villages – lirac

Autres régions : arbois – côtes du frontonnais – vins de corse (Ajaccio, Patrimonio) – vins de provence – vin de savoie (à base de pinot noir)

Italie : alto adige (cabernets) – collio (cabernets) – barbera d'alba (ou d'asti) – friuli grave (cabernets) – montepulciano d'abruzzo – pramaggiore (cabernets) – sangiovese di romagna – torgiano rosso

Espagne : navarra – penedès – rioja

Autres pays : cabernet-sauvignon du Nouveau Monde – malbec d'Argentine – carmenère du Chili

🍇🍇🍇

Bourgogne : beaune – rully – saint-romain – santenay

Italie : carmignano rosso – chianti classico – rosso di montalcino

* Pour des raisons régionales, et pour une harmonie toute en saveur, il sera très judicieux (mais pas obligatoire) de servir des vins italiens rouges, suffisamment souples et fruités, avec les côtes de veau à la milanaise et l'osso buco. Si la sauce qui accompagne ces mets est relevée, on pourra toujours choisir un vin plus corsé (deuxième échelle de prix). Servir autour de 15 °C.

Côtes du Rhône, Réserve,
Domaines Perrin (France) 🍇

Bordeaux Supérieur,
Château de Parenchère (France) 🍇 🍇

Montepulciano d'Abruzzo, Jorio,
Umani Ronchi (Italie) 🍇 🍇

Saumur, Vieilles Vignes,
Domaine Langlois-Château (Loire) 🍇 🍇

Morgon, Domaine de la Chanaise,
Dominique Piron (Beaujolais) 🍇 🍇

Barbera d'Asti, La Tota,
Marchesi Alfieri (Italie) 🍇 🍇 🍇

CARTE BLANCHE... AVEC LE VEAU !

Émincée, en blanquette, panée, sautée, à la crème ou en cocotte, la viande de veau sera bien servie avec tous ces vins blancs. Souples, secs, parfois demi-secs et généralement assez discrets au niveau aromatique, les premiers vins que je suggère ici se démarquent des autres vins blancs aux arômes invitants que je suggère dans la rubrique suivante.

La couleur de la viande, la souplesse de la texture et la présence de la crème sont autant d'éléments qui vous guideront vers des vins blancs secs, ou demi-secs, éventuellement, assez fruités, dotés d'une bonne rondeur, mais assez rafraîchissants pour contrecarrer les effets doucereux de la préparation. Ce n'est pas la peine de se lancer dans de grandes dépenses, et le choix est relativement grand. Servir à 10 °C. Enfin, pour les irréductibles du vin rouge, il suffira de choisir parmi ceux que je suggère à la page 148 et de les servir de la même façon.

Blanquette de veau
Carpaccio de veau et homard
Cocotte de veau aux fines herbes
Côtes de veau ou escalopes à la normande
Émincé de veau à la crème
Escalope de veau aux olives
Escalope de veau gratinée aux champignons
Fricassée de veau à la crème
Médaillons de veau aux herbes

🍇 / 🍇🍇

Alsace: pinot blanc et tokay pinot gris
Bourgogne: bourgogne – mâcon-villages – pouilly-vinzelles – saint-véran
Loire: anjou – montlouis (sec ou demi-sec)
Savoie: roussette de savoie
Italie: collio – friuli grave – lison-pramaggiore (pinot grigio) – IGT veneto à base du cépage garganega – soave classico
Autres pays: chardonnay du Nouveau Monde (Argentine, Australie, Chili, Californie, etc.)

🍇🍇🍇

Alsace: alsace grand cru (riesling et tokay pinot gris)
Bourgogne: auxey-duresses – mercurey premier cru – pouilly-fuissé – saint-aubin
Loire: savennières – vouvray (sec ou demi-sec)
Rhône: crozes-hermitage
Italie: grands vins toscans à base de chardonnay
Autres pays: chardonnay de Californie et d'Australie – petite arvine (Suisse)

Osso buco e pappardelle al uovo (Jarret de veau et nouilles larges aux œufs)
par Carlo Zopeni, recette page 303

Chardonnay, Valle Central,
Vina Carmen (Chili)

Petite Arvine, Valais,
René Favre et Fils (Suisse)

Savennières, Nicolas Joly
(Loire)

Mâcon-Villages, Les Florières,
Cave de Lugny (Bourgogne)

Soave Classico, Calvarino,
Pieropan (Italie)

Arbois, Domaine de Grange Grillard,
Henri Maire (Jura)

Tatin de veau aux endives caramélisées, purée de choux-fleurs au fromage de chèvre et émulsion d'olives noires
par Laurent Godbout, recette page 255

DES BLANCS AUX ARÔMES INVITANTS

Grâce à leurs arômes naturels et à ce qu'ils évoquent en bouche, certains cépages s'accordent particulièrement avec des plantes, des herbes ou des fruits bien identifiés. C'est ainsi que le riesling ou le muscadet se marient aux notes d'agrumes, de citron ou de pamplemousse, tandis que le sauvignon est complice de l'oseille ou du basilic. C'est ce qui m'incite à vous suggérer ces vins blancs secs, vifs et fruités, qui seront servis à 8-10 °C. Les amateurs de vin rouge pourront choisir des vins de la Loire de quelques années (bourgueil, saint-nicolas-de-bourgueil, etc.).

Côtes de veau à la fondue de cresson
Croustillants de veau aux oignons confits
Escalope de veau panée
Escalope de veau sautée au citron
Escalope de veau sautée viennoise
Fricassée de veau au citron
Longe de veau à la crème de basilic
Mignon de veau au citron vert
Sauté de veau à l'oseille

🍇 / 🍇🍇

Alsace : riesling et sylvaner
Bordeaux : bordeaux – entre-deux-mers – graves
Bourgogne : bourgogne aligoté – chablis – montagny – petit chablis – pouilly-vinzelles – saint-véran
Languedoc-Roussillon : vins de pays d'oc (cépage sauvignon principalement et viognier)
Loire : coteaux du giennois – menetou-salon – muscadet sèvre-et-maine – quincy – sauvignon de touraine – valençay
Sud-Ouest : bergerac sec – jurançon sec – pacherenc du vic bilh sec – vin de pays des côtes de Gascogne
Italie : alto adige (pinot grigio) – colli orientali del friuli (tocai friulano) – lison-pramaggiore (pinot grigio) – lugana – soave classico – verdicchio dei castelli di jesi – vernaccia di san gimignano
Autres pays : riesling sec d'Allemagne – sauvignon et riesling du Nouveau Monde (Afrique du Sud, Australie, Californie, Canada, Chili, Nouvelle-Zélande, Uruguay) – dao, vinho verde (Portugal) – penedès, rueda (Espagne) – pinot grigio et torrontès d'Argentine

🍇🍇🍇

Bordeaux : pessac-léognan
Loire : pouilly-fumé – sancerre
États-Unis : sauvignon et fumé blanc californiens

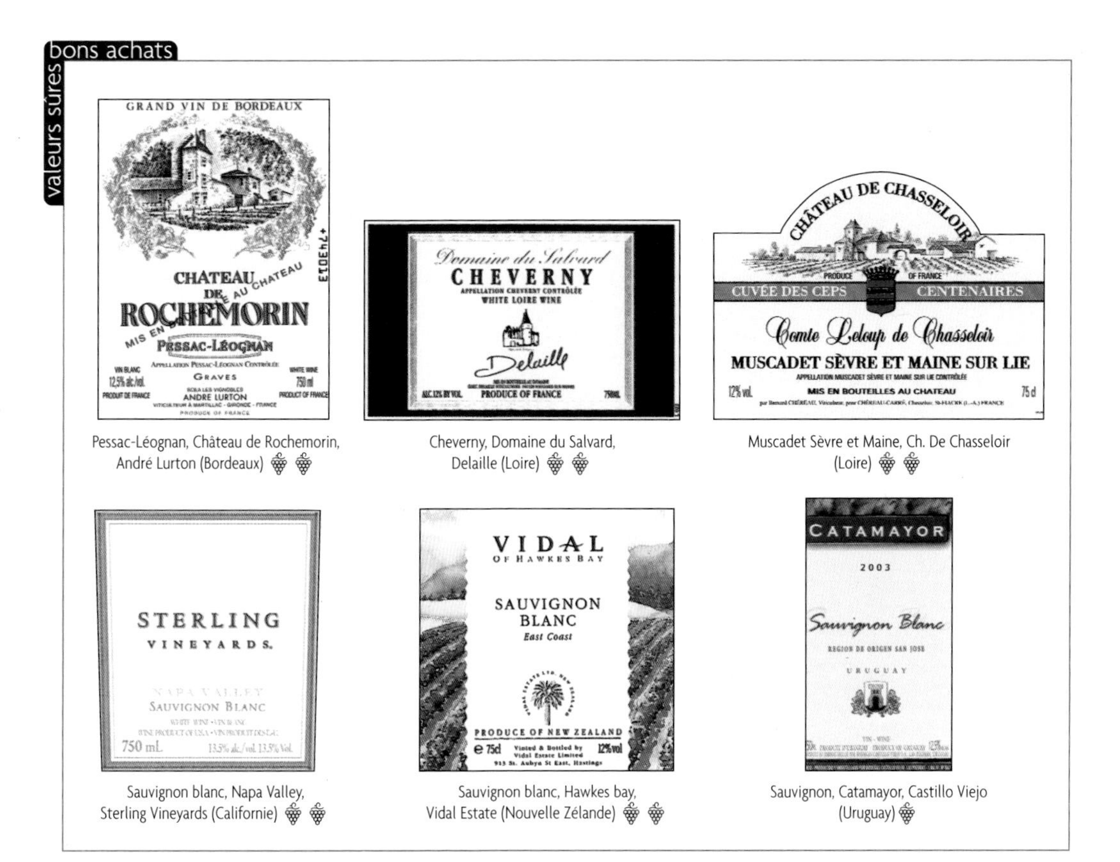

Pessac-Léognan, Château de Rochemorin, André Lurton (Bordeaux) 🍇🍇

Cheverny, Domaine du Salvard, Delaille (Loire) 🍇🍇

Muscadet Sèvre et Maine, Ch. De Chasseloir (Loire) 🍇🍇

Sauvignon blanc, Napa Valley, Sterling Vineyards (Californie) 🍇🍇

Sauvignon blanc, Hawkes bay, Vidal Estate (Nouvelle Zélande) 🍇🍇

Sauvignon, Catamayor, Castillo Viejo (Uruguay) 🍇

Le bœuf

Très appréciée, la viande de bœuf est la viande la plus couramment utilisée dans la plupart des pays occidentaux. Bien entendu, je ne parle ici que du bœuf, cet animal de l'espèce bovine qui a subi la castration, et non du taureau ou de la vache, qui malheureusement se retrouvent parfois en lieu et place du bœuf dans notre assiette.

Quant au mouton, qui fait lui aussi partie des viandes rouges, il a été peu à peu remplacé dans nos habitudes alimentaires par l'agneau, auquel je consacre tout un chapitre.

Penchons-nous donc sur ce bœuf qui se prête, il est vrai, à de nombreuses réalisations culinaires et sait habituellement mettre en relief tous les types de vins rouges, de la simple appellation sans grand panache aux crus les plus réputés. Grillée et poêlée mais aussi rôtie, pochée, braisée, sautée ou tout simplement crue, la viande de bœuf s'adapte bien aux habitudes alimentaires et gourmandes d'un grand nombre de sociétés. Laissant de côté les fioritures culinaires, on la fait griller l'été sur le barbecue pour un repas tout simple sur le patio. L'automne et l'hiver nous donnent envie de la mijoter et de la cuisiner en daube ou en sauce bien relevée. Puis le printemps revient, ramenant le goût de saveurs plus simples et de senteurs du jardin. Les grillades s'imposent dès lors, rehaussées d'herbes fraîches sorties tout droit du potager... ou du marché du coin.

Le bœuf se prête aussi admirablement aux grands repas et aux festivités, car, végétariens mis à part, presque toutes les bouches se délectent de cette viande qui sait aussi prendre des airs de grand seigneur de la table lorsque la recette et les condiments utilisés lui en donnent l'occasion. Je pense au bœuf en croûte, à une sauce madère bien dosée ou à un Rossini riche de truffes noires et de foie gras.

Qu'il s'agisse d'habitudes familiales ou de mariages locaux ou régionaux, la viande de bœuf favorise les accords les plus succulents. De la classique et aristocratique entrecôte à la bordelaise au bœuf bourguignon qui sent la campagne en passant par la carbonade à la flamande, faite de bière et d'oignons, et l'exotique et généreuse côte de bœuf argentine, tous les coups sont permis ou presque. Grâce à leur constitution, beaucoup de types de vins d'origines diverses font bon ménage avec cette viande si répandue. De Bordeaux, de Bourgogne et de la vallée du Rhône, du Languedoc, de Provence ou des bords de la Loire, de nombreux vins se prêteront au jeu de l'harmonie. Quant aux vins de Toscane, de Vénétie, d'Espagne, de Californie et du Chili, pour ne nommer que ceux-là, ils ne seront pas en reste.

Côtes de bœuf sautées, jus à la marjolaine
par Jean-Paul Grappe, recette page 266

Il suffit de ne pas laisser passer l'occasion de se faire plaisir, d'écouter un ami suffisamment averti en la matière ou parfois de partir à l'aventure. Pourquoi pas ? Le risque n'est tout de même pas très grand !

D'une préparation toute simple, comme l'incontournable et délicieuse entrecôte grillée, à des recettes plus élaborées, c'est habituellement la cuisson qui influence le choix final, car c'est elle qui fait varier le niveau de saveur. Il ne faut pas oublier toutefois que, comme le démontrait un certain film à succès, bien souvent *le secret est dans la sauce*. Effectivement, le choix de la sauce est d'une importance décisive quand vient le temps de déterminer le vin approprié. On comprendra dès lors que l'art de marier le vin à la viande de bœuf consistera, au-delà de la couleur, à faire coïncider les arômes et les fumets de chacune des parties, à juxtaposer les textures et les intensités de goût, à jouer avec les tanins, aussi présents ou discrets soient-ils. L'essentiel sera de se faire plaisir et de contenter ses invités.

Enfin, il existe une préparation que l'on voudrait régionale, même s'il n'en est rien, mais je ne peux l'ignorer, car elle est populaire et somme toute très conviviale. Il s'agit de la fameuse fondue bourguignonne qui en fait n'aurait de la Bourgogne que le nom. Culinairement parlant, il s'agit d'une viande que l'on fait frire et que l'on accompagne, quand on a pu la sortir du caquelon, de diverses sauces, dont la béarnaise. C'est ma foi bien bon et sympathique avec un vin rouge pas trop corsé, peu tannique et tout en fruit, étant donné le niveau moyen de saveur. Il y a beaucoup de choix à votre disposition (*voir* la rubrique « Des vins de soif avec les grillades de bœuf » p. 162), mais certains vous diront qu'il serait tout de même inconvenant de servir autre chose qu'un bourgogne : un côte de beaune-villages ou un mercurey, par exemple. Les amateurs de beaujolais choisiront le brouilly ou un de ses joyeux compères.

Expérience de bœuf Angus de la ferme Eumatimi, filet rôti et sa moelle à la duxelles de champignons, queue braisée, miettes de pommes de terre rattes et macédoine de légumes de saison
par Daniel Vézina, recette page 294

DES VINS DE SOIF AVEC LES GRILLADES

Voici la règle d'or: à plat très simple, vin modeste! Les viandes grillées, servies sans façon, n'échappent pas à ce principe et sont mises en valeur par des vins légèrement fruités, aux tanins souples, mais de bonne structure.

Mais attention! «Simple» ne veut pas dire *ordinaire,* et la simplicité n'empêche pas la finesse ni la délicatesse. Le bœuf aime le vin rouge, alors cherchons dans cette direction. Ce n'est certes pas le choix qui manque!

L'entrecôte grillée, pour sa part, se plaît en compagnie de vins de Bordeaux, de Bourgogne ou de la vallée du Rhône. Quant à la côte de bœuf, plus riche en saveur, elle s'harmonise à merveille avec des vins charnus et plus soutenus, non dépourvus de fruit, tels que le morgon, le chinon, un anjou-villages ou un rosso di montalcino.

Pour ceux qui aiment les vraies choses faites à la bonne franquette, je m'en voudrais de ne pas mentionner la traditionnelle entrecôte grillée sur sarments de vigne. Ceux-ci donnent à la viande une saveur toute particulière, bien différente de celle que leur procurent le gril électrique et le faux charbon de bois attisé au gaz; surtout, ils vous rapprochent du vigneron qui depuis des lustres utilise cette délicieuse façon de cuisiner.

Je me souviens d'une visite au Château La Mission Haut-Brion, dans les Graves, voilà quelques années. Nous avions rendez-vous à 8 h du matin avec quelques amis et nous avions reçu la consigne de ne pas prendre le petit déjeuner avant de partir. À notre arrivée, dans la cour brûlaient des sarments de cabernet et de merlot sur lesquels grillaient, bien alignées, de jolies entrecôtes. Une fois la surprise passée, nous nous sommes régalés de viande juteuse et de grand vin. Pas de café ni de jus d'orange, bien sûr, mais du laville-haut-brion (très grand vin blanc) et du la tour-haut-brion (rouge) à volonté. Je peux vous l'assurer, c'était un régal! Et je vous laisse deviner la forme athlétique dans laquelle nous avons passé le reste de la journée...

*Bistecca alla fiorentina (bifteck mariné et grillé)**
Brochette de filet de bœuf
Chateaubriand
Contre-filet à la moutarde
*Côte de bœuf au beurre de roquefort***
Côte de bœuf grillée simplement
*Entrecôte à la bordelaise**
Entrecôte maître d'hôtel
Entrecôte ou bavette aux herbes
*Filet de bœuf au barbecue, sauce poivrade***
*Paillarde de bœuf grillée à l'herbe de poivre***
Tournedos à la béarnaise
Steak frites

🍇 / 🍇 🍇

Bordeaux: bordeaux – bordeaux-supérieur – côtes de castillon – graves – lussac-saint-émilion – médoc – premières côtes de bordeaux

Bourgogne-Beaujolais: beaujolais-villages – bourgogne pinot noir – chénas – côte de beaune-villages – côte de brouilly – juliénas – morgon – moulin à vent – saint-amour

Languedoc-Roussillon: cabardès – corbières – coteaux du languedoc – faugères – minervois – vins de pays (cépages carignan, grenache, merlot et cabernet sauvignon)

Loire: anjou-villages – bourgueil – chinon – menetou-salon rouge – saumur-champigny – touraine

Rhône: costières de nîmes – coteaux du tricastin – côtes du rhône – lirac

Sud-Ouest: bergerac – buzet – gaillac – madiran

Autres vins: vin de corse – vin de savoie – vins de pays (merlot et cabernet sauvignon)

Italie: alto-adige (schiava) – lison-pramaggiore (merlot et cabernet) – salice salentino – sangiovese di romagna – IGT toscana à base de sangiovese – valpolicella classico

Autres pays: catalunya, jumilla, penedès, somontano, yecla (Espagne) – bairrada, dao, douro (Portugal) – pinot noir de Hongrie – carmenère et cabernet sauvignon du Chili – malbec d'Argentine – tannat

(Uruguay) – merlot de Californie – pinotage, pinot noir et merlot d'Afrique du Sud

Bordeaux: canon-fronsac – haut-médoc – lalande de pomerol – montagne-saint-émilion – moulis – pessac-léognan

Bourgogne: givry – mercurey – pernand-vergelesses – saint-romain – santenay

Rhône: crozes-hermitage – gigondas – saint-joseph

Italie: barbera d'alba – barbera d'asti – barco reale – breganze – carmignano rosso – chianti classico – dolcetto d'alba – montefalco – nebbiolo d'alba – sangiovese dei colli pesaresi – sant'antimo

Autres pays: pinot noir de Suisse, de l'Oregon et de la Californie

Les amateurs de steak tartare trouveront sur cette liste chaussure à leur pied. De plus, il est souhaitable de choisir des vins relativement jeunes, de un à cinq ans, exception faite des vins entrant dans la troisième échelle de prix. Servez tous ces vins à une température oscillant entre 15 et 18 °C maximum.

* N'oubliez pas l'accord régional: un vin italien comme un carmignano accompagnera à merveille cette spécialité florentine de bistecca. Même principe pour l'entrecôte à la bordelaise: un vin de Bordeaux évidemment! Il serait dommage de ne pas respecter des décennies de traditions; disons aussi que servir un bourgogne avec ce plat serait plutôt saugrenu.

** Optez pour des vins de la vallée du Rhône. Ils ont en commun le sens des bouquets épicés, la structure tannique et le fruit en bouche qui donnent la dimension voulue pour accompagner ces préparations.

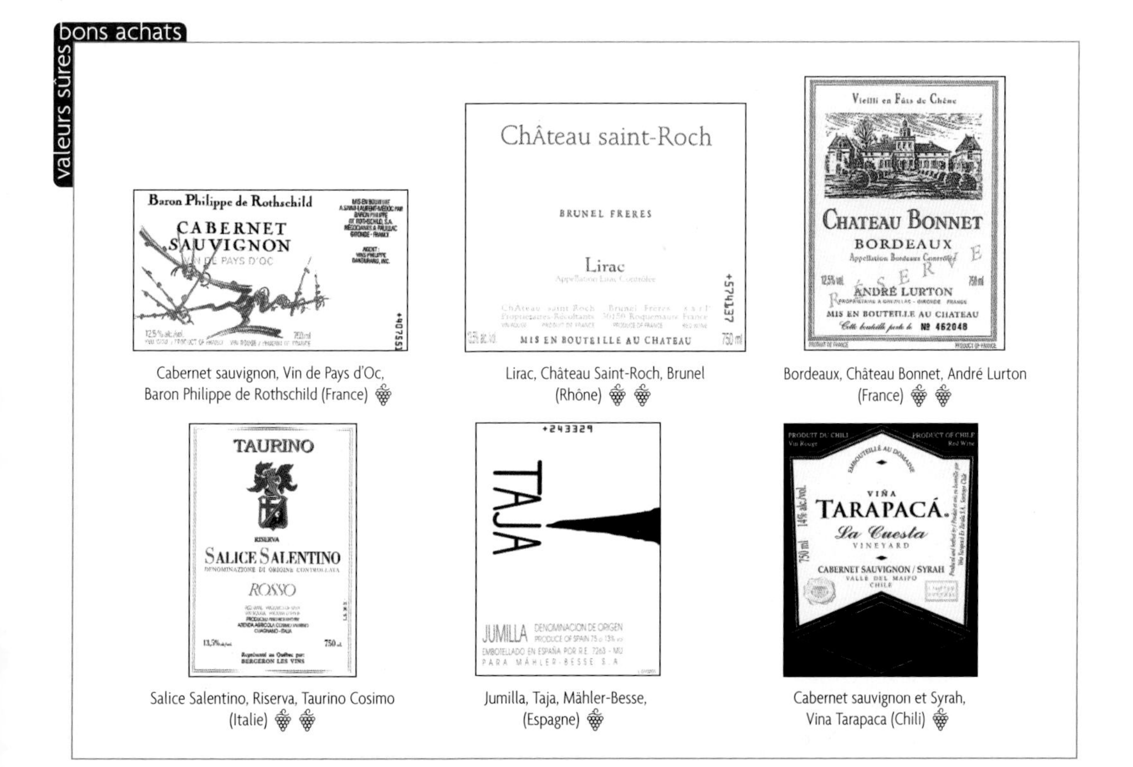

Cabernet sauvignon, Vin de Pays d'Oc, Baron Philippe de Rothschild (France)

Lirac, Château Saint-Roch, Brunel (Rhône)

Bordeaux, Château Bonnet, André Lurton (France)

Salice Salentino, Riserva, Taurino Cosimo (Italie)

Jumilla, Taja, Mähler-Besse, (Espagne)

Cabernet sauvignon et Syrah, Vina Tarapaca (Chili)

DES VINS SIMPLES AUX PLUS COMPLEXES AVEC LES VIANDES SAUTÉES

Une fois qu'on a cuit le bœuf en le faisant sauter dans un corps gras à la poêle ou à la sauteuse, on le sert accompagné d'une sauce qui joue, là aussi, un rôle important. Du simple et néanmoins savoureux bœuf bourguignon à l'exquis et raffiné tournedos Rossini, que d'écarts culinaires qui débouchent sur des choix de vins bien différents ! La préparation du bourguignon ou du Strogonoff, somme toute relativement facile à exécuter, nous conduit à des vins fruités et souples comme peuvent l'être certaines appellations de la côte de Beaune, du Beaujolais, d'Anjou et de Touraine. Pas de manières ! L'origine régionale – rurale, dirais-je – des mets incite l'hôte à jouer avec beaucoup de simplicité, sans pour autant tomber dans le « rustique ». Il serait inutile, compte tenu du niveau de saveur, de choisir des vins complexes et très corsés.

Dans la série des tournedos, les ingrédients de la sauce détermineront le vin. Il est donc naturel d'associer le tournedos au poivre vert ou aux morilles avec de grands crus de la côte de Nuits ou du Haut-Médoc, tout comme il va de soi d'accompagner le tournedos Rossini et sa sauce au foie gras truffé de beaux châteaux de Pomerol ou de saint-émilion grand cru. Quant à la traditionnelle entrecôte au poivre noir, ce condiment invite le gastronome à jeter son dévolu sur des vins assez puissants et connus pour leur caractéristique quelque peu poivrée. Je pense tout naturellement à l'hermitage, au côte-rôtie, au vin de Bandol riche en mourvèdre, à certains grands vins toscans, dont le chianti classico issu du savoureux sangiovese et, bien sûr, à l'incontournable châteauneuf-du-pape qui depuis quelques années a fait des progrès remarquables en matière de finesse et d'élégance.

Évidemment, tout un monde sépare un hamburger d'un tournedos sauce Périgueux (truffes et foie gras)... Aussi sera-t-il sage de choisir son vin en fonction de la finesse de la préparation. Des vins assez simples mais néanmoins savoureux accompagneront les préparations d'inspiration campagnarde. Inutile de se mettre en frais avec de très grands crus ; quant aux vins moins chers, même s'ils offrent un bon rapport qualité-prix, ils n'ont ni la complexité ni l'élégance nécessaires pour mettre en valeur des mets raffinés. Un peu de bon sens et de perspicacité arrangeront bien les choses. Vins de Bourgogne et du Beaujolais feront la fête au bœuf bourguignon, ainsi qu'à la fondue bourguignonne, que je place ici.

Bavette ou onglet à l'échalote
Bœuf bourguignon
Bœuf Strogonoff
Côtes de bœuf sautées, jus à la marjolaine
Émincé de bœuf
*Empanadas**
Filets de bœuf à la saveur de sirop d'érable et de moutarde de Meaux
*Filet de bœuf avec sauce relevée (au poivre, balsamique, etc.)***
Filet de bœuf au vin rouge
*Filet de bœuf aux truffes blanches****
Hamburger
*Poivrons farcis à la piémontaise****
Sauté de bœuf hongroise
*Steak ou entrecôte au poivre noir***
Tournedos au poivre vert ou aux morilles
Tournedos Rossini
Tournedos sauce Périgueux

Filets de bœuf à la saveur de sirop d'érable et de moutarde de Meaux, fenouil braisé et pommettes
par Jean Soulard, recette page 291

🍇 / 🍇 🍇

Bordeaux: bordeaux supérieur – bordeaux côtes de francs – côtes de castillon

Bourgogne-Beaujolais: beaujolais-villages – bourgogne côte chalonnaise – bourgogne pinot noir – morgon – moulin à vent – régnié – rully

Languedoc-Roussillon: cabardès – collioure – corbières – coteaux du languedoc – côtes du roussillon – faugères – minervois – saint-chinian

Loire: anjou-villages – bourgueil – saint-nicolas-de-bourgueil

Rhône: costières de nîmes – côtes du rhône-villages – vacqueyras

Sud-Ouest: cahors – côtes de bergerac – côtes du frontonnais – côtes de saint-mont – madiran

Autres pays: rioja reserva (Espagne) – alentejo, garrafeira (Portugal) – cabernet sauvignon d'Australie – cabernet sauvignon et carmenère du Chili – malbec et cabernet sauvignon d'Argentine – syrah du Maroc

🍇 🍇 🍇

Bordeaux: canon-fronsac – lalande de pomerol – moulis

Bourgogne: givry – mercurey

Rhône: crozes-hermitage – gigondas

Provence: bandol – les baux de provence

Italie: barbera d'alba – barbera d'asti – nebbiolo d'alba – collio (cabernet sauvignon) et colli orientali del friuli (refosco)

Autres pays: ribera del duero, rioja gran reserva (Espagne) – cabernet sauvignon et syrah d'Australie et de Californie

🍇 🍇 🍇 🍇

Bourgogne: beaune premier cru – chambolle-musigny – clos de tart – clos de vougeot – corton – côte de nuits-villages – gevrey-chambertin – morey-saint-denis – pommard

Bordeaux: pauillac – pessac-léognan (crus classés) – pomerol – saint-émilion grand cru – saint-estèphe

Rhône: châteauneuf-du-pape – hermitage

Italie: amarone della valpolicella – barbaresco – brunello dimontalcino – grands vins toscans (IGT) à base de cabernet sauvignon ou de sangiovese

Autres pays: ribera del duero, rioja gran reserva (Espagne) – grandes cuvées de cabernet sauvignon et de syrah d'Australie et de Californie

* Faites-vous préparer par des amis argentins cette spécialité de leur pays qui consiste en petits chaussons de pâte farcis de viande hachée, d'olives et d'oignons, assaisonnés de poivre et de cumin. Un malbec d'Argentine pas trop corsé s'impose bien entendu avec ce mets habituellement servi en hors-d'œuvre.

** Pour ne pas avoir la décevante impression d'avaler un liquide plus près de l'eau que du vin, il est important de servir avec ces mets un cru assez relevé qui puisse tenir tête à la sauce poivrée. Outre un grand amarone ou de belles cuvées de syrah californiennes et australiennes (shiraz), les vins de la vallée du Rhône autorisent dans ce registre des harmonies parfaites. Ils ont en commun le sens des bouquets épicés, la structure tannique et le fruit en bouche qui donnent la dimension voulue pour accompagner ces préparations. Quand le vin est élaboré avec 100 p. 100 de syrah, il se marie remarquablement bien avec les préparations rehaussées de poivre, qu'il soit blanc ou noir.

*** Mariage régional savoureux et garanti avec un vin du Piémont.

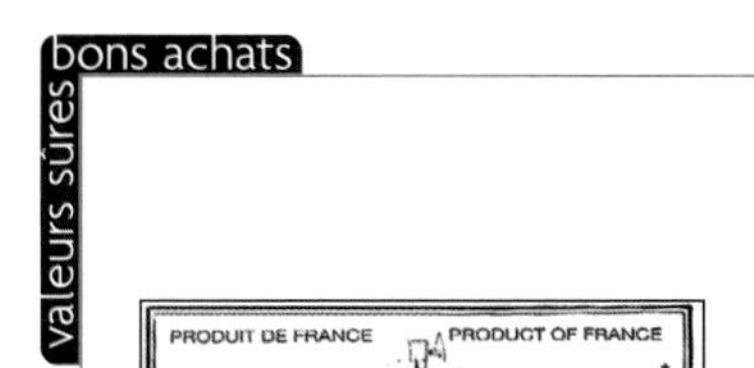

Coteaux du Languedoc, Château Capion (France) 🍇

Moulis, Château Biston-Brillette (Bordeaux) 🍇 🍇 🍇

Barbera d'Alba, Bricco delle Viole, Aldo G. Vajra (Italie) 🍇 🍇 🍇

Syrah, Les Côtes de l'Ouest, California, Domaine de la Terre rouge (États-Unis) 🍇 🍇 🍇

Bourgogne Pinot noir, Antonin Rodet (France) 🍇 🍇

Cabernet sauvignon, Max Reserva, Vina Errazuriz (Chili) 🍇 🍇

SIMPLICITÉ OU RUSTICITÉ AVEC LES PLATS MIJOTÉS

N'oublions pas les longues soirées d'hiver qui reviennent toujours un peu trop vite, ni le bon pot-au-feu qui réchauffe le corps et entretient l'amitié. Plat simple parce que régional et savoureux parce que vrai et mijoté longuement en compagnie de ses légumes préférés, cette préparation de bœuf, habituellement servie en famille ou entre bons amis, requiert un vin pas compliqué, mais tout en saveur. La cuisson laisse la part belle à la texture de la chair, qui prend des rondeurs et acquiert une certaine tendreté. Le bouillon, préalablement garni de céleri, de laurier, de thym et de persil, rehausse l'ensemble par sa présence et contribue à des fumets qui suggèrent des vins assez aromatiques. Du Languedoc, par exemple, les faugères, corbières et minervois s'harmonisent bien avec ce mets, tout comme certains crus du Beaujolais, gorgés des fruits du cépage gamay.

Dans la même veine, des vins comme le costières de nîmes, le saumur-champigny ou un amarone della valpolicella, aux tanins encore jeunes et avec déjà une bonne intensité olfactive, peuvent accompagner judicieusement votre pot-au-feu ou votre plat de côtes préféré.

Recherchées aussi pour leur simplicité à table, les viandes braisées favorisent des harmonies «à la bonne franquette». Un bœuf à la mode, par exemple, est issu d'une préparation différente mais de la même inspiration: là aussi, la viande préalablement marinée a séjourné dans la braisière en compagnie de sa marinade et du fond clair pour continuer lentement sa cuisson. Le vin doit donc jouer son rôle de faire-valoir avec la viande, moelleuse à souhait grâce à la marinade et riche en saveurs fleurant bon le potager.

Avec ces mets, la simplicité pour certains vins et la rusticité pour d'autres l'emportent sur la complexité et l'élégance pure. Ce qui ne les empêche pas de posséder la matière et les saveurs nécessaires pour se mettre en valeur devant ces plats riches et consistants.

Compotée de bœuf aux olives et aux tomates séchées
par Laurent Godbout, recette page 258

Carbonade à la flamande
Compotée de bœuf aux olives et aux tomates séchées
Fondue chinoise
Goulash à la hongroise
Paupiettes de bœuf
Plat de côtes
Pot-au-feu

🍇 / 🍇 🍇

Bourgogne: beaujolais-villages – bourgogne passe-toutgrain – brouilly – côte de beaune-villages – côte de brouilly
Languedoc-Roussillon: cabardès – corbières – faugères – fitou – minervois – vins de pays d'oc
Loire: anjou-villages – saumur-champigny
Rhône: costières de nîmes – côtes du rhône-villages – coteaux du tricastin
Sud-Ouest: cahors – côtes de bergerac – côtes du marmandais – pécharmant
Italie: IGT du sud à base de primitivo, de negro amaro et de nero d'avola
Autres pays: alentejo, garrafeira (Portugal) – rioja reserva (Espagne) – egri bikaver (Hongrie) – malbec d'Argentine – carmenère du Chili – cabernet sauvignon du Nouveau Monde – zinfandel (Californie)

🍇 🍇 🍇

Bourgogne: beaune – givry – santenay
Rhône: crozes-hermitage – gigondas
Provence: bandol – les baux de provence
Italie: barbera d'alba – barbera d'asti – barco reale – breganze – cannonau di sardegna – carmignano rosso – chianti classico – montefalco – nebbiolo d'alba
Autres pays: rioja gran reserva (Espagne)

🍇 🍇 🍇 🍇

Rhône: châteauneuf-du-pape
Italie: amarone della valpolicella – barolo

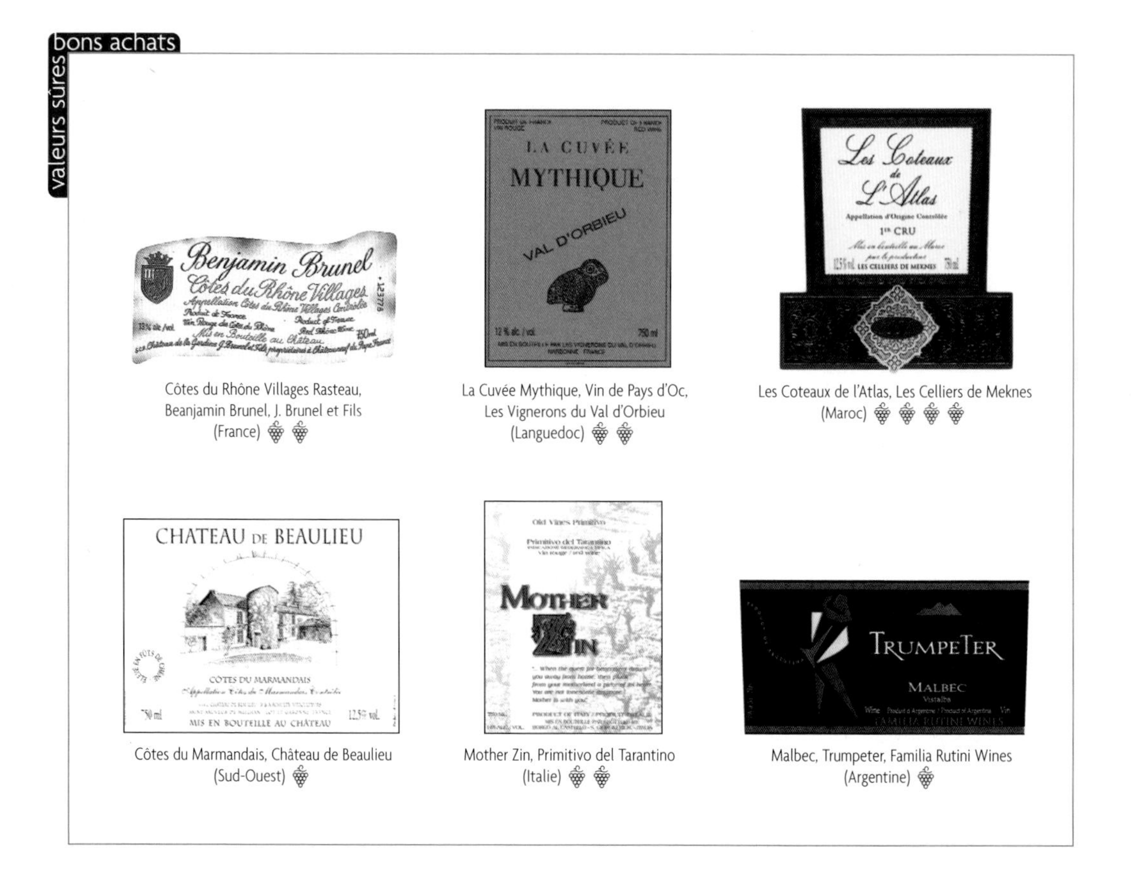

Côtes du Rhône Villages Rasteau, Beanjamin Brunel, J. Brunel et Fils (France)

La Cuvée Mythique, Vin de Pays d'Oc, Les Vignerons du Val d'Orbieu (Languedoc)

Les Coteaux de l'Atlas, Les Celliers de Meknes (Maroc)

Côtes du Marmandais, Château de Beaulieu (Sud-Ouest)

Mother Zin, Primitivo del Tarantino (Italie)

Malbec, Trumpeter, Familia Rutini Wines (Argentine)

MATIÈRE, FRUIT ET RONDEUR POUR LE BOEUF RÔTI

Cuites au four plus souvent qu'à la broche, les viandes rôties permettent de réaliser des plats simples mais aussi des mets recherchés. Champion toutes catégories dans nos humbles demeures, le rôti de bœuf, ou rosbif, s'accommode de nombreux vins d'origines diverses. Aromatiques, généreux sans être capiteux pour un sou, ces vins ne doivent pas être prétentieux. À titre d'exemple, si vous voulez gâter particulièrement vos invités, procurez-vous des santenay, ladoix, listrac et des crus californiens, chiliens et australiens à base de cabernet-sauvignon. Saumur-champigny, côtes du roussillon, gigondas mais aussi malbec d'Argentine et cabernet du nord de l'Italie feront très bien l'affaire également.

Si vous décidez de changer de registre sur le plan culinaire et d'opter pour un plat plus élaboré comme le bœuf Wellington ou autres filets en croûte, il y a suffisamment de vins pour répondre à vos exigences et ravir le cœur de vos invités. Votre choix final saura mettre en valeur toutes les forces en présence et, de l'assiette au verre, ce ne sera qu'une joute amicale où bouquets et fumets s'affronteront pour le meilleur et pour le plaisir. Assez corsé, délicat mais bien structuré, un cru tout en finesse s'imposera !

Les saveurs initiales de la viande et sa texture moelleuse seront mises en valeur par des vins de caractère, certes, mais de belle élégance et non dépourvus de souplesse. Les vins choisis (servis entre 15 et 17 °C) ne manquent pas de couleur, ni de fruit, ni de structure pour accompagner ces mets. On pourra également les proposer avec le filet de bœuf cru mariné (carpaccio) et le rosbif servi froid. Consultez les listes fournies précédemment dans ce chapitre. Néanmoins, on trouvera ci-dessous mes suggestions d'achat.

Bœuf à la ficelle
Contre-filet aux champignons
Contre-filet rôti simplement
Expérience de bœuf Angus
Filet de bœuf à la moelle ou au madère
Filet de bœuf Wellington ou en croûte
Rôti de bœuf au jus (rosbif)
Rôti de bœuf aux poivrons

Avec le contre-filet, la côte et le rôti, servez des vins assez jeunes, âgés de un à quatre ans, qui ont gardé suffisamment (mais pas trop) de tanins et de corps pour maintenir l'équilibre. Étant donné la finesse de texture des filets de bœuf et la subtilité des sauces qui les accompagnent, il est conseillé de jeter son dévolu sur les produits proposés dans les troisièmes catégories de prix. Vous pouvez dans ce cas choisir des cuvées un peu plus évoluées, aux tanins fondus et à l'acidité mise en veilleuse par le vieillissement (à partir de six à huit ans). Température de service pour tous ces vins : de 15 °C (principalement les vins du Beaujolais) à 18 °C maximum.

Coteaux du Languedoc La Clape, Rocaille, Château Capitoul (France)

Shiraz-Cabernet, Koonunga Hill, Penfolds (Australie)

Breganze, Brentino, Fausto Maculan (Italie)

Saint-Joseph, Le Grand Pompée, Paul Jaboulet Aîné (Rhône)

Pisano ArretXea, Vinedos Familia Pisano (Uruguay)

Pessac-Léognac, La Terrasse de La Garde (Bordeaux)

L'agneau et le mouton

« Doux comme un agneau », c'est plutôt facile à retenir et c'est ainsi que l'on pourrait résumer la situation en ce qui concerne le mariage des vins avec cette viande. En effet, si l'on prend le terme « doux » dans le sens de la souplesse, de la rondeur et du moelleux, on aura tout compris. Car, très prisé et de mieux en mieux apprêté, bénéficiant de cuissons qui le mettent en valeur, l'agneau offre au gourmet des expériences culinaires dignes d'intérêt.

Même si, à tort, on a tendance à classer sa chair parmi les viandes blanches, n'oublions pas que l'agneau est le plus souvent servi rosé, pour ne pas dire saignant, et que le mouton, de toute façon, fait partie des viandes rouges. De l'avis des spécialistes, même l'agneau de lait – ce jeune mouton pas encore sevré et dont la chair est blanche – se sert très légèrement rosé.

Filet d'agneau sous croûte dorée
par Jean Soulard, recette page 290

L'agneau tué vers l'âge de quatre ou cinq mois, c'est-à-dire avant son complet développement, prend peu à peu la place du mouton adulte dans nos habitudes alimentaires et gastronomiques. C'est ainsi que les chefs et cordons-bleus, jouissant de compétences et d'expérience diverses, nous offrent de jolies variations culinaires autour de cette viande apprêtée sous forme de noisettes, de gigot, de brochettes, de carrés, de côtelettes et j'en passe. Puisque nous convenons de servir cette viande rosée, on peut en déduire que le vin rouge jouera les premiers violons, plutôt que le rosé, qui n'a ni les tanins, ni l'étoffe, ni la matière qu'il faut. Quand on sait aussi que la viande d'agneau, qu'elle soit grillée, rôtie ou sautée, offre en bouche une chair tendre et juteuse, on privilégiera dès lors des mariages de textures entre le mets et le vin. Celui-ci aura du fruit à revendre, des tanins assouplis, une acidité en équilibre et une finesse suffisante, proportionnelle à la délicatesse du plat.

Avec des noisettes d'agneau (parties très fines prélevées sur les filets de la selle), il est logique de choisir des vins à la hauteur de la situation, c'est-à-dire fins et délicats, mais de bonne tenue et longs en bouche, comme peuvent l'être de grands crus du Bordelais.

Comme pour tous les accords proposés dans ce livre, la préparation, la cuisson, les aromates et la sauce décideront le plus souvent du vin idéal. Ainsi, avec des côtelettes grillées aux herbes, vous vous régalerez de côtes de provence, de coteaux d'aix et des baux, de bons vins de Toscane et d'Espagne, bref de vins de soleil tous aussi aromatiques et savoureux les uns que les autres. Une suggestion : lors de votre prochain séjour en Provence, passez quelques jours dans un village de l'arrière-pays, je pense au Castellet, par exemple, en plein pays de Bandol où Pagnol a tourné *La femme du boulanger*, et séjournez dans une maison privée ouverte aux touristes. Certains propriétaires vous inviteront à découvrir leurs spécialités en allant au marché vous procurer les ingrédients nécessaires ; puis, au retour, sous la houlette de la maîtresse de maison, vous confectionnerez des côtelettes d'agneau aux herbes dont elle seule a le secret... Le vin, au millésime idéal, ne sera pas loin et vous vous en souviendrez longtemps.

La cuisson et la préparation de l'agneau rôti conduiront à un vin plus charpenté, relativement tannique et assez généreux. Aussi, et selon votre budget, choisissez parmi les côtes de bourg, les graves de Pessac-Léognan, les châteaux de Listrac et du Haut-Médoc. Les amateurs de beaujolais pourront opter pour un morgon ou un moulin à vent, ceux de la vallée du Rhône, pour un gigondas.

Mariage classique pour le carré d'agneau : médoc en général et pauillac en particulier ! Car quiconque a eu la chance de boire un cru de ces appellations en compagnie d'une tendre pièce d'agneau « de pré-salé » s'en souvient, j'en suis convaincu ! Associations de couleurs et de textures souples et moelleuses, équilibre et longueur des saveurs, fines et multiples, jouant comme une symphonie achevée... Tout y est, pour le plaisir des yeux, des narines et des papilles !

Mais si la préparation est proche du terroir et d'inspiration plus rustique, comme le sont un ragoût de mouton ou un navarin d'agneau, de bons vins solides, bien colorés et suffisamment charpentés pour soutenir les saveurs du mets feront d'agréables compagnons de table, sans autre prétention que celle de se montrer vrais, honnêtes et bien élaborés... Ce qui est déjà pas si mal ! En effet, lorsque les aromates sont largement mis à contribution, ce que l'on fait sans parcimonie avec l'agneau, les accords gourmands seront basés sur l'intensité et la nature des saveurs.

ACCORDS CLASSIQUES

Accords classiques pour viandes grillées et rôties, histoire de souligner d'un trait le mariage des textures solides et liquides, la finesse des arômes et la subtilité des saveurs engendrées par ces cuissons. Tanins souples, acidité modérée, arômes présents sans être insistants ni complexes, voici les qualités que l'on demandera aux vins destinés à accompagner ces recettes. Les vins du Languedoc et de la Californie feront bien le lien avec les viandes grillées aux herbes. Choisir préférablement des vins de quelques années (de cinq à huit ans pour les plus grands) et les servir entre 15 et 18 °C maximum.

Viandes grillées

*Brochette d'agneau à l'estragon**
Brochette d'agneau aux poivrons
Brochette d'agneau grillé simplement
Brochette d'agneau marinée aux épices
*Carré d'agneau aux épices orientales**
Carré d'agneau dijonnaise
Côtelettes d'agneau grillées aux navets
Côtes ou côtelettes d'agneau vert-pré
*Noisettes d'agneau grillées aux herbes**

Viandes rôties

Carré d'agneau au citron et au genièvre
Carré d'agneau simplement rôti
Côtelettes ou gigot d'agneau à la menthe fraîche
Croustillant d'agneau aux champignons des bois
*Épaule de mouton farcie***
Filet d'agneau à la poire
*Filet d'agneau aux herbes en croûte**
Filet d'agneau, sauce coco épicée
Filet d'agneau sous croûte dorée
*Gigot d'agneau à l'ail des bois***
Gigot d'agneau à la graine de polenta
*Gigot d'agneau au romarin**
Gigot d'agneau aux flageolets

🍇 / 🍇🍇

Bordeaux: bordeaux côtes de francs – côtes de castillon – lussac-saint-émilion – graves – premières côtes de blaye
Languedoc-Roussillon: corbières – coteaux du languedoc – côtes du roussillon – faugères – fitou – minervois – saint-chinian
Loire: bourgueil – chinon – saint-nicolas-de-bourgueil – saumur-champigny
Sud-Ouest: bergerac – buzet – côtes du marmandais – gaillac
Autres régions: vin de pays (cépages merlot et cabernet sauvignon) – vins de provence
Autres pays: cabernet sauvignon du Nouveau Monde (Argentine, Australie, Chili, Californie)

🍇🍇🍇

Bordeaux: canon-fronsac – fronsac – haut-médoc – listrac – médoc – moulis – pessac-léognan
Bourgogne: juliénas – ladoix – mercurey – morgon – moulin à vent – rully – savigny-lès-beaune
Sud-Ouest: cahors vieux – madiran
Espagne: ribera del duero (tinto pesquera – viña pedrosa)
Italie: breganze (rosso et cabernet) – carmignano rosso – terre di franciacorta rosso – sant'antimo – torgiano rosso riserva
Autres pays: cabernet sauvignon d'Australie et de Californie (Reserve)

Bordeaux : margaux – pauillac – pessac-léognan (crus classés) – saint-estèphe – saint-julien
Bourgogne : chambolle-musigny – vougeot
Espagne : ribera del duero (tinto valbuena – vega-sicilia)
Italie : brunello di montalcino – grands vins (IGT) de Toscane et de Vénétie à base de cabernet sauvignon
États-Unis : cabernet sauvignon de Californie (grande réserve)

Pour des accords plus précis, les mets suivis d'un astérisque seront particulièrement mis en valeur avec les vins suggérés à la rubrique « Influences méditerranéennes » p. 179, tandis que ceux qui sont suivis de deux astérisques joueront de belles harmonies de table avec les vins cités dans la rubrique « Un dimanche à la campagne » p. 178.

Premières Côtes de Blaye, Château Lalande Bellevue (Bordeaux)

Pessac-Léognan, Château de Cruzeau, André Lurton (Bordeaux)

Cabernet sauvignon, Antiguas Reservas, Vina Cousino Macul (Chili)

Ribera del Duero, Condado de Haza (Espagne)

Brunello di Montalcino, Castello Banfi (Italie)

Minervois La Livinière, Château de Gourgazaud (Languedoc)

Souris d'agneau confites
par Jean-Pierre Carrière, recette page 246

UN DIMANCHE À LA CAMPAGNE...

La pièce de viande choisie, la richesse des saveurs issues de la cuisson, une certaine rusticité parfois et le fait que la plupart de ces plats soient mijotés, voilà autant de critères en faveur de vins bien colorés, assez structurés, pourvus d'une bonne acidité et plutôt jeunes, donc capables de montrer suffisamment de fougue et de répondant devant ces plats savoureux, servis en famille un dimanche d'automne. Servir à 16-18 °C.

Viandes sautées Acte I

Agneau à la carbonara
Épaule d'agneau au curry
*Moussaka**
Navarin d'agneau
Ragoût de mouton
Sauté d'agneau aux salsifis
Sauté d'agneau printanier
Selle d'agneau bonne femme ou aux champignons
Souris d'agneau confites

🍇🍇 / 🍇🍇🍇

Bordeaux : bordeaux côtes de francs – canon-fronsac – côtes de bourg – premières côtes de bordeaux – puisseguin-saint-émilion

Languedoc-Roussillon : corbières – coteaux du languedoc – côtes du roussillon – faugères – fitou – minervois – saint-chinian

Loire : anjou-villages – bourgueil – chinon – saumur-champigny

Rhône : costières de nîmes – coteaux du tricastin – côtes du luberon – côtes du rhône-villages – crozes-hermitage

Sud-Ouest : cahors – côtes du frontonnais – madiran – pécharmant

Italie : cannonau di sardegna – chianti classico – montepulciano d'abruzzo – primitivo (IGT puglia) – rosso di montalcino et rosso di montepulciano – collio (refosco)

Autres pays : cabernet sauvignon d'Australie, du Chili et de Californie – zinfandel de Californie – alentejo et douro (Portugal) – naoussa (Grèce)

* Avec cette spécialité grecque d'aubergines farcies à la viande d'agneau, on pourra se procurer un naoussa, un goumenissa ou des vins de pays du Péloponnèse, de Letrinon ou de Drama.

Saint-Chinian, Marquise des Mûres, Domaine des Marquises (Languedoc)

Escudo Rojo, Baron Philippe de Rothschild, (Chili)

Collio, Refosco, Riul, Livon (Italie)

Zinfandel, California, Woodbridge, Robert Mondavi (États-Unis)

Côtes-du-Rhône Villages, Cairanne, Domaine de la Présidente (France)

Cahors, Château de Haute-Serre, G. Vigouroux (Sud-Ouest)

INFLUENCES MÉDITERRANÉENNES

Pour souligner leurs parfums alléchants, les mets ci-dessous, évoquant le soleil enjôleur de la Provence, iront chercher dans le vin idéal des arômes prononcés et séduisants, pour ne pas dire envoûtants, de garrigue, d'herbes et d'épices, les faisant ressortir sans retenue et en toute complicité. Pourvus de tanins modérés, les vins seront suffisamment fruités et charnus pour mettre en valeur la texture moelleuse de la viande. Servir à 16 °C. Pour se rappeler ses dernières vacances, l'amateur de rosé pourra se faire plaisir avec des tavel, lirac, côtes de provence et autres rosés du sud de la France.

Viandes sautées Acte II

Brochettes d'agneau à la provençale
Côtelettes d'agneau sautées à la sauge
Côtelettes d'agneau aux herbes de Provence
Noisettes d'agneau aux herbes en croûte
Ragoût d'agneau au thym
Ragoût d'agneau aux oignons et au fenouil
Sauté d'agneau à la provençale
*Tajine d'agneau aux fonds d'artichaut**
*Tajine de mouton aux pruneaux**
Tangia d'agneau au cumin et aux olives*

Corse : ajaccio – patrimonio – vin de corse

Languedoc-Roussillon : faugères – fitou – minervois et minervois-la livinière – côtes du roussillon-villages

Provence : bandol – coteaux varois – côtes de provence – coteaux d'aix-en-provence – les baux de provence – palette

Rhône : côtes du luberon – côtes du rhône villages – gigondas – vacqueyras

Espagne : rioja (reserva et gran reserva) – grands crus du penedès – ribera del duero

Italie : carmignano rosso riserva – chianti classico riserva – grands vins toscans (IGT) à base de sangiovese

Autres pays : zinfandel de Californie et shiraz d'Australie

* Pour ces spécialités d'agneau et de mouton à la marocaine, je propose le mariage idéal avec le S de Siroua, un vin marocain juteux et fruité à souhait à base de syrah.

Côtes de Provence, Château La Tour de l'Évêque, Régine Sumeire (France)

Bandol, Château de Pibarnon, Comte de Saint-Victor (Provence)

Minervois, Château Villerambert Julien, M. Julien (Languedoc)

S de Siroua, Domaine des Ouled Thaleb (Maroc)

Shiraz Bin 50, South Australia, Lindemans (Australie)

Ribera del Duero, Tinto Pesquera, Alejandro Fernandez (Espagne)

Tangia d'agneau au cumin et aux olives
par Fabrice Mailhot, recette page 273

Le gibier
à plume

Ce n'est certes pas tous les jours que l'on déguste du faisan, du canard sauvage ou des cailles, aliments vedettes de certains restaurants classiques. Mais lorsque les amateurs de chasse rapportent en guise de trophée quelques-uns de ces volatiles, l'hésitation est grande en ce qui a trait au choix du vin. Généralement, le gibier à plume présente des saveurs prononcées. Toutefois, selon la recette et la personne qui est au fourneau, il peut aussi y avoir beaucoup de finesse et de subtilité, soulignées par une utilisation rationnelle et un choix judicieux des ingrédients. On ne peut, en effet, pour des raisons d'intensité et de goût, servir le même vin avec des cailles rôties au gingembre et une perdrix au chou.

Une fois de plus, c'est le vin rouge qui fera, en règle générale, le meilleur compagnon pour ce petit gibier, lequel, une fois préparé, offre indéniablement des saveurs très présentes en bouche, surtout si on le pare de délicieux champignons des bois. Le vin devra donc être à la hauteur, dans sa couleur, son nez et sa bouche. Qu'ils proviennent de Bourgogne, du Bordelais, de la vallée du Rhône, de Provence, de Toscane ou d'Espagne, les vins à privilégier auront en commun une forte personnalité, mais aussi une certaine délicatesse de goût... et d'esprit.

La traditionnelle caille aux raisins, par exemple, recherche la compagnie d'un vin rouge généreux, bien structuré mais aux tanins fondus pour ne pas brusquer la texture assez délicate de ce volatile. Arômes de fruits mûrs et de sous-bois complètent la description de ces vins qui ont pour noms, entre autres, volnay en Bourgogne, margaux et montagne-saint-émilion dans le Bordelais, ou brunello di montalcino en Toscane.

Les garnitures jouent également un rôle important dans le choix final du vin. Simples amateurs de champignons ou mycologues avertis, profitez de vos connaissances (intellectuelles et relationnelles) pour vous préparer un pigeonneau aux girolles ou aux cèpes. Accompagnez ce mets délicieux d'un vin corsé, aux tanins présents mais souples, presque fondus en fonction de l'âge du vin, et long en bouche comme peuvent l'être certains crus du Haut-Médoc, des vins de Morey-Saint-Denis en côte de Nuits ou certaines cuvées de cabernet sauvignon californien et australien. Leur bouquet, légèrement boisé, teinté d'épices et de vanille, s'harmonisera avec le fumet dégagé par les pigeonneaux... et les champignons.

Suprêmes de caille poêlés sur une salsa de pommes et d'endives braisées et parfumées aux épices, sauce au moût de pomme des Basses-Laurentides
par Anne Desjardins, recette page 252

Quant à l'utilisation de la truffe dans la farce, on peut se permettre le luxe de s'offrir un grand cru de Pomerol de quelques années. Quel plaisir au détour de chaque bouchée ! Quelle complicité entre le bouquet du vin et les effluves du plat, sans parler de l'heureuse combinaison entre la chair moelleuse du volatile et la rondeur du merlot !

Dans un registre un peu plus rustique, passons à la perdrix au chou, un mets apprécié certaines soirées d'automne... ou d'hiver, et ô combien savoureux ! Plus modeste dans ses exigences, ce mets vous encouragera moins à la dépense. Les amateurs de gamay et de beaujolais, une fois n'est pas coutume, feront vieillir de quelques années (de huit à dix, pourquoi pas ?) leur moulin à vent ou côte de brouilly préféré qui, une fois arrivé à maturité, se mettra quelque peu à « pinoter » (du cépage voisin pinot noir) et dégagera sous les narines privilégiées d'heureux bouquets d'épices tout à fait dignes de mention. Le cornas jouera aussi la carte du terroir et de la simplicité de son origine, sans pour autant négliger une carrure imposante qui lui sied si bien. Hors de France, je pense à certaines cuvées de chianti de quelques années, qui accompagnent très bien ce type de préparation.

Enfin, les amateurs de canard sauvage peuvent arrêter leur choix sur des vins de couleur profonde, amples et délicats, soutenus et longs en bouche. Les plus fortunés chercheront des crus de Gevrey ou de Chambolle, en Bourgogne ; les plus sages, quant à eux, pourront toujours se faire plaisir avec de délicieuses cuvées de mercurey. Attendre ce vin quelques années apportera une satisfaction gourmande et méritée. Ce sera la même chose si vous avez la patience d'attendre un vieux chinon de noble origine, issu d'un sol argilo-calcaire et que vous aurez conservé dans les meilleures conditions.

Mais attention ! ne croyez pas que les inconditionnels de vins blancs soient laissés pour compte. Au contraire ! Grâce à la force de la subjectivité et à cette vertu que l'on appelle « tolérance », les amateurs de vins blancs se régaleront avec certaines viandes, aussi gibier à plume soient-elles, de vins blancs généreux, soutenus et bien construits ; je pense à l'hermitage par exemple, au fameux et envoûtant tokay pinot gris pour les amateurs de vins alsaciens et, pour les plus fortunés, au trop rare musigny.

QUAND LA RACE ET LA FINESSE SONT AU RENDEZ-VOUS

L'idée de servir des vins assez bouquetés, conséquence de leur vieillissement (entre cinq et dix ans), est associée au niveau de saveur de la farce. Pour obtenir des bouquets complexes rappelant le cuir et les sous-bois, choisissez des vins âgés entre cinq et dix ans; versez-les en carafe une heure avant le repas afin de les aérer. Température de service: de 16 à 18 °C. Si vous êtes amateur de blancs, notamment avec la caille, procurez-vous des vins plus ou moins aromatiques, assez riches et bien structurés, tels que le savoureux et racé tokay pinot gris d'Alsace (essayez ceux de Ostertag, de Hugel, de Sparr, du Domaine Weinbach et de la cave de Pfaffenheim) ou le grand hermitage (Chave, Jaboulet ou Chapoutier). Optez pour des vins déjà évolués et servez-les à 10 °C.

/

Bordeaux: listrac – montagne-saint-émilion – moulis – pessac-léognan – puisseguin-saint-émilion – saint-émilion grand cru – saint-georges-saint-émilion

Bourgogne: beaune – bourgogne hautes-côtes de nuits – côte de brouilly – mercurey – moulin à vent

Loire: bourgueil (de sol de tufs) – chinon (de sols argilo-calcaires)

Languedoc-Roussillon: corbières (grandes cuvées) – coteaux du languedoc – côtes du roussillon – faugères – fitou – minervois-la livinière

Provence: bandol – coteaux d'aix-en-provence – les baux de provence

Rhône: gigondas – vacqueyras

Sud-Ouest: cahors – madiran

Italie: barbera d'alba – barbera d'asti – breganze – carmignano rosso – chianti classico – terre di franciacorta – sant'antimo – torgiano rosso riserva

Espagne: grands crus du penedès – rioja (gran reserva) – ribera del duero (tinto pesquera – viña pedrosa)

Autres pays: cabernet sauvignon d'Australie, de Californie ou du Chili – shiraz d'Australie et zinfandel de Californie

Bordeaux: margaux – pessac-léognan (crus classés) – pomerol – saint-julien – saint-émilion grand cru classé

Bourgogne: beaune premier cru – bonnes-mares – chambolle-musigny – clos de tart — clos de vougeot – corton – gevrey-chambertin – nuits-saint-georges – pommard – volnay – vosne-romanée

Rhône: châteauneuf-du-pape – cornas – hermitage

Italie: barbaresco – barolo – brunello di montalcino – gattinara – sagrantino di montefalco – grands IGT toscans à base de cabernet sauvignon et de sangiovese

QUAND LE CARACTÈRE N'EMPÊCHE PAS LA SUBTILITÉ

La chair ferme et délicate, mais aussi les saveurs franches et assez prononcées du gibier à plume font en sorte que le vin choisi aura une bonne charpente, des tanins présents, relativement fondus et sans aspérités ainsi que des bouquets délicats mais bien affirmés dans le cas des préparations accompagnées d'une farce assez relevée. On optera pour des vins âgés de quelques années (cinq à dix ans pour les plus grands). Servir entre 16 et 18 °C.

Bécasses sautées, sauce périgueux
Cailles aux raisins
*Cailles rôties au miel et au gingembre**
Cailles rôties aux pâtes fraîches et fonds d'artichauts
Canard sauvage braisé au curry
Faisan rôti aux champignons
Perdrix rôties aux cerises de terre
Poitrine d'oie farcie aux marrons
Pigeon rôti et caramélisé aux épices
Pigeon rôti au miel, sauce au vin rouge
*Pigeonneaux** aux cèpes et aux girolles*
Salmis de canard sauvage
Suprêmes de caille poêlés
Suprêmes de pigeon aux champignons sauvages
Tourte de cailles aux champignons

* Si vous désirez jeter votre dévolu sur un blanc, ce sera pas mal du tout avec un pinot gris d'Alsace.

** Il s'agit du pigeon-ramier appelé « palombe » dans le sud et le sud-ouest de la France.

bons achats

valeurs sûres

Coteaux du Languedoc Pic Saint-Loup, Château de Lancyre (France) 🍇🍇

Mercurey 1er cru, Clos des Myglands (Bourgogne) 🍇🍇🍇

Rioja, Gran Reserva, Marqués de Caceres (Espagne) 🍇🍇

Volnay 1er Cru, Clos des Santenots, Domaine Jacques Prieur (Bourgogne) 🍇🍇🍇🍇

Alghero, Tanca Farra, Sella & Mosca (Italie) 🍇🍇

St-Georges St-Émilion, Château Saint-Georges (Bordeaux) 🍇🍇🍇

Suprêmes de pigeon aux champignons sauvages
par Jean-Louis Massenavette, recette page 277

DES ROUGES CORSÉS ET CHARPENTÉS

Beaucoup de saveurs et de caractère avec ces préparations qui ne demandent pas mieux que de se faire escorter par des vins soutenus, corsés, charpentés, pleins de fruits bien mûrs et dotés de bouquets rappelant les sous-bois, le cuir et les épices. On cherchera des vins pas trop jeunes et il sera judicieux de procéder à un passage en carafe une heure avant de servir, à une température qui se situe entre 16 et 18 °C.

Faisan au chou rouge
Faisan farci aux noix
*Faisan poêlé aux tomates et au zinfandel**
Fricassée de pigeons aux olives
Perdrix à la catalane
Perdrix braisée au chou
Ragoût d'oie sauvage
Suprême de faisan, sauce épicée

* Le juteux zinfandel aux accents d'épices et de fruits très mûrs sera évidemment tout à fait approprié pour escorter cette recette. Les grandes maisons californiennes nous en proposent aujourd'hui des cuvées fort réussies (en plus de Ravenswood, essayez les cuvées de Ridge, Cline, Beringer, Caymus et du Domaine de la Terre Rouge).

Zinfandel, Vintner's Blend, California, Ravenswood (USA) 🍇🍇

Gigondas, Château du Trignon (Rhône) 🍇🍇

Pommard, Domaine de la Vougeraie (Bourgogne) 🍇🍇🍇🍇

Châteauneuf du Pape, Château de la Gardine, Brunel Frères (Rhône) 🍇🍇🍇

Liano, IGT Rubicone, Umberto Cesari (Italie) 🍇🍇🍇

Bandol, Domaine du Cagueloup (Provence) 🍇🍇🍇

Le gibier
à poil

Certains pays, comme la France et l'Italie, mais aussi le Canada et principalement le Québec, figurent certainement parmi les paradis du gibier à poil pour les gastronomes avertis. Bien apprêtés, ce qui n'est pas toujours facile à faire, chevreuil, cerf, marcassin, sanglier, orignal (élan d'Amérique) et caribou (renne d'Amérique) nous offrent de robustes harmonies.

Charpentés, tanniques, présentant des bouquets complexes et très riches, le pommard et les prestigieux crus de Pauillac, sans oublier les grands vins du Piémont qui ont pour nom barolo et barbaresco, feront la fête au chevreuil sauce grand veneur, ou, plus prosaïquement, à un carré de cerf et à un rôti d'orignal. La sauce poivrade d'un filet de chevreuil s'acoquinera très bien avec un hermitage rouge, tandis que le célèbre côte-rôtie ne fera ni une ni deux sur un filet de caribou ou de sanglier au vin rouge, se servant de sa charpente, de sa puissance et de sa finesse pour tomber en plein dans le mille.

De plus, des myrtilles aux atocas, en passant par les bleuets et les griottes, les fameux petits fruits permettent d'apprêter le gibier de bien agréable façon et de réaliser des mariages de contrastes entre la viande aux saveurs naturellement prononcées et la douceur sucrée des baies ou des fruits incorporés à la sauce. Il en résulte des accords gourmands avec des vins qui ne demandent pas mieux que de se montrer à la hauteur. Je pense à certaines cuvées de chianti classico ou de zinfandel de Californie. Par leurs bouquets riches de fruits et d'épices, puis parfois de cuir et de tabac en vieillissant, par leur charpente et leur acidité qui participe à l'équilibre, ces vins non dénués de fruit, issus le plus souvent de cépages bien spécifiques, relèvent admirablement le défi.

N'oublions pas enfin le petit gibier à poil. Rôti ou en civet, au genièvre ou aux herbes de Provence, le lièvre est mis en valeur par les vins de la vallée du Rhône méridional qui ont pour nom vacqueyras, gigondas et châteauneuf-du-pape. Cependant, des vins moins connus et à prix très abordables peuvent également très bien tenir ce rôle. Il suffit de penser à certaines cuvées du Languedoc, du Jura ou du Sud-Ouest, comme une syrah de Gaillac, pour s'en convaincre.

Pour ma part, il m'arrive à l'occasion de manger du gibier, et c'est toujours une fête, surtout quand il ne s'agit pas de gibier d'élevage. En effet, et aussi paradoxal que cela puisse paraître, il s'agit le plus fréquemment de gibier d'élevage ; les goûts et les saveurs sont moins prononcés et l'accord avec le vin est à revoir.

Une fois, cependant, cela se passait dans les belles Laurentides, au nord de Montréal, et des amis m'avaient invité à dîner. Gibier au menu, m'avaient-ils dit, sans me spécifier s'il s'agissait de castor ou de porc-épic. Quand le plat est arrivé, une odeur très prononcée, animale à souhait, a envahi la salle à manger. Mais ce n'était pas du tout désagréable !

Et puis, nous étions occupés à sentir les bouquets d'un bandol du Domaine Tempier de quelques années déjà, élaboré à 100 p. 100 de mourvèdre; un délice! La viande, dont je ne connaissais pas l'animal, était rouge, un peu trop grasse à mon goût, mais en bouche tout s'est très bien passé. Notre hôte n'avait pas négligé les épices pour donner un support à son gibier, et celles-ci se fondaient harmonieusement avec celles du vin. Le gras de la viande s'accordait finalement avec la rondeur du bandol encore charnu malgré les années, et ma foi, j'ai dû en reprendre. J'étais sûr d'une chose: ce n'était pas un animal d'élevage. Et pour cause! Quand je me suis levé pour prendre congé, mes amis m'ont enfin avoué que nous nous étions régalés de viande d'ours...

Il n'est pas question dans ce chapitre de suggérer des vins légers et sans caractère. Le gibier à poil réclame en effet des vins assez costauds qui tiennent la route, comme on dit, ce qui ne les empêche pas, quand ils sont bien nés, de revêtir une dimension aristocratique alliant force, race, finesse et puissance. Pour toutes ces raisons, en plus de toutes les suggestions qui suivent, j'ai choisi de vous offrir de savoureuses harmonies mises en scène par des vins issus de quatre cépages: la syrah, le sangiovese, le nebbiolo et la barbera.

À METS RELEVÉS, VINS CORSÉS

Autant que la cuisson et les aromates, le type de gibier joue un rôle dans le choix du vin. Le chevreuil, par exemple, de sa chair prononcée et tendre à la fois, exige un vin où structure et finesse font partie intégrante de sa personnalité (bordeaux, bourgogne, hermitage, côte-rôtie et certains crus italiens). Le lièvre, en général à la chair ferme, n'empêche pas, malgré tout, l'utilisation d'un vin fin. Le sanglier, préférablement cuisiné jeune sous le nom de «marcassin», se prépare souvent comme le chevreuil. Enfin, la saveur des vins doit être proportionnelle à celle des farces et des sauces; le moelleux de la chair commande des vins charnus, c'est-à-dire non dépourvus de tanins. Le défi sera de trouver un vin de quelques années ayant développé des bouquets subtils mais prononcés et dont les tanins sont encore présents pour lui donner suffisamment de structure. Servez ces vins à 16-18 °C environ.

🍇🍇 / 🍇🍇🍇

Bordeaux: canon-fronsac – listrac – saint-émilion grand cru

Languedoc-Roussillon: corbières et coteaux du languedoc (grandes cuvées) – côtes du roussillon-villages – saint-chinian (issu de sols argilo-calcaires)

Provence: bandol

Sud-Ouest: cahors vieux – madiran – pécharmant

Savoie: mondeuse de savoie

Italie: ghemme – refosco – sagrantino di montefalco – taurasi – teroldego rotaliano – torgiano rosso riserva – IGT à base de primitivo (Pouilles) et de nero d'avola (Sicile)

Espagne: priorat – ribera del duero – rioja gran reserva

Autres pays: grandes cuvées de shiraz (Australie) et de zinfandel (Californie)

🍇🍇🍇🍇

Bordeaux: pauillac – pessac-léognan (crus classés) – saint-émilion grand cru classé

Bourgogne: clos de tart – chambertin (et grands crus) – corton – gevrey-chambertin – morey-saint-denis – musigny – pommard – vosne-romanée (et grands crus dont le richebourg)

Rhône: châteauneuf-du-pape – cornas – côte-rôtie – hermitage

Italie: amarone della valpolicella – barbaresco – barolo – brunello di montalcino – vino nobile di montepulciano

Filets de cerf de Boileau, sauce au vin rouge, betteraves jaunes, carottes, panais et racines de persil de nos maraîchers rôtis au lard fumé
par Anne Desjardins, recette page 253

VARIATIONS AUTOUR DE LA SYRAH

La syrah, cépage à la mode depuis qu'il s'est répandu avec bonheur dans le sud de la France et dans quelques pays, dont l'Australie, sous le nom de « shiraz », séduit les amateurs de vins bien étoffés, corsés et aromatiques à souhait. Mais ce sont principalement les grands vins du Rhône qui l'ont fait connaître. Par ses parfums de fleurs et d'épices parfois fumés et ses saveurs poivrées, la syrah se marie bien avec les préparations assez riches, rehaussées de temps à autre par le célèbre condiment noir. Servir entre 16 °C (pour les moins corsés) et 18 °C (pour les plus soutenus).

Caribou à l'étouffée
Civet de sanglier au crozes-hermitage
Filet de chevreuil au poivre noir
Filet d'orignal aux poivrons
Filets de cerf de Boileau, sauce au vin rouge
Gigue de chevreuil grand veneur
Lièvre à la royale
Noisettes de chevreuil sauce poivrade
Râble de lièvre au genièvre
Râble de lièvre aux échalotes et champignons des bois
Râble de lièvre aux herbes de Provence
Rôti de cerf
Tournedos de caribou, sauce béarnaise

Shiraz, McLaren Vale, Château Reynella (Australie) 🍇🍇

Crozes-Hermitage, Domaine de Thalabert, Paul Jaboulet Aîné (Rhône) 🍇🍇🍇

Minervois, Cuvée Sylla, Domaine Borie de Maurel (Languedoc) 🍇🍇🍇

Côte Rôtie, Burgaud (Rhône) 🍇🍇🍇🍇

Shiraz, Victoria, Taltarni Vineyards (Australie) 🍇🍇

Syrah, Collezione de Marchi, Isole e Olena (Italie) 🍇🍇🍇🍇

VARIATIONS À L'ITALIENNE

Le toscan et bien nommé sangiovese, quand il est issu de bons terroirs, donne généralement des vins aromatiques, gorgés de fruits bien mûrs, bien structurés, dotés d'une bonne acidité et d'un peu de poivre en rétro-olfaction. Quant au cépage piémontais nebbiolo, il partage avec le précédent la puissance aromatique (cuir et tabac, en évoluant), la finesse, la matière, la richesse en tanin et l'acidité qui permettront aux vins qui en sont issus de vieillir en beauté. Enfin, la barbera s'est beaucoup améliorée depuis quelques années, et la cuvée Alfiera que je recommande plus bas est simplement d'une très grande réussite.

Carré de cerf aux griottes
Civet de chevreuil sauce aux myrtilles
Civet de lièvre au barolo
Côtelettes de chevreuil aux baies de cassis
Côtelettes de marcassin grillées
Filet de caribou, sauce aux bleuets
Filet de marcassin au chianti et aux groseilles
Filet de sanglier au vin rouge
Noisettes de chevreuil aux atocas et au vin rouge
Rôti d'orignal au vin rouge
Tournedos de bison aux canneberges

Servir des vins de quelques années, à 16-18 °C environ. Vous ne vous tromperez pas en servant le même vin (ou presque) que celui qui a servi à élaborer la sauce... et vive les vins d'Italie !

bons achats
valeurs sûres

Chianti Classico, Riserva Petri, Castello Vicchiomaggio (Toscane) 🍇🍇

Barolo, Dardi Le Rose Bussia, Poderi Colla (Piémont) 🍇🍇🍇🍇

Barbera d'Asti, Alfiera, Marchesi Alfieri (Piémont) 🍇🍇🍇🍇

Barbaresco, Bric Turot, Prunotto (Piémont) 🍇🍇🍇

Vino Nobile di Montepulciano, Avignonesi (Toscane) 🍇🍇🍇

Chianti Classico, Castello di Meleto (Toscane) 🍇🍇

Les abats

Les abats font le régal des gourmets et des connaisseurs depuis longtemps dans les contrées à tradition gastronome. Les amateurs des pays moins portés sur la fine cuisine s'y sont toutefois mis allègrement et dévorent, si l'on peut dire, ris, rognons, foies de veau et foies de volaille. Ils demandent à leur boucher de les leur mettre de côté, remerciant le veau, principalement, de sa grande générosité. En effet, on n'hésite plus aujourd'hui à se procurer ces parties, assuré que l'on est de concocter une recette à son goût et à celui de ses invités, même si c'est au restaurant que la plupart s'en régalent. Quant au foie gras, qu'il soit d'oie ou de canard, qu'il soit nature ou, comme c'est de plus en plus souvent le cas, poêlé, il y a belle lurette que les disciples d'Épicure en ont découvert les charmes, la subtilité, le goût et la suavité.

Avant de traiter dans le menu détail des plaisirs du roi des abats, penchons-nous sur les autres, de moins grande noblesse, sans doute, mais riches en saveur et en finesse. Toujours prêts à se laisser mettre en valeur par un vin choisi avec soin, ces aliments réclament du cordon-bleu connaissance et expérience; par ailleurs, ils offrent des joies gustatives parfois insoupçonnées aux amateurs avertis.

Les abats se classent en deux groupes: les blancs et les rouges. Des premiers, je ne retiendrai que la cervelle et les ris; je laisserai aux plus hardis le soin de trouver «chaussures» aux pieds de porc et «chapeau» à la tête de veau. Quant aux amourettes, même s'il y a souvent méprise*, elles correspondent à la moelle épinière, le plus souvent à celle du bœuf ou du veau, et ne jouent qu'un rôle de second plan dans la préparation de certains plats.

Les ris (ou thymus), situés à la partie inférieure du cou des jeunes animaux, représentent l'abat le plus recherché. D'une consistance moelleuse et de couleur blanchâtre, ils sont le plus souvent braisés, sautés, grillés, parfois panés. Et la cuisson joue un rôle primordial: lorsque les ris sont pochés, la texture moelleuse des abats invite à des blancs tout en souplesse. En revanche, les vins rouges sont tout indiqués pour escorter les ris braisés. En fait, en plus de la cuisson, les ingrédients et la recette dans son ensemble décideront de la couleur et du type de vin; mais puisque blancs et rouges leur feront honneur, le choix sera aussi une question de goût personnel.

Rognons de veau grillés à la sauce moutarde
par Jean-Paul Grappe, recette page 265

En ce qui a trait à la cervelle, inutile de vous la creuser... La texture particulière de cet abat et les sauces qui l'accompagnent empêchent bien des mariages heureux. Optez donc pour des rosés secs comme le tavel, le lirac ou une sympathique cuvée de la Rioja.

En ce qui concerne les abats rouges, je donne la langue au chat, je mets de côté les poumons et le cœur pour ne retenir que le foie, principalement de veau, et les reins du même animal, communément appelés « rognons ». Si ce foie se marie bien à des rosés ou à des rouges souples, peu tanniques, légers ou moyennement corsés, les rognons, généralement sautés, se prêtent en revanche à de nombreuses déclinaisons culinaires, mais leur couleur, leur saveur relevée (ce qui n'empêche pas la finesse) et les condiments utilisés incitent à les accompagner de vins rouges bien structurés, tout en volume, c'est-à-dire assez charnus.

* En effet, en matière de gastronomie, les références françaises confirment que les amourettes correspondent à la moelle épinière et que les animelles sont les testicules des animaux de boucherie. Mais certaines personnes, plus romantiques, sans doute, soutiennent mordicus que ces testicules devraient êtres dénommés « amourettes ». Quant à la recette italienne d'animelle au marsala, elle fait référence aux ris de veau. De quoi en perdre son latin...

ROUGE OU ROSÉ AVEC LE FOIE DE VEAU

Les préparations du foie de veau sont relativement simples et la viande est préférablement servie rosée. Aussi, des vins rouges légers à moyennement corsés s'imposent. Il suffit de choisir des vins jeunes (de un à trois ans) et de les servir à une température oscillant entre 12 et 15 °C. Ceux qui préfèrent le rosé insisteront sur le caractère affirmé d'un vin sec, non dépourvu de générosité et servi à 8-10 °C.

Foie de veau à l'anglaise
Foie de veau au vinaigre balsamique et à la ricotta
Foie de veau au vin rouge et aux champignons
Foie de veau grillé ou poêlé
*Foie de veau sauté à la lyonnaise**
Foie de veau sauté aux herbes
(Foie de porc braisé au lard)

Bordeaux : bordeaux – premières côtes de blaye

Bourgogne : beaujolais-villages – bourgogne passe-toutgrain

Languedoc-Roussillon : corbières rosé – côtes du roussillon rosé – faugères rosé – minervois rosé et rouge léger – saint-chinian rosé – vins de pays d'oc (merlot et pinot noir)

Loire : anjou gamay – gamay de touraine – saumur

Autres régions : arbois rosé – coteaux du lyonnais – côtes de provence rosé – côtes du frontonnais rosé – côtes du ventoux – côtes du vivarais – coteaux du tricastin – costières de nîmes rosé – vins de pays des côtes de gascogne

Italie : bardolino – collio et colli orientali del friuli rosato – dolcetto d'alba – lison-pramaggiore (cépage merlot) – valpolicella classico

Espagne : navarra rosé – rioja rosé – vins de pays (vino de la tierra)

Autres pays : vins d'Afrique du Sud et du Chili à base de merlot

Alsace : pinot noir
Beaujolais : brouilly – chiroubles – fleurie
Bordeaux : lussac-saint-émilion – médoc – premières côtes de blaye
Jura : arbois – côtes du jura
Loire : anjou-villages – saint-nicolas-de-bourgueil – menetou-salon rouge
Rhône : lirac rosé – tavel

* Pour le foie de veau à la lyonnaise, tradition et affinités régionales obligent, on privilégiera les vins du Beaujolais et du Lyonnais.

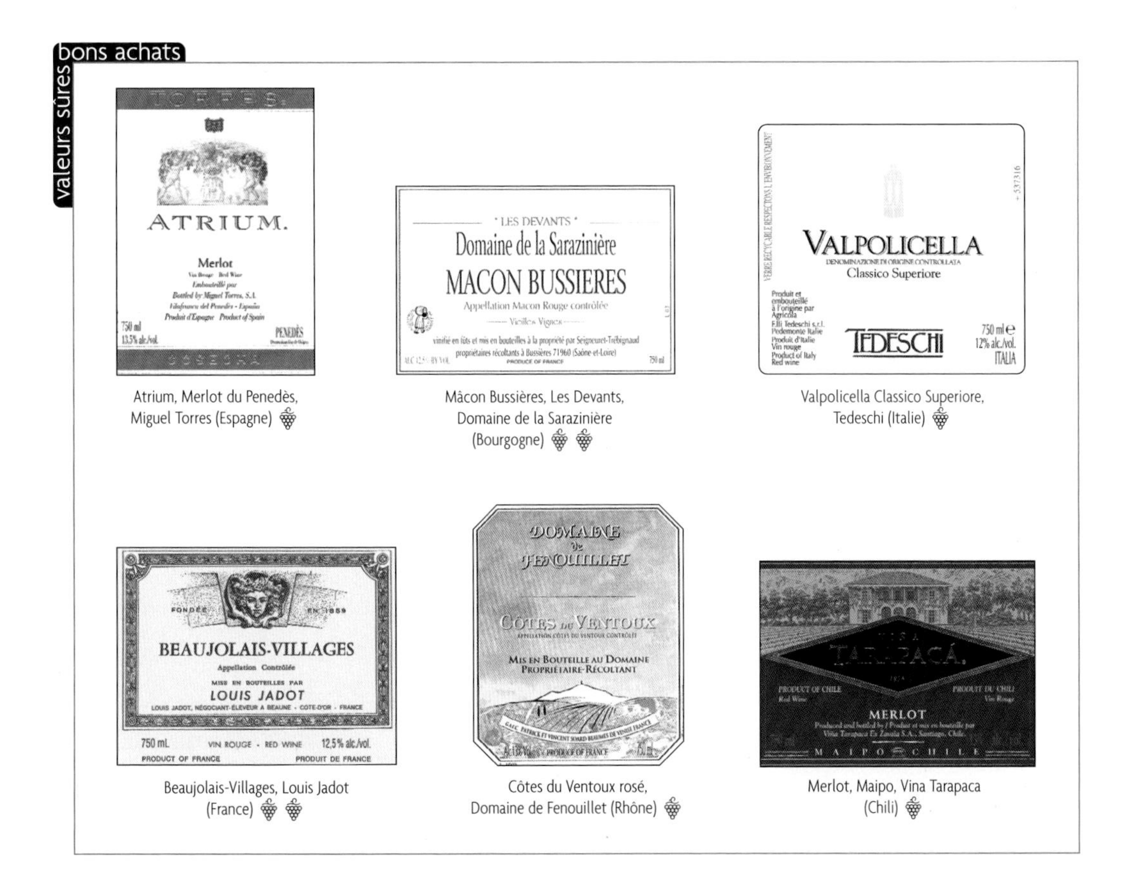

Atrium, Merlot du Penedès, Miguel Torres (Espagne)

Mâcon Bussières, Les Devants, Domaine de la Sarazinière (Bourgogne)

Valpolicella Classico Superiore, Tedeschi (Italie)

Beaujolais-Villages, Louis Jadot (France)

Côtes du Ventoux rosé, Domaine de Fenouillet (Rhône)

Merlot, Maipo, Vina Tarapaca (Chili)

MARIAGES EN BLANC AVEC LES RIS

Voici des mariages contractés pour le meilleur... et pour le prix! En effet, il est difficile de recommander un produit moyen avec une cuisine comme celle dont il est question ici. Le craquant du feuilleté, la couleur et la tendreté des ris, le moelleux de la crème, tous les éléments sont là pour suggérer un vin blanc, sec, onctueux, très souple, très fin (âgé de six à huit ans minimum, servi à 12 °C). On n'hésitera pas, dans ce cas, à privilégier les vins à base de chardonnay. L'acidité du vin donnera du relief à la sauce, le bouquet noisetté du cépage relèvera la saveur fine du ris, et l'ensemble parfait du mets n'aura d'égal que la longueur et la persistance en bouche du vin. Pour les accros au bordeaux, le gras du cépage sémillon de nombreux crus de Pessac-Léognan réservera de belles surprises.

Bouchées à la reine
Cœur de ris de veau à l'orange confite
Croquettes de ris de veau
Feuilleté de ris de veau à la crème
Noix de ris de veau, chutney de pommes et oignons
Ris de veau à la crème et aux champignons
Ris de veau braisés au vin blanc

Bordeaux: pessac-léognan

Bourgogne: auxey-duresses – meursault – pouilly-loché – pouilly-fuissé – pouilly-vinzelles – saint-aubin

Rhône: château-grillet – condrieu

Autres pays: vins blancs à base de chardonnay d'Italie (IGT de toscane), d'Espagne et du Nouveau Monde (Argentine, Australie, Chili, Nouvelle-Zélande, Californie, Canada, etc.)

bons achats

valeurs sûres

Chardonnay, Hawke's Bay, Irongate (Nouvelle-Zélande)

Limoux, Toques et Clochers, Les Caves du Sieur d'Arques (Languedoc)

Mâcon Viré, Domaine André Bonhomme (Bourgogne)

Chardonnay, Russian River Valley, Marimar Torres Estate (Californie)

Pessac-Léognan, Château Carbonnieux (Bordeaux)

Chardonnay, Reserve, Niagara Peninsula, Henry of Pelham (Canada)

Cœur de ris de veau à l'orange confite
par Jean-Louis Massenavette, recette page 279

VIN ROUGE ET RIS DE VEAU : UNE UNION ÉLÉGANTE ET RAFFINÉE

La délicatesse et la finesse de certains vins issus de cabernet, de merlot ou de pinot noir vont comme un gant aux préparations de ris de veau, cet abat raffiné dont le moelleux requiert des vins délicats aux tanins assouplis, ce qui n'empêche pas une certaine structure (à cause de la cuisson). Choisir des crus âgés de 6 à 10 ans et servir à 15-16 °C. Les prix seront proportionnels à la noblesse du mets.

Casserole de rognons et ris de veau
Escalopes de ris de veau braisées au vin rouge
Ris de veau au porto et à la coriandre
Ris de veau braisés à l'orange
Ris de veau braisés aux morilles
Ris de veau en cocotte

🍇🍇 / 🍇🍇🍇

Bordeaux : canon-fronsac – haut-médoc – listrac – médoc – moulis – pessac-léognan
Bourgogne : fixin – pernand-vergelesses – saint-aubin – savigny-lès-beaune
Loire : bourgueil – chinon
États-Unis : pinot noir de Californie et d'Oregon

🍇🍇🍇🍇

Bordeaux : margaux – pauillac – pessac-léognan (crus classés) – pomerol – saint-émilion grand cru – saint-estèphe – saint julien
Bourgogne : aloxe-corton – chambolle-musigny – morey-saint-denis – volnay – vougeot
États-Unis : grandes cuvées de pinot noir de Californie et d'Oregon

bons achats
valeurs sûres

Mercurey, Domaine Michel Juillot (Bourgogne) 🍇🍇🍇

Case Via Pinot nero, IGT Toscana, Fontodi (Italie) 🍇🍇🍇

Côtes de Castillon, Château La Roche Beaulieu (Bordeaux) 🍇🍇

Beaune, Vignes Franches, Louis Latour (Bourgogne) 🍇🍇🍇🍇

Saint-Émilion Grand cru, Château Destieux (Bordeaux) 🍇🍇🍇🍇

Pinot noir, Yarra Valley, Coldstream Hills (Australie) 🍇🍇🍇

NOCES ROUGES AVEC LES ROGNONS

Les rognons de veau (parfois d'agneau) sont suffisamment savoureux pour qu'on les accompagne de vin rouge. Mais attention ! il faut choisir des vins plus souples, pas trop capiteux, avec les rognons grillés au madère et à la moelle. Si la sauce est relevée comme peut l'être celle à la moutarde, on gagnera à choisir un vin assez puissant et charpenté (à titre d'exemples : certaines cuvées de corbières, fitou, bandol, torgiano rosso riserva, barolo, cornas et châteauneuf-du-pape) pour tenir tête à l'ensemble.

*Casserole de rognons et de ris de veau**
Rognons d'agneau poêlés
Rognons de veau à la flamande
Rognons de veau à l'américaine
(bacon, champignons et tomate)
Rognons de veau à la moelle
Rognons de veau grillés à la sauce moutarde
Rognons de veau au madère ou au xérès
Rognons de veau en cocotte
Rognons de veau grillés, sauce béarnaise
*Rognons de veau sautés au banyuls***
Rognons de veau sautés, sauce au genièvre
Rognons de veau sautés au citron
*(rognoncini trifolati) ****

🍇

Languedoc-Roussillon : corbières – coteaux du languedoc – côtes du roussillon-villages – faugères – fitou – saint-chinian (issu de sols argilo-calcaires)

Autres pays : malbec d'Argentine et carmenère du Chili – IGT à base de primitivo (Pouilles) et de nero d'avola (Sicile)

🍇🍇 / 🍇🍇🍇

Bordeaux : bordeaux supérieur – bordeaux côtes de francs – canon-fronsac – côtes de bourg – listrac – saint-émilion grand cru

Bourgogne : givry – mercurey – morgon – moulin à vent – régnié

Provence : bandol – coteaux d'aix-en-provence – côtes de provence – les baux de provence

Rhône : côtes du rhône-villages – gigondas – vacqueyras

Languedoc : collioure – corbières (grandes cuvées)

Italie : chianti classico riserva – gattinara – ghemme – refosco – sagrantino di montefalco – taurasi – teroldego rotaliano – torgiano rosso riserva

Espagne : priorat – ribera del duero – rioja gran reserva

Autres pays : grandes cuvées de shiraz (Australie) et de zinfandel (Californie)

🍇🍇🍇🍇

Bordeaux : pauillac – pessac-léognan (crus classés) – saint-émilion grand cru classé

Bourgogne : clos de tart – chambertin (et grands crus) – gevrey-chambertin – morey-saint-denis – pommard – vosne-romanée (et grands crus dont le richebourg)

Rhône : châteauneuf-du-pape – cornas – côte-rôtie – hermitage

Italie : amarone della valpolicella – barbaresco – barolo – brunello di montalcino – carmignano rosso riserva – vino nobile di montepulciano

Servir les vins corsés entre 16 et 18 °C et les autres entre 14 et 16 °C.

* Entre le rouge et le blanc, mon cœur balance... Mais la préparation permettra de se faire plaisir, soit avec un grand vin rouge tout en souplesse, soit avec un grand vin blanc de fort caractère. Je pense au tokay pinot gris que j'ai essayé il y a peu de temps. Avec un alsace grand cru, le succès est assuré !

** Le nom de la recette laisse sous-entendre l'utilisation de ce délicieux vin doux naturel rouge du Roussillon qu'est le banyuls. Harmonies de saveurs et de couleurs où le bouquet voluptueux de vanille et de torréfaction du vin est complice des effluves du plat. Servez-le entre 12 et 15 °C.

*** Des vins italiens comme le morellino di scansano, les collio et colli orientali del friuli (cabernets) sont tout indiqués avec cette préparation à l'italienne. Recherchez une certaine acidité dans le vin pour compenser celle du citron et servez entre 14 et 16 °C environ.

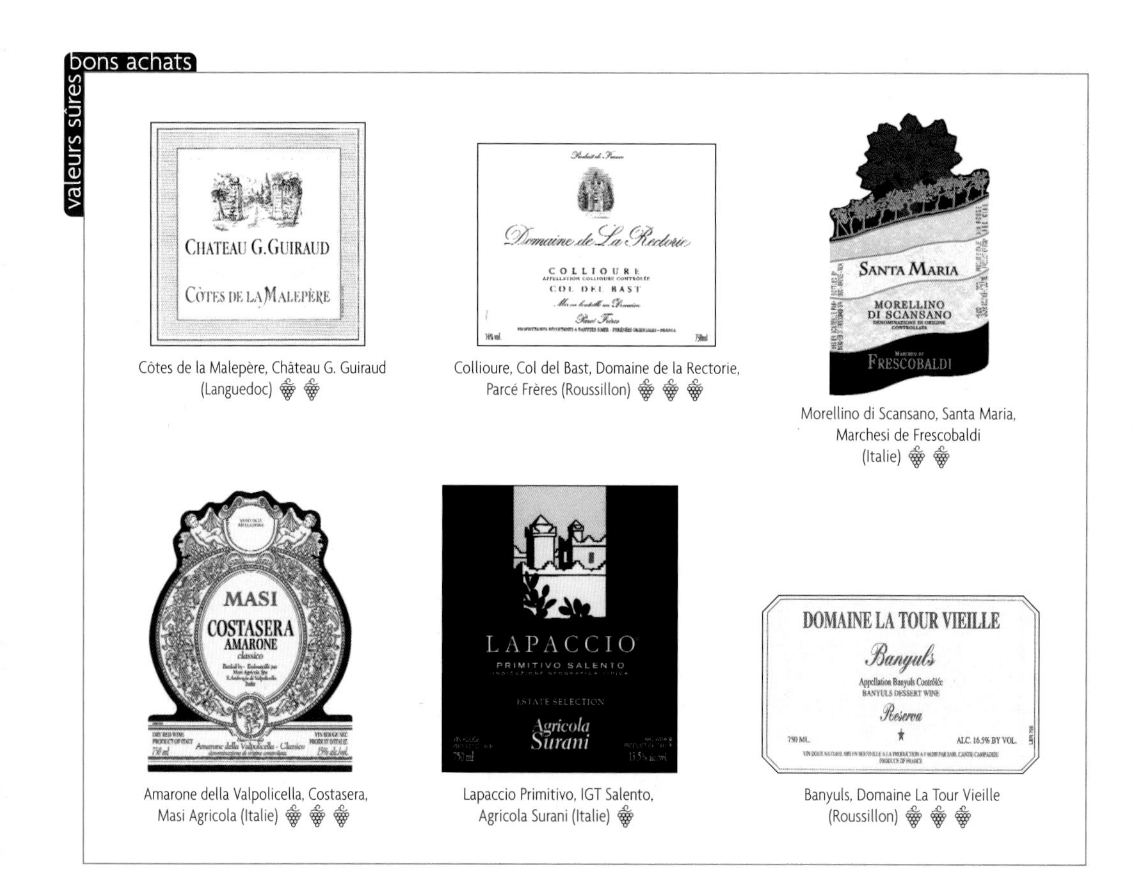

Côtes de la Malepère, Château G. Guiraud (Languedoc) 🍇🍇

Collioure, Col del Bast, Domaine de la Rectorie, Parcé Frères (Roussillon) 🍇🍇🍇

Morellino di Scansano, Santa Maria, Marchesi de Frescobaldi (Italie) 🍇🍇

Amarone della Valpolicella, Costasera, Masi Agricola (Italie) 🍇🍇🍇

Lapaccio Primitivo, IGT Salento, Agricola Surani (Italie) 🍇

Banyuls, Domaine La Tour Vieille (Roussillon) 🍇🍇🍇

Le foie gras

N'en déplaise à ceux qui sont contre le gavage de ces adorables volatiles que sont l'oie et le canard, mais, l'occasion faisant le larron, qui ne se laisserait tenter par la savoureuse alliance d'un foie gras avec un grand vin ? La coutume d'engraisser ces palmipèdes ne date pas d'hier : on a retrouvé en effet sur des bas-reliefs égyptiens (plus précisément dans le village archéologique de Saqqarah, au sud-ouest du Caire) des scènes de gavage d'oies ressemblant étrangement à nos techniques d'aujourd'hui.

Côté vin, le choix est dicté par le goût personnel (le vôtre et celui de vos convives), que le foie soit cuit en terrine, en brioche ou au torchon. Que vous serviez un vin liquoreux comme un grand sauternes, capiteux à souhait tel un grand vin doux naturel (les muscats du Languedoc-Roussillon), un vin blanc sec et très souple comme un meursault ou un grand vin rouge généreux et délicat à la fois, dans le plus pur style château du haut-médoc, finesse et subtilité seront au rendez-vous avec ces grands seigneurs de la table.

En réalité, le foie gras est un aliment assez noble pour ne pas susciter la polémique. Si le vin est grand, le foie gras sera au diapason et jouera en finesse et en subtilité. Il suffit de connaître ses classiques pour ne pas se tromper et atteindre des sommets qui laisseront le plus souvent vos invités sous le charme.

Ayant la chance depuis une quinzaine d'années de faire partie d'un jury en Anjou, je dois dire que foie gras et vin blanc moelleux font drôlement bon ménage. En effet, nous passons deux jours (extrêmement difficiles !) à goûter une multitude de foie gras venus des alentours ainsi que la production viticole du pays angevin. Et chaque année, c'est la rencontre magique du noble abat et du liquide or vert. Mariage de textures, bien sûr, suave et tout en souplesse, mais aussi complémentarité des éléments. L'acidité du vin qui allège le gras du foie ; les bouquets de miel, de tilleul et d'abricot du grand cépage chenin, qui soulignent judicieusement la délicatesse de saveur du mets et gomment, quand cela est nécessaire, cette touche très légèrement amère qu'on y retrouve parfois...

Si le foie gras est servi chaud, cuit à la poêle, un grand vin rouge tel un pomerol ou un saint-émilion grand cru fera très bien l'affaire. Dans ce cas, les ingrédients utilisés influenceront le choix final. Beaucoup de variations sont possibles, des raisins aux baies de cassis en passant par certains condiments comme la cardamome. Les délicieux vins doux naturels rouges, tels que rivesaltes, maury, banyuls, et, du Portugal, l'incomparable vin de Porto seront tous à la hauteur de la situation.

Je ne peux oublier cette expérience fabuleuse qui m'a prouvé que, bien souvent, la simplicité est mère de plaisirs indicibles. Imaginez, sur un gril artisanal alimenté par des sarments de vigne, des escalopes de foie gras de canard à profusion, cuisant ainsi, sans façon, en plein cœur de juillet. Cela se passait en pays gascon, et madiran (rouge) et pacherenc (blanc doux) étaient à l'honneur, ensemble ! Avec des vignerons du cru autour de la table, le béret bien vissé, et du pain de campagne dans nos assiettes, quel régal !

LES NOCES D'OR DU FOIE GRAS

Avec le foie gras, il y a les irréductibles du blanc liquoreux ; cependant, de plus en plus d'adeptes du vin sec découvrent les vertus d'une harmonie moins basée sur le sucré. Voilà donc deux avenues tout aussi sensuelles l'une que l'autre avec les mets suivants.

Couscous de foie gras aux petits légumes
*Escalopes de foie gras poêlées à la cardamome**
Foie gras au torchon
*Foie gras chaud aux raisins***
Foie gras de canard en cocotte
Foie gras en brioche
Foie gras frais en terrine
(au naturel, truffé ou non)
Foie gras et purée d'aubergine à la sauce au thé
Foie gras poêlé aux poires, au sauternes, etc.
Galantine de foie gras de canard
Mousse de foie gras

Vins blancs moelleux et liquoreux

Disposant de plus en plus d'un produit de très grande qualité, les amateurs se sont mis à cuisiner le foie gras et à le marier dans les règles de l'art. Il s'agit ici d'une alliance de textures où le moelleux du foie se mesure à l'onctuosité du vin doré. Les moelleux et autres liquoreux sont de la fête et rivalisent d'opulence, de miel et d'équilibre (principalement en ce qui a trait à l'acidité) pour mieux mettre en valeur les différentes facettes du noble abat.

🍇🍇 / 🍇🍇🍇

Bordeaux : barsac – cadillac – cérons – loupiac – sainte-croix-du-mont – sauternes

Loire : bonnezeaux – coteaux de l'aubance – coteaux du layon (et villages) – montlouis – vouvray

Sud-Ouest : côtes de bergerac moelleux – gaillac premières côtes – haut-montravel – jurançon – monbazillac – pacherenc du vic bilh moelleux

Vins doux naturels : muscat de beaumes de venise, de frontignan, de lunel, de mireval, de rivesaltes et de saint-jean-de-minervois

Italie : collio et colli orientali del friuli (cépage picolit) – malvasia delle lipari – moscadello di montalcino – moscato di pantelleria passito – moscato di trani – ramandolo

Autres pays : riesling auslese (Allemagne et Autriche) – tokaji aszu (Hongrie)

🍇🍇🍇 / 🍇🍇🍇🍇

Alsace : vendanges tardives et sélection de grains nobles

Bordeaux : barsac et sauternes (crus classés)

Autres régions : quarts de chaume – arbois, côtes du jura et hermitage (vins de paille)

Italie : albana di romagna passito – breganze torcolato – passito di pantelleria – recioto di soave – vini santi

Autres pays : riesling, beerenauslese et trockenbeerenauslese (Allemagne et Autriche) – vins de glace d'Allemagne, d'Autriche et du Canada (Ontario)

On servira les vins moelleux et liquoreux à 8 °C (10 °C pour les plus corsés) lorsqu'ils auront atteint l'âge de cinq ans, pas avant, sauf pour les muscats, que l'on boit plus jeunes.

* Un Jurançon bien moelleux est proposé pour ce plat, mais un vin rouge souple et peu tannique pourrait très bien relever le défi.

** Voici le type de préparation qui s'accommodera de blanc ou de rouge, selon votre goût. Je me suis régalé d'un grand pineau des charentes doré, âgé de 10 ans et servi frais. Un délice !

Muscat de Rivesaltes, Domaine Cazes (Roussillon) 🍇🍇

Pineau des Charentes, Vieille Réserve Or, Château de Beaulon (France) 🍇🍇🍇

I Capitelli, IGT Veneto, Roberto Anselmi (Italie) 🍇🍇🍇

Monbazillac, Château Tirecul La Gravière (Sud-Ouest) 🍇🍇🍇🍇

Passito di Pantelleria, Ben Ryé, Donnafugata (Italie) 🍇🍇🍇🍇

Pacherenc du Vic Bilh, Brumaire, Alain Brumont (Sud-Ouest; 500 ml) 🍇🍇

Vins blancs secs

Pour des harmonies de saveurs et de textures réussies, choisir des vins secs ayant de la matière et du gras, sinon vous risqueriez de mettre en relief une éventuelle amertume. Les amateurs d'alsace, notamment avec le foie gras en brioche, opteront pour un délicieux alsace grand cru, de cépage tokay pinot gris; certains adorent le très aromatique gewürztraminer, c'est selon les goûts de chacun. La température de service se situe aux environs de 12 °C et l'âge idéal est de 8 à 10 ans.

🍇🍇🍇/🍇🍇🍇🍇

Alsace: alsace grand cru (gewürztraminer, riesling et pinot gris)

Bourgogne: chassagne-montrachet – corton-charlemagne – meursault – montrachet (et les autres grands crus de Puligny et Chassagne)

Bordeaux: pessac-léognan (crus classés)

Champagne: champagne brut (si possible cuvées prestige)

Jura: château-chalon

Loire: savennières-la coulée de serrant

Rhône: château-grillet – condrieu – hermitage blanc

Autres pays: grandes cuvées d'Australie et de Californie à base de chardonnay et de viognier

L'UNION DURABLE DU FOIE GRAS ET DU VIN ROUGE

Pour ceux qui voudraient un vin rouge, je recommande particulièrement un grand pomerol de quelques années avec le foie gras truffé. D'une part, dans ces conditions, les effluves de ce rare et délicieux champignon souterrain se retrouvent souvent dans le bouquet de cette appellation bordelaise ; d'autre part, les tanins souples et soyeux d'un vin issu principalement du cépage merlot se marient à merveille avec la texture du foie gras. Cependant, il faut penser que le foie gras de canard offre des saveurs plus marquées que celles du foie d'oie, ce qui peut influencer le choix final.

*Foie gras de canard poêlé au miel et aux raisins**
Foie gras poêlé, déglacé au madère
*(au porto, au banyuls ou au rivesaltes)**
*Foie gras poêlé, sauce aux baies rouges**
(cassis, bleuets, myrtilles, etc.)
Foie gras poêlé, servi nature
*Terrine de pigeon au foie gras de canard***
*Tranche de foie gras poêlé à l'estragon et aux raisins, déglacé au porto**

🍇🍇

Sud-Ouest : cahors vieux – madiran

🍇🍇🍇

Bordeaux : canon-fronsac – montagne saint-émilion – saint-georges-saint-émilion

Vins doux naturels : banyuls – banyuls grand cru – maury – rivesaltes vieux

Autres régions : pineau des charentes ruby de 10 ans

🍇🍇🍇🍇

Bordeaux : margaux – pauillac – pessac-léognan (crus classés) – pomerol – saint-émilion grand cru

Bourgogne : bonnes-mares – chambertin – clos de tart – corton – nuits-saint-georges – richebourg – romanée-conti

Autres pays : grandes cuvées des États-Unis (Californie, Oregon), du Canada ou d'Italie (Toscane) à base de merlot et de pinot noir

Au-delà de la couleur et de la structure du vin, il sera important encore une fois de mettre en relief sa rondeur grâce à des tanins souples, assagis et bien mûrs. Le cépage merlot dominera dans le bordeaux et le pinot noir en bourgogne sera formidable, dans la mesure où l'on servira des vins âgés entre 6 et 10 ans.

Naturellement, il sera judicieux de servir le même vin que celui qui est utilisé dans la sauce. Dans le cas du madère, choisissez un vieux millésime de malvoisie (malmsey). Pour le porto, optez pour un vieux vintage ou un tawny âgé de 20 ou 30 ans. Parmi les vins doux naturels, choisissez un rivesaltes, un maury de 10 ans ou un banyuls rancio.

La température de service se situe autour de 16-18 °C. Les vins doux naturels rouges et le porto seront servis à une température oscillant entre 12 et 14 °C. Le madère pourra être servi légèrement plus frais.

* Pour ces préparations, un vin doux naturel rouge permettra une harmonie magique.

** Même si un tokay d'Alsace est fortement recommandé avec cette préparation « alsacienne », je verrais très bien un vin rouge de Bourgogne, comme ceux suggérés plus haut, d'autant plus que le pinot noir fait partie de la préparation du fond de pigeon.

Couscous de foie gras aux petits légumes
par Fabrice Mailhot, recette page 272

Madiran, Château Montus, Alain Brumont (Sud-Ouest) 🍇🍇🍇

Rivesaltes, Vieille Réserve, Ambré Hors d'Âge, Vignerons Catalans (Roussillon) 🍇🍇🍇

Pomerol, Château La Croix (Bordeaux) 🍇🍇🍇🍇

Pineau des Charentes, Vieille Réserve Ruby 10 ans, Château de Beaulon (France) 🍇🍇🍇

Nuits Saint-Georges, Domaine des Perdrix, B. et C. Devillard (Bourgogne) 🍇🍇🍇🍇

Osoyoos Larose, Le Grand Vin, Okanagan Valley (Canada) 🍇🍇🍇

Foie gras et purée d'aubergine à la sauce au thé
par Jean Soulard, recette page 288

Les fromages

Un repas sans fromage, dit-on, c'est comme une journée sans soleil ! Voilà une affirmation parmi tant d'autres à propos de cet aliment sans lequel nous serions, il est vrai, bien malheureux.

C'est bien connu, on l'a dit et redit, et c'est sans doute vrai : la France est le paradis du fromage. Sans faillir, et malgré les vicissitudes du marché qui font que le produit industriel a pris une grosse part... du fromage, la France reste souveraine dans ce domaine, offrant aux amateurs une variété de purs régals fermiers qui, par surcroît, sont très bons pour la santé, ce qui ne gâte rien.

D'autres pays d'Europe ne sont pas en reste, mais ils n'offrent pas l'éventail que propose l'hexagone voisin. Pays de vins, pays de fromages, la France a prédestiné ces deux aliments liquides et solides à faire bon ménage et à jouer en duo les plus belles mélodies. Du reste, n'associe-t-on pas au fromage, comme nous le faisons pour le vin, les mêmes notions de terroir et de cru ?

En fait, qu'il soit issu de lait entier ou non, qu'il soit à base de lait cru ou pasteurisé comme dans bien des cas, le fromage fait partie depuis belle lurette des traditions alimentaires et culinaires de plusieurs pays – de la France, principalement, mais aussi de la Suisse, de l'Italie et de la Hollande. D'autres pays relèvent le défi brillamment. C'est ainsi que, grâce à des experts chevronnés qui ont compris le potentiel naturel de l'industrie fromagère dans certaines de ses régions, le Québec propose aujourd'hui des produits savoureux dignes d'être comparés aux plus grands de ce monde.

On trouvera donc dans les pages qui suivent une large gamme de fromages français (avec des précisions sur la région, la forme et l'éventuelle appartenance à l'AOC – appellation d'origine contrôlée), bien sûr, mais aussi des fromages italiens (avec la DOC pour les appellations d'origine contrôlée), espagnols, québécois, etc.

Tout jeune, en même temps que je découvrais la petite vigne familiale, j'ai eu la chance d'être initié aux produits laitiers chez le meilleur maître fromager de la région. Le congé scolaire du jeudi, jour de marché, signifiait « argent de poche » et surtout « fromages ». Nous roulions les meules d'emmental, bien lourdes malgré leurs trous, pour les présenter aux ménagères qui piaffaient d'impatience, chaque semaine, avant de se ruer sur nos fromages de chèvre, de vache ou de brebis. Je me souviens de ces femmes qui soulevaient ces jolies boîtes de camembert ornées de moines aux têtes rougeaudes, pour enfoncer leurs pouces exercés et tâter ainsi la fameuse pâte molle. Mon grand bonheur était de les voir traverser le papier, car je m'étais fait au jeu du patron qui, l'œil noir, écartait de la vente ces fromages abîmés, puis me les donnait, en cachette de sa femme, pour me faire plaisir. Je rentrais à la maison, fier comme Artaban, quelques trésors normands dans un sac, que je m'empressais de partager... et de manger. C'est ainsi que j'ai découvert les délices du fromage, et à voir la tête des grandes personnes qui m'entouraient, le plaisir qu'il procurait en compagnie d'une bonne bouteille de vin.

Nous ne pourrions donc envisager une rencontre amicale sans fromages, ni un menu savamment réfléchi sans lui laisser la place qui lui revient, ne serait-ce que pour l'associer à notre vin préféré. Seulement voilà, cela ne se passe pas toujours aussi bien!

On a écrit et répété que le vin rouge était le compagnon idéal du fromage. Ce n'est pas toujours vrai! Cela dépend du fromage... et du vin! Un grand cru du Médoc, encore jeune, renforcera de ses riches tanins une amertume qui coupera le charme gustatif. Il faudra dans ce cas lui préférer un vin plus facile, plus souple, plus évolué. Les blancs peuvent permettre de très belles harmonies. Ainsi, les vins liquoreux, comme le sauternes, feront la fête à un roquefort, et les blancs secs, le plus souvent à base de sauvignon, souligneront à la fois la délicatesse et le goût prononcé d'un fromage de chèvre. Dans ce cas-ci, comme pour d'autres alliances, il y aura, assez mystérieusement, intervention complice du terroir. Dernièrement, le comité interprofessionnel du vin de Champagne a réalisé plusieurs expériences qui se sont avérées très positives. En effet, et pour l'avoir pratiqué à maintes reprises, je crois qu'un brut non millésimé accompagne très bien des pâtes molles à croûte fleurie ou des pâtes pressées cuites. La vivacité naturelle du vin saute-bouchon donne du relief à la texture pâteuse du fromage et atténue son goût salé. Et faisons comme les Chiliens, qui offrent souvent des petits morceaux de fromage avant de passer à table; avec du champagne, ce sera encore mieux.

En plus du problème d'accorder un vin et plusieurs fromages de styles très différents, la grande difficulté que nous pose un repas, c'est de trouver l'harmonie en tenant compte du plat précédent, du dessert et des vins qui les accompagnent. Longtemps, le rouge a été le seul type de vin prétendument capable de mettre en valeur un camembert, un roquefort ou un saint-nectaire. La place qu'occupe le fromage, c'est-à-dire après la viande, dans un repas traditionnel français explique cet état de choses et encourage cette habitude qui, il faut bien l'avouer, est de plus en plus obsolète. Allez! un peu d'eau après la salade et l'on repart à neuf avec un blanc généreux au fromage. Vos invités seront agréablement étonnés.

L'autre habitude qui permet de résoudre bien des cas difficiles, c'est de servir des vins particuliers tels que le porto, sans oublier le rivesaltes et le banyuls. Alcool et sucre combinés, le vin muté atténuera le salé du fromage et, par la même occasion, pourra faire le lien avec le dessert. Cependant, on ne le répétera jamais assez: pas n'importe quel porto avec n'importe quel fromage! En effet, il faudrait que cesse ce réflexe du porto dès que l'on prononce le mot «fromage». Avez-vous essayé un vintage avec un camembert, ou un tawny avec un crottin de Chavignol? À fuir, et vite...

Quoi qu'il en soit, les repas dégustation de vins et fromages sont de plus en plus populaires, permettant de regrouper certaines familles de fromages accompagnés des vins adéquats (*voir* la rubrique «Soirées vins et fromages: quelques propositions» p. 226).

Puisque tous les goûts sont dans la nature, je suis conscient de la controverse que peuvent susciter certaines harmonies avec les fromages tout particulièrement. Puisque plusieurs écoles de pensée traditionnelles et modernes peuvent se heurter, je laisse le soin au lecteur de faire la part des choses. Le plaisir d'essayer différentes combinaisons, avec de bons amis et le verre à la main deviendra alors un jeu qui sera d'autant plus passionnant que votre seuil de tolérance sera mis à l'épreuve...

Bricks de chèvre Tournevent, poires confites et caramiel au girofle
par Laurent Godbout, recette page 262

DES MARIAGES DE RÊVE AVEC LES FROMAGES DE CHÈVRE

J'ai un merveilleux souvenir d'un crottin de Chavignol dégusté sur place en compagnie du sympathique Jean-Marie Bourgeois, vigneron du même village, avec les savoureux sancerre et pouilly-fumé de sa production : inoubliable ! Le fromage de chèvre se démarque en effet par ses origines, son terroir et les vins blancs qui l'accompagnent tout naturellement. Je propose donc des cuvées à base de sauvignon avec les fromages secs, mais d'autres crus, dont ceux qui sont à base de chenin et de chardonnay, joueront adéquatement le jeu de l'harmonie, notamment avec les fromages frais, pour des raisons de textures et de saveurs moins prononcées. Volontairement, ce ne sont que des blancs que je suggère avec ces types de fromage, même si j'ouvre un peu plus loin la porte aux irréductibles du rouge.

*Banon (chèvre de Provence qui se présente sous des feuilles de châtaignier attachées par du raphia)**
Bricks de chèvre Tournevent, poires confites et caramiel au girofle
Bûche de chèvre affiné (Québec)
Bouq'émissaire, Cabriole, Capriati, Capri... cieux, Chèvre d'Or, Délices de Capoue, Heidi, Le Barbu (chèvres du Québec)
*Brocciu (lait de chèvre et de brebis, Corse, AOC)***
Chabichou (Poitou, AOC)
*Crottin de Chavignol (région de Sancerre, AOC)***
Iborès (Espagne)
Pélardon (sud du Massif Central)
*Picodon (sud-est de la France, AOC)***
*Pouligny-saint-pierre (forme pyramidale du centre de la France, AOC)***
*Rigotte de Condrieu***
Rocamadour (Causses du Quercy, AOC)
*Sainte-maure (bûche tronçonique de la Touraine, AOC)***
*Selles-sur-cher (cendré de Touraine, AOC)***
Tomme de chèvre
*Valençay (cendré de forme pyramidale du Berry, AOC)***

🍇 / 🍇🍇

Bourgogne : bourgogne – chablis – montagny – mercurey – petit chablis – saint-véran
Languedoc : clairette de bellegarde – corbières – minervois
Loire : cheverny – coteaux du giennois – menetou-salon – quincy – reuilly – saumur – sauvignon de touraine – valençay
Provence : coteaux d'aix – côtes de provence
Rhône : côtes du luberon – côtes du rhône – côtes du ventoux
Sud-Ouest : gaillac sec – jurançon sec – montravel
Autres régions : patrimonio – vin de corse – vin de pays (d'oc ou des côtes de gascogne, issu du sauvignon)
Italie : collio – friuli grave et autres appellations à base de sauvignon : gavi – trebbiano d'abruzzo et d'émilie-romagne – verdicchio dei castelli di jesi – IGT de régions diverses à base de sauvignon
Autres pays : penedès – rueda (Espagne) – sauvignon d'Argentine, d'Australie, du Chili, de Nouvelle-Zélande et de Californie (fumé blanc)

🍇🍇🍇

Loire : pouilly-fumé – sancerre – savennières – vouvray
Provence : cassis
Rhône : crozes-hermitage – saint-joseph
Autres pays : fumé blanc de Californie (Reserve) – sauvignon de Nouvelle-Zélande

Ces suggestions sont placées sous le signe du cépage sauvignon parce que ses caractéristiques aussi bien olfactives que gustatives en font le complice idéal des fromages de chèvre, surtout quand ils sont affinés. Mais, comme je l'ai spécifié précédemment, d'autres vins issus de chenin (pour les fromages frais) ou de chardonnay feront de très bons compagnons de table. Servir frais (autour de 10 °C). Pour les amateurs de vin rouge, le fruit, les tanins tendres et parfois la petite note végétale du cabernet franc des vins de Loire seront les éléments clés qui leur permettront d'arrêter leur choix : saint-nicolas-de-bourgueil, bourgueil, saumur-champigny et anjou-villages, à condition de les servir autour de 14°C. Quelque chose de délicieux : un chèvre chaud servi en entrée sur du pain grillé ou encore une galette de maïs agrémentée d'un fromage de chèvre, avec dans le verre un des vins cités plus haut. Tout simple et délectable !

* Certains aiment prendre le banon avec un côtes de provence blanc, rouge ou rosé. Accord régional et choix de la couleur en fonction du plat précédent et du contexte.

** Mariages parfaits avec les blancs secs de la région concernée.

Costières de Nîmes, Cuvée Joseph Torrès, Château de Nages (Rhône)

Sauvignon blanc, Constantia, Klein Constantia (Afrique du Sud)

Chablis, Domaine des Malandes (Bourgogne)

Menetou-Salon, Morogues, Henri Pellé (Loire)

Vouvray, Château de Valmer, Langlois-Château (Loire)

Pouilly-Fumé, Pascal Jolivet (Loire)

LÉGÈRETÉ ET FRUIT POUR LES FROMAGES PRESSÉS NON CUITS

Beaucoup de vins peuvent accompagner les fromages pressés non cuits, peu salés, aux saveurs plus ou moins prononcées et très appréciés pour leur souplesse. Lors d'une simple collation ou selon le plat de résistance, optez pour des blancs et des rosés secs, fruités et rafraîchissants. Quant aux vins rouges, rondeur, légèreté et fruité seront de mise avec les fromages un peu plus prononcés. Servez ces vins frais.

Beaumont (Savoie)
Cantal (Massif Central, AOC)
Édam, gouda (origine hollandaise)
Laguiole (Auvergne, AOC)
Le Migneron (Québec)
Mamirolle (Québec)
Manchego (Espagne)
Morbier (traversé au milieu par une raie de charbon végétal, Jura, AOC)
Noyan (Québec)
Oka (Québec)
*Ossau-iraty (lait de brebis; Béarn et Pays Basque, AOC)**
Port-salut (ouest de la France)
Reblochon (Savoie, AOC)
Saint-Basile (Québec)
*Saint-nectaire (Auvergne, AOC)**
Saint-paulin (ouest de la France)
Salers (Cantal, AOC)
Sarah Brizou (Québec)
Taleggio (Italie, Lombardie, DOC)
Tomme des bauges (Savoie, AOC)
Tomme de Savoie ou des Pyrénées
Trappiste (Manitoba)
Vacherin des Bois-Francs (Québec)
Victor et Berthold (Québec)

🍇 / 🍇🍇

Alsace: alsace pinot blanc et pinot noir
Bordeaux: bordeaux – premières côtes de blaye
Bourgogne: beaujolais-villages – bourgogne pinot noir – mâcon rouge
Languedoc: corbières blanc et rosé – coteaux du languedoc blanc – minervois blanc, rouge (léger) et rosé
Loire: chinon rosé – cour-cheverny – gamay de touraine – muscadet sèvre-et-maine – saumur rouge et blanc
Rhône: costières de nîmes blanc et rosé – côtes du rhône blanc – côtes du ventoux blanc, rouge et rosé – lirac rosé
Autres régions: coteaux du lyonnais – côtes de duras blanc – gaillac blanc et rosé – irouléguy – jurançon sec – vin de pays à base de merlot ou de pinot noir pour les rouges – vin de savoie blanc ou rouge à base de gamay
Italie: bardolino – bianco di custoza – bianco di torgiano – bolgheri rosato – collio rosato – dolcetto d'acqui – friuli grave et autres appellations à base de tocai friulano et de merlot – greco di tufo – rosato di torgiano – IGT à base de pinot nero
Espagne: navarra rosé – rioja rosé – rueda

* Pour un mariage régional, il sera agréable d'accompagner le saint-nectaire d'un côtes du forez mais, puisqu'il est difficile de se le procurer, on pourra opter pour un coteaux du tricastin fruité et souple. Quant à l'ossau-iraty, il ira aussi bien avec un irouléguy rouge ou blanc, un jurançon sec ou un madiran.

bons achats

valeurs sûres

Roussette de Savoie, Domaine Dupasquier (Savoie)

Chinon rosé, Cuvée Marie-Justine, Domaine de la Perrière (Loire)

Coteaux du Languedoc blanc, Château Roquebrun, Les Caves de Roquebrun (France)

Vin de Savoie, Cruet, Domaine de L'Idylle (Savoie)

Merlot, Okanagan Valley, Hawthorne Mountain Vineyards (Canada)

Vin de Savoie, Abymes, Jean Perrier et Fils (France)

BLANC, JAUNE ET ROUGE À LA SUITE POUR LES PÂTES PRESSÉES CUITES

Secs, légers, au goût fruité plus ou moins salé, les fromages à pâte pressée cuite s'accordent à merveille avec des vins blancs tout aussi secs, plus ou moins légers et fruités. Les amateurs de vins rouges réserveront leurs meilleurs vins pour les fromages plus relevés comme le parmesan (parmigiano) et le pecorino affiné.

*Abondance (pâte pressée demi-cuite, Savoie, AOC)**
Asiago (nord de l'Italie, DOC)
*Beaufort (Savoie, AOC)**
Cheddar (originaire de Grande-Bretagne)
*Comté (Jura, AOC)**
*Emmental (Franche-Comté)**
Gruyère (Suisse)
Jarlsberg (Québec)
Miranda (Québec)
Montasio (Italie, Frioul, DOC)
*Parmigiano reggiano (Italie, Émilie-Romagne)***
*Pecorino frais et affiné (Italie)***
Raclette

/

Alsace: tokay pinot gris

Savoie: crépy – roussette de savoie – seyssel – vin de savoie (blanc et rouge léger d'Abymes, d'Apremont, de Chautagne, de Chignin ou de Ripaille)

Autres régions : bourgogne aligoté – gaillac blanc – montagny – muscadet sèvre-et-maine – saint véran

Italie : orvieto classico – vernaccia di san gimignano – IGT de Vénétie à base de garganega

Loire : pouilly-sur-loire – savennières – vouvray

Jura : arbois – côtes du jura (à base de chardonnay)

Italie : fiano di avellino

Suisse : dezaley – fendant du valais, yvorne

Jura : arbois – côtes du jura (vins jaunes) – château-chalon

* Mariages locaux avec les vins de Savoie et du Jura, régions célèbres pour ce type de fromage. J'ai un faible particulièrement pour un morceau de comté sur du bon pain croustillant, le tout accompagné d'un verre de ce magnifique vin jaune qu'est le château-chalon, servi à 15 °C.

** Avec le pecorino, servez préférablement des vins italiens – blancs avec un fromage frais, et rouges, tels que chianti, carmignano et rosso di montalcino, avec un fromage affiné. Qu'il soit romano, toscano ou siciliano, le pecorino (de pecora, qui signifie « brebis ») est fait de lait de brebis cru ou entier. On obtiendra des harmonies identiques avec le parmesan (parmigiano reggiano).

bons achats valeurs sûres

Gaillac sec, Château Clément Termes (Sud-Ouest)

Vin de Savoie, Château de Ripaille, Famille Necker Engel (France)

Arbois, Vin Jaune, Domaine Jacques Tissot (Jura)

Château-Chalon, Catherine de Rye, Henri Maire (Jura)

Fendant, Réserve des administrateurs, Cave Saint-Pierre (Suisse)

Montagny, Les Joncs, J. Faiveley (Bourgogne)

Fromage Riopelle dans une coquille, mousseuse de lait de poule, mouillettes de pain brioché parfumé à l'huile de fleur d'ail de l'île Verte
par Daniel Vézina, recette page 300

MATIÈRE ET RONDEUR POUR LES PÂTES MOLLES À CROÛTE FLEURIE

Généralement peu relevés, parfois moyennement, ces fromages à pâte molle et à croûte fleurie que sont le camembert, le brie ou le délicieux chaource, pour peu qu'ils soient bien affinés et ne présentent pas, comme c'est malheureusement parfois le cas, une certaine amertume et une saveur ammoniacale, se contenteront de vins âgés de trois à huit ans, pas trop corsés et aux tanins arrondis. Quand le camembert vient de Normandie, il s'accompagne joliment d'un bon cidre ; c'est absolument divin ! Mais le vin blanc, encore une fois, peut réserver de belles surprises.

Brie de Meaux et brie de Melun
(Île de France, AOC)
Brie Chevalier (Québec)
*Camembert de Normandie (AOC)**
Carré de l'Est (Alsace, Lorraine)
Chaource (Champagne, AOC)
Coulommiers (petit frère du brie)
Feuille de Dreux (Eure et Loire)
Fromage Riopelle dans une coquille, mousseuse de lait de poule, mouillettes de pain brioché parfumé à l'huile de fleur d'ail de l'île Verte
Le Riopelle de l'Isle (Québec)
Neufchâtel (en forme de cœur,
Haute-Normandie, AOC)
Pierre-robert (France)
Saint-andré (France)
Saint-marcellin (Dauphiné)

Vins rouges

🍇 / 🍇🍇

Bordeaux : bordeaux côtes de francs – bordeaux supérieur – côtes de castillon – fronsac – graves – lussac – saint-émilion – médoc – premières côtes de blaye – premières côtes de bordeaux

Bourgogne-Beaujolais : beaune – bourgogne irancy – brouilly – chénas – chiroubles – côte de brouilly – côte de beaune-villages – morgon – moulin à vent – régnié – saint-amour

Languedoc-Roussillon : cabardès – coteaux du languedoc – côtes du roussillon – faugères – minervois – vins de pays (cépages grenache, merlot et cabernet sauvignon)

Loire : anjou-villages – bourgueil – chinon – menetou-salon – saumur-champigny – touraine

Rhône : costières de nîmes – coteaux du tricastin – côtes du rhône et côtes du rhône-villages – côtes du ventoux – lirac – vacqueyras

Sud-Ouest : bergerac – buzet – côtes du frontonnais – gaillac – marcillac

Italie : alto adige (cabernet, lagrein) – rosso di torgiano – IGT toscana à base de sangiovese

Autres pays : catalunya – penedès – rioja – somontano – yecla (Espagne) – douro (Portugal) – pinot noir de Hongrie – carmenère et cabernet sauvignon du Chili – malbec d'Argentine – tannat (Uruguay) – merlot de Californie – pinotage, pinot noir et merlot d'Afrique du Sud

🍇🍇🍇

Bordeaux : canon-fronsac – lalande de pomerol – moulis – saint-émilion grand cru

Bourgogne : givry – ladoix – mercurey – pernand-vergelesses – saint-aubin – saint-romain – santenay

Jura : arbois pupillin – côtes du jura

Rhône : crozes-hermitage – saint-joseph

Italie : barbera d'alba – barbera d'asti – barco reale – breganze – dolcetto d'alba – franciacorta – nebbiolo d'alba – rosso di montalcino

Autres pays : pinot noir de Californie et d'Oregon (Reserve)

🍇🍇🍇🍇

Bordeaux : margaux – pauillac – pessac-léognan – saint-estèphe

Bourgogne : chambolle-musigny – chassagne-montrachet – volnay

Vins blancs

Alsace : tokay pinot gris

Loire : vins blancs de quelques années à base de chenin : anjou sec – chinon – jasnières – montlouis – savennières – vouvray

Champagne : champagne brut non millésimé

Le vin rouge de quelques années, souple et pas trop corsé, reste un bon choix. Il suffit de privilégier le fruit, mais aussi les tanins mûrs et bien enrobés, pour mettre en valeur la texture moelleuse de ces fromages. Servez entre 15 et 18 °C. Les amateurs de vins blancs pourront grappiller dans la liste de vins suggérés. Par exemple, le savennières provient d'un terroir de schistes qui procure des notes minérales favorables à l'harmonie avec ces fromages. Et le champagne, à l'apéritif comme à la fin du repas, en surprendra plus d'un.

* On produit de nos jours du camembert un peu partout, mais le seul ayant droit à l'AOC est bien le camembert de Normandie. Essayez un bon (et vrai) cidre bouché avec celui-ci ; ils s'entendent à merveille !

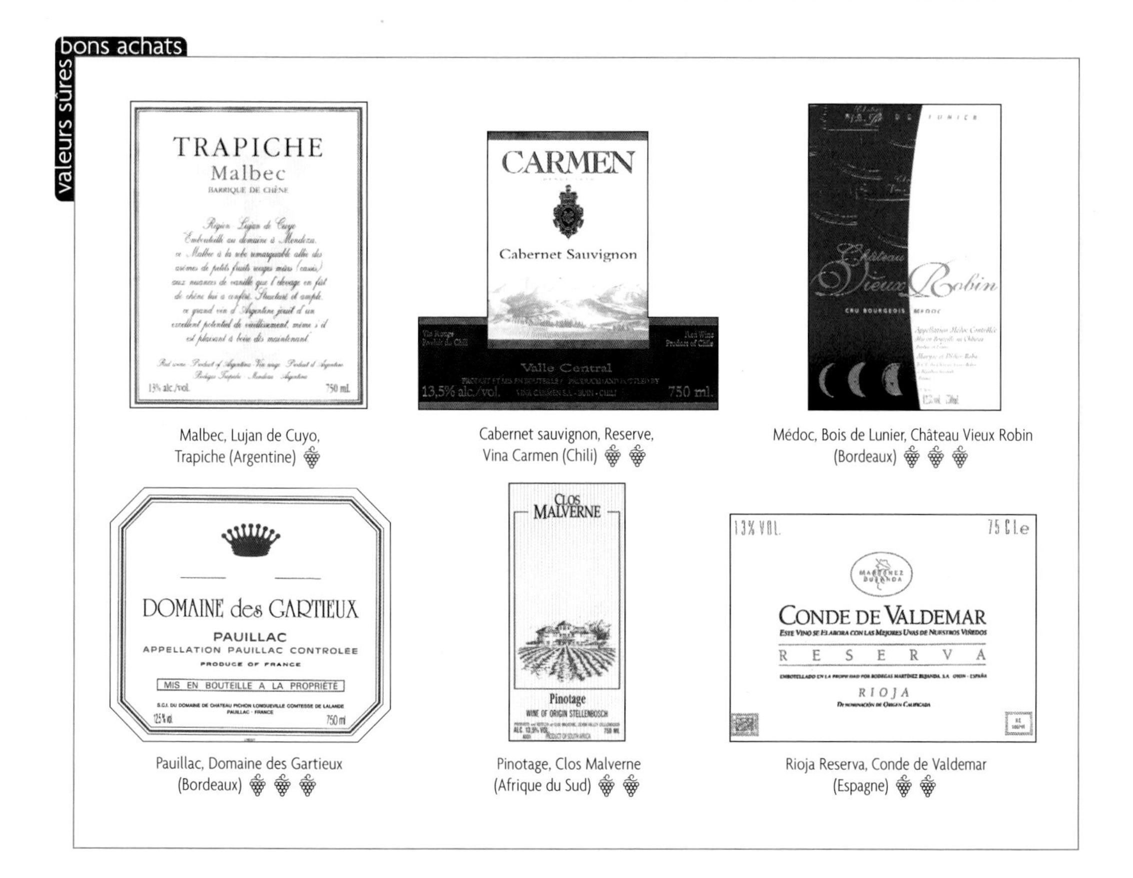

Malbec, Lujan de Cuyo, Trapiche (Argentine) 🍇

Cabernet sauvignon, Reserve, Vina Carmen (Chili) 🍇 🍇

Médoc, Bois de Lunier, Château Vieux Robin (Bordeaux) 🍇 🍇 🍇

Pauillac, Domaine des Gartieux (Bordeaux) 🍇 🍇 🍇

Pinotage, Clos Malverne (Afrique du Sud) 🍇 🍇

Rioja Reserva, Conde de Valdemar (Espagne) 🍇 🍇

DES VINS RACÉS POUR LES PÂTES MOLLES À CROÛTE LAVÉE

Les fromages lisses et dorés qui dégagent habituellement une odeur prononcée appartiennent à la catégorie des pâtes molles à croûte lavée. Mais attention, danger ! Car, pour tenir tête à ces forts caractères, il sera nécessaire de choisir des vins de quelques années déjà (de 5 à 10 ans) rouges OU blancs. Les premiers, bien charpentés et pourvus de bouquets aux fragrances animales, d'épices, de cuir et de sous-bois, profiteront de leurs tanins presque fondus et de leur bouquet riche et subtil pour s'accorder avec ces fromages pleins de saveurs. Servis entre 16 et 18 °C, ils offriront une autre version, si l'on veut, de cette main de fer dans un gant de velours... ! Les blancs, aussi surprenant que cela puisse paraître, ont un rôle important à jouer. Les vins secs, habituellement issus de chardonnay, auront vieilli quelques années pour offrir des alliances de saveurs (noisettées) et de textures. Je les propose avec les fromages accompagnés d'un astérisque. Ceux qui sont accompagnés de deux astérisques s'accorderont mieux avec des blancs moelleux et liquoreux, notamment à base de chenin blanc, sans oublier les vendanges tardives d'Alsace.

Édel de Cléron (France)
*Époisses (Bourgogne, AOC)**
Empereur (Québec)
*Langres (Est de la France, AOC)**
Kénogami (Québec)
Laracam (Québec)
*Livarot (Normandie, AOC)***
*Maroilles (nord de la France, AOC)***
Mi-Carême et Le Chevalier Mailloux
(pâtes molles à croûte lavée et fleurie, Québec)
Mont-d'or (Jura, AOC)
*Munster (Alsace et Vosges, AOC)****
Pied-de-Vent (Québec)
*Pont-l'évêque (Normandie, AOC)***
Saint-morgon (pâte demi-ferme, France)
Sir Laurier d'Arthabaska (Québec)
Tourée de l'aubier (France)

Vins rouges

🍇 / 🍇🍇

Languedoc-Roussillon : corbières – côtes du roussillon-villages – faugères – fitou – minervois-la livinière

Sud-Ouest : cahors vieux – gaillac – madiran – pécharmant

Italie : chianti classico – torgiano rosso – IGT du Sud à base d'aglianico, de negro amaro, de nero d'avola et de primitivo

🍇🍇🍇

Bordeaux : canon-fronsac – listrac – saint-émilion grand cru

Provence : bandol

Rhône : cornas – gigondas

Italie : biferno riserva – chianti classico riserva – rosso conero – torgiano rosso riserva – valtellina riserva (Sforzato)

Espagne : ribera del duero – rioja gran reserva

Autres pays : cabernet sauvignon et shiraz d'Australie (Reserve) – cabernet sauvignon de Californie

🍇🍇🍇🍇

Bourgogne : pommard (côte de Beaune) et grands crus de la côte de Nuits

Rhône : châteauneuf-du-pape – côte-rôtie – hermitage

Italie : amarone della valpolicella – barbaresco – barolo – brunello di montalcino – taurasi – vino nobile de montepulciano – grandes cuvées de Toscane (IGT) à base de cabernet sauvignon ou de sangiovese

Espagne : grands crus du Penedès – ribera del duero (tinto valbuena)

Vins blancs

Alsace : gewürztraminer – tokay pinot gris

Bourgogne : chassagne-montrachet – meursault – puligny-montrachet – saint-aubin premier cru

Loire : vins blancs liquoreux à base de chenin, possédant une bonne acidité : bonnezeaux – coteaux du layon (et villages) – coteaux de l'aubance – quarts de chaume – vouvray moelleux

*** Un mariage hors du commun, inspiré par ses origines : le munster (géromé) avec quelques graines de cumin et un gewürztraminer (d'Alsace) bien frais aux arômes envoûtants qui lui ira comme un gant. Union de contrastes étonnamment savoureux.

Coteaux du Layon, Moulin Touchais (Loire) 🍇🍇🍇

Minervois La Livinière, Clos de l'Escandil (Languedoc) 🍇🍇

Alsace Gewurztraminer, Les Princes Abbés, Domaines Schlumberger, (France) 🍇🍇🍇

Rosso Conero, Cumaro, Umani Ronchi (Italie) 🍇🍇🍇

Sedàra, Nero d'Avola, IGT Sicilia, Donnafugata (Italie) 🍇🍇

Cahors, Cuvée Particulière, Château Lamartine (Sud-Ouest) 🍇🍇

PÂTES PERSILLÉES : DES VINS CAPITEUX POUR LES BLEUS !

Au rayon des harmonies de contrastes, bleus et vins fortifiés font la paire ! Les textures riches et onctueuses des vins et des fromages servent de support moelleux aux sensations sucré-salé tant recherchées. Comme je l'ai déjà écrit, l'épicurien de la table appréciera cette subtile expression de la complémentarité... Qu'ils soient d'Auvergne, de Bresse, des Causses ou de Gex, les bleus s'accommodent de plusieurs types de vins ; certains vins rouges, éventuellement, mais surtout les blancs doux, qu'ils soient vins doux naturels (série des muscats) ou liquoreux. Enfin, remercions les Anglais pour avoir tracé le chemin : le porto mettant agréablement le stilton en valeur, nous en avons déduit que ce pourrait être aussi agréable et savoureux avec un banyuls ou un vieux rivesaltes. À ce propos, et comme je le précise au début de ce chapitre, on n'associe pas n'importe quel porto avec ces fromages : LBV, vintage et vintage character. Ces fromages sont tous à base de lait de vache, sauf avis contraire.

Bleu bénédictin (Québec)
Bleu danois
Bleu d'Auvergne (AOC)
Bleu de Bresse
Bleu de Gex (Haut-Jura, AOC)
*Bleu des Causses (AOC)**
Bleu Ermite (Québec)
Fourme d'Ambert (Auvergne, AOC)
Fourme de Montbrison (Auvergne, AOC)
Gorgonzola (Italie, Lombardie et Piémont, DOC)
Le Ciel de Charlevoix (Québec)
Montbriac (pâte molle persillée affinée dans la cendre)
*Roquefort (lait de brebis, AOC)**
Stilton (Grande-Bretagne)

🍇🍇

Sud-Ouest : cahors – côtes de bergerac moelleux – côtes de montravel – madiran

🍇🍇🍇

Bordeaux : barsac – cadillac – loupiac – sainte-croix-du-mont – sauternes

Loire : bonnezeaux – coteaux du layon (et villages)

Sud-Ouest : jurançon – monbazillac – pacherenc du vic bilh moelleux

Vins Doux Naturels : banyuls – maury – muscat de beaumes de venise – muscat de frontignan, de lunel, de mireval, de rivesaltes et de saint-jean-de-minervois – rivesaltes – rasteau

Italie : albana di romagna passito – collio (cépage picolit) – gattinara – marsala vergine riserva – moscato di trani – moscato di pantelleria passito – ramandolo

Portugal : porto late bottled vintage (LBV) – madère malmsey

🍇🍇🍇🍇

Bordeaux : barsac et sauternes (crus classés)

Loire : quarts de chaume

Roussillon : banyuls grand cru – maury vintage – rivesaltes vieux (et rancio)

Italie : breganze torcolato – recioto della valpolicella (rouge) – recioto di soave (blanc)

Portugal : porto vintage

Autres pays : prädikat beerenauslese et vins de glace allemands – vins de glace d'Autriche et du Canada

* Accords régionaux avec les vins du sud-ouest de la France : contraste des sensations sucré-salé enveloppées par le moelleux du fromage et celui du vin ; subtile expression de la complémentarité et redéfinition des opposés qui s'attirent.

Muscat de Mireval, Domaine du Mas Neuf (Languedoc) 🍇🍇

Porto Late Bottled Vintage, Graham's, W. & J. Graham (Portugal) 🍇🍇

Loupiac, Domaine du Noble (Bordeaux) 🍇🍇🍇

Banyuls, Domaine de la Rectorie (Roussillon) 🍇🍇🍇

Porto Vintage, Pocas (Portugal) 🍇🍇🍇

Indian Summer, Riesling, Cave Spring Cellars (Canada) 🍇🍇🍇

QUELQUES SPÉCIALITÉS À BASE DE FROMAGE

Feuilleté au fromage bleu

Servis à l'apéritif, les feuilletés au fromage bleu seront accompagnés d'un vin doux naturel blanc à base de muscat (*voir* la rubrique «Pâtes persillées: des vins capiteux pour les bleus!» p. 224).

Fondue savoyarde

Gougères au fromage

Raclette

Soufflé au fromage

Avec ces mets, les vins blancs que je suggère pour accompagner les pâtes pressées cuites s'harmoniseront à merveille. Alliance des textures et des arômes mise en relief par l'acidité normale des vins. Personnellement, j'aurais un penchant très net pour le vin jaune du Jura avec le soufflé, préférablement au comté.

SOIRÉES VINS ET FROMAGES : QUELQUES PROPOSITIONS

Puisque j'anime depuis plus de 15 ans des soirées vins et fromages, j'ai pensé vous en proposer trois modèles, allant du plus simple au plus élaboré.

Pour le plaisir de découvrir et de comparer, je suggère de proposer deux vins à chaque service. Ces deux vins, vous les choisirez soit parce qu'ils possèdent de grandes similitudes, soit parce que tout les oppose. Bien entendu, je regroupe à chaque service des fromages appartenant au type qui est apte à faire bon ménage avec les deux vins. Vous remarquerez que je n'ai pas indiqué les millésimes, histoire de ne pas trop compliquer les choses.

Ceux qui veulent organiser un repas plus élaboré trouveront des propositions de canapés dans le troisième modèle. Quant aux fruits d'accompagnement, le réflexe est de mettre des pommes et du raisin, mais ce n'est pas l'idéal, car ces fruits ont une acidité prononcée. Optez plutôt pour des poires et des fruits secs, comme la noix de Grenoble, que vous mettrez en valeur avec du bon pain de campagne.

Dégustation à prix abordable

Sainte-maure, picodon et Délices de Capoue
Coteaux du Giennois, Joseph Balland-Chapuis
Sauvignon du Chili, Medalla Real, Vina Santa Rita

Coulommiers, camembert et Le Riopelle de l'Isle
Gaillac, Domaine de Pialentou
Merlot Eagle Peak, California, Fetzer Vineyards

Pont-l'évêque et Pied-de-Vent
Rioja Reserva, Muga, Bodegas Muga
Vouvray moelleux, Marc Brédif

Roquefort et bleu bénédictin
Porto LBV, Offley, Forrester

Dans le premier service, le cépage sauvignon, heureux compagnon du fromage de chèvre, tient judicieusement son rôle. Suivent un gaillac rouge de quelques années aux tanins assouplis et un merlot californien tout en fruit, mettant ainsi en valeur le moelleux des pâtes molles à croûte fleurie. Les fromages relevés sont bien soutenus grâce au nez légèrement animal du vin espagnol, marqué de bois et de vanille, et le vouvray est tout à fait à sa place avec le pont-l'évêque. Enfin, mariage de contrastes entre le sucré du LBV et le salé des fromages persillés ; les protagonistes sont valorisés en toute réciprocité. Des prix tout doux pour ces sept vins, et un crescendo de saveurs assuré !

Dégustation un peu plus élaborée

Franciacorta, Ca' del Bosco (ou Bellavista)
ou champagne blanc de blancs

Le Barbu, crottin de Chavignol et emmental
Sancerre, Château de Sancerre, Marnier-Lapostolle
Vin de Savoie, Apremont, Le Cellier du Palais

Brie Chevalier, neufchâtel et taleggio
Savennières, Clos du Papillon, Domaine du Closel
Alto Adige, Lagrein, Lindenburg, Alois Lageder

Camembert de Normandie et reblochon
Pinot noir de l'Oregon, Domaine Drouhin
Givry 1er Cru, Domaine Joblot

Munster et Laracam
Alsace Grand Cru, Kessler, Gewürztraminer,
Domaines Schlumberger

*Le Ciel de Charlevoix, bleu des Causses
et vieux cheddar*
Porto Vintage Warre's

Du franciacorta au porto, voilà une façon séduisante de faire un petit tour du monde avec, en parallèle, des fromages qui respectent les règles de la gradation progressive des saveurs. Toujours bien en compagnie du sauvignon aux notes florales et du vin de Savoie fruité, les fromages de chèvre offrent un joli mariage en blanc. Le service suivant propose du rouge ou du blanc au choix. Il vous permettra de goûter, peut-être pour la première fois, la souplesse du cépage lagrein sur le taleggio : un régal ! Le fruit et la relative souplesse du pinot noir, qu'il soit américain ou bourguignon (givry), n'agressent pas le camembert ni le reblochon, bien au contraire. Suivra un mariage classique à l'alsacienne pour tenir tête aux fromages, aussi imposants qu'odoriférants. Enfin, influence anglaise oblige, le vintage, pas encore très vieux, soustrait le salé des pâtes persillées pour finir sur une note de fruits bien mûrs. Des ferments d'esprit et de plaisir à chaque service !

Repas vins et fromages

Beignets de crabe et gougères bourguignonne
Crémant de Bourgogne, Brut Prestige, Moingeon

Chèvre d'Or, valençay et comté
Menetou-Salon, Guy Chavet
Côtes du Jura, Château d'Arlay

*Canapés de poissons fumés
(saumon, esturgeon, truite)
Migneron, Le Riopelle de l'Isle et asiago*
Alsace, Pinot blanc, G. Zeyssolf
Langhe, Bricco del Drago, Poderi Colla

*Canapés : terrines et mousse de foies de volaille
Victor et Berthold, parmigiano*
Madiran, Château Bouscassé
Chianti Classico Riserva, Dievole

*Canapés au filet d'oie fumé
Fourme d'Ambert, gorgonzola
et feuilletés au roquefort*
Banyuls, Domaine la Tour Vieille

Petits carrés de chocolat Valrhona

On commence en beauté mais avec beaucoup de légèreté grâce à cette belle harmonie entre le crémant, le crabe et les gougères, petits choux au fromage à pâte pressée cuite. Le sauvignon de la Loire valorisera les fromages de chèvre et les poissons fumés, tandis que le côtes du jura épousera le comté à merveille.

Fruité, rondeur, équilibre, couleur et saveurs sont au rendez-vous au troisième service et puissance, tanins et épices s'en donnent à cœur joie dans le quatrième. Enfin, dans le dernier mouvement, sucré et salé jouent à cache-cache dans un mariage de contrastes aussi envoûtant que sensuel, d'autant plus qu'on aura réservé quelques gouttes de banyuls aux parfums de cacao avec les carrés croquants de Guanaja...

Les desserts

Ce serait un truisme de dire que j'ai gardé ce chapitre pour le dessert, mais je ne peux m'en empêcher, car, tout gourmet que l'on soit, c'est vrai qu'il est toujours agréable de garder une place pour le dessert. Ce sont sans aucun doute notre cœur et notre esprit d'enfant qui reviennent à la surface, pour mieux assouvir ce péché de gourmandise. Il n'y a pas d'âge pour être avide de gâteries de toutes sortes, de sucre, de chocolat, de tartelettes et autres douces folies. De la crème catalane – très ancienne recette espagnole remise au goût du jour par Bocuse sous le nom de « crème brûlée » – aux pêches Melba – créées à Londres à la fin du XIXe siècle par Escoffier en l'honneur de la cantatrice Nelly Melba – en passant par le sabayon – entremets d'origine napolitaine (« zabaglione » de son vrai nom) –, les desserts nous font toujours rêver. Ils prennent toute la place lors d'un mariage ou d'une fête de famille, tempèrent les discussions dans un souper entre amis, allègent l'ambiance d'un déjeuner d'affaires riche en transactions.

À part quelques rares personnes qui affirment ne jamais manger de dessert ou se satisfaire d'un fromage en guise de conclusion (cela m'arrive de plus en plus souvent...), je crois que le dessert fait partie de la fête de la table ; il arrive un peu comme une récompense et déclenche encore chez les convives des oh ! et des ah ! de satisfaction et quelquefois de délectation.

D'ailleurs, les petits et grands instants de la vie nous ramènent bien souvent au dessert, pour nous rassurer, sans doute, et alléger nos petites misères par des mots « sucrés » et des expressions colorées, pour ne pas dire caramélisées.

Ainsi, bien avant de **sucrer les fraises** et sans vouloir **la ramener** trop souvent, je dois préciser que **c'est pas de la tarte** toujours de **chanter la pomme** à quelqu'un, ni de parler du fruit défendu sans évoquer quelques détails croustillants. Par contre, je dirais que **c'est du gâteau** et même **du nougat** de se servir de la prunelle de ses yeux pour admirer une jolie robe de dentelle gaufrée. Et ce n'est certes pas **donner de la confiture aux cochons** que de **se sucrer le bec** au printemps.

Crème brûlée à l'érable
par Jean-Louis Massenavette, recette page 280

Bien sûr, il faut en toute circonstance éviter de **casser du sucre sur le dos de quelqu'un,** même s'il **fait de la brioche,** car vous pourriez recevoir une **praline,** au mieux une **châtaigne.** Il sera préférable d'attendre entre la poire et le fromage, et, comme le dit Balzac dans *Les illusions perdues*, profiter de friandises de conversation pour mieux **couper la poire en deux,** sans oublier cependant de prendre sa part du gâteau. Cela portera ses fruits, et les convives **mi-figue, mi-raisin** en **resteront baba** ou plutôt **comme deux ronds de flan.** Ce sera pour tous, même ceux qui seront arrivés **le bec enfariné*,** la cerise sur le gâteau ou sur le sundae !

Trêve de jeux de mots, pensons maintenant au plaisir du dessert, amplifié par le vin. Que de combinaisons et d'alliances heureuses ces desserts de toutes sortes et de tous horizons permettent au gourmand éclairé ! Que d'harmonies parfois à la limite de la décence, très proches, avouons-le, du péché véniel, et contraires, dans certains cas, aux recommandations de notre médecin !

On a très souvent parlé de vins de dessert en pensant par exemple aux vins blancs liquoreux. Or je crois qu'il faut apporter quelques précisions. Tout d'abord, les vins blancs tels que le sauternes ou le monbazillac ne sont pas seulement faits pour accompagner sempiternellement les desserts que l'on dit sucrés (et cela dépend desquels). Ils peuvent aussi servir à autre chose (*voir* les chapitres sur le poisson, le foie gras et le fromage). Et inversement, bien des vins traditionnellement réservés à l'apéritif, aux poissons et parfois aux viandes peuvent jouer un rôle de premier plan à la fin du repas.

Pour ne pas se tromper et contenter ses invités, il est important de respecter quelques règles de base. Ainsi est-il judicieux le plus souvent de jouer avant tout la gamme des couleurs. Prenez par exemple un gâteau aux fraises. Vous désirez absolument faire plaisir en ouvrant une bouteille de champagne. Optez dès lors pour un champagne rosé ! Couleurs et parfums joueront en totale harmonie.

Il semble logique également de faire coïncider les saveurs du dessert avec le nez du vin, appelé « bouquet » quand celui-ci a commencé à évoluer en bouteille. Pensez au délice d'une tarte aux abricots mise en valeur par un coteaux du layon de quelques années, à la robe dorée et aux rappels olfactifs du même fruit !

C'est d'ailleurs pour cette raison que les règles élémentaires de l'harmonie des mets et des vins se sont modifiées, pour notre plus grand bonheur, quand on a découvert enfin que chocolat et vin pouvaient faire bon ménage. Autrefois, on aurait crié à l'hérésie. Aujourd'hui, on se régale ! Mais attention ! Ce n'est pas avec n'importe quel entremets au chocolat et n'importe quelle appellation que l'on réussira.

À tout cela s'ajoute, comme pour tous les mets, une concordance de textures et de saveurs proprement dite. Malheureusement, on a pris l'habitude de servir automatiquement des vins dits « sucrés » avec des pâtisseries, sucrées elles aussi, riches et crémeuses. Bien souvent, trop c'est trop, et il est relativement facile de tomber dans le piège. De deux éléments savoureux et fins pris séparément, vous obtiendrez en bouche une bouillie trop riche et à la limite de l'écœurement. Pour cette raison et pour contourner le problème en jouant la carte des contrastes, il faut choisir des vins dotés d'une bonne acidité.

Au contraire, pour obtenir le phénomène inverse, un vin blanc très doux comme un muscat (de Rivesaltes ou de Frontignan) jouera tout en finesse ; lorsqu'il accompagnera une tarte aux abricots, par exemple, le moelleux du vin atténuera l'acidité du fruit.

* Voir p. 231 la signification de ces expressions gourmandes.

Il est également judicieux et intéressant d'utiliser des liqueurs ou des eaux-de-vie pour certains desserts. Je pense à une charlotte aux poires et à une liqueur du même fruit, élaborée spécialement par un producteur des Charentes. Celui-ci a mis au point un digestif dans le même style que le Grand Marnier. Cognac et poires font ainsi la paire et, unis dans une cause commune, ils se fondent en bouche en une liqueur onctueuse et se confondent avec les saveurs du gâteau.

Tout comme cette excellente fine de cognac servie avec une feuillantine aux fraises et au chocolat, suivie, dans la foulée, du café. Je l'ai testé et c'était délicieux ! En plus de jouer son rôle classique de digestif à l'issue du repas, le cognac au bouquet puissant se sert de ses fragrances empyreumatiques, issues d'un long séjour dans le chêne, pour se marier au chocolat noir utilisé dans la préparation.

Enfin, la place habituelle du dessert dans le repas étant ce qu'elle est, on peut choisir le vin en fonction de l'apéritif (selon le nombre de convives, une partie du vin servi au tout début peut être réservée pour le dessert), du plat précédent, du fromage ou de ce que l'on aimerait servir avec le café en guise de digestif.

De toute façon, on ne peut que faire de son mieux, car je me suis rendu compte que, après une soirée, les invités ont une mémoire infaillible du dessert et du vin qui l'accompagnait...

Pour toutes ces raisons, j'ai voulu dans les pages qui suivent regrouper les desserts par affinités, afin de vous offrir, comme le dit si justement l'un de mes amis sommeliers, de fabuleux accords de volupté. Harmonies à partager, aussi riches, aussi fines, aussi subtiles soient-elles, elles donneront à vos amis non seulement le goût de revenir chez vous, mais surtout celui d'en faire autant.

Signification des expressions gourmandes

Sucrer les fraises : avoir les mains qui tremblent, devenir sénile.

Ramener sa fraise : se manifester, souvent pour protester.

C'est pas de la tarte : c'est pas facile.

Chanter la pomme : conter fleurette (Québec).

C'est du gâteau : c'est facile.

C'est du nougat : c'est facile.

Donner de la confiture aux cochons : offrir quelque chose de fin à quelqu'un qui ne l'apprécie pas.

Se sucrer le bec : manger sucré (Québec).

Casser du sucre sur le dos de quelqu'un : critiquer quelqu'un.

Faire de la brioche : faire de l'embonpoint, plus précisément du ventre.

Praline : balle de revolver.

Châtaigne : coup de poing.

Couper la poire en deux : faire des compromis.

Mi-figue, mi-raisin : mélange de satisfaction et de mécontentement.

En rester baba : être ébahi, surpris.

Rester comme deux ronds de flan : ne pas réagir.

Le bec enfariné : avoir une confiance naïve et inconsciente.

EFFERVESCENCE ET AUTRES VINS PARTICULIERS

En matière de champagne ou de tout autre vin effervescent, l'idéal serait de servir des bulles contenant davantage de sucres résiduels. Mais puisqu'il est difficile de se procurer sur le marché un sec ou un demi-sec qui ferait mieux l'affaire que le brut, on ne se privera pas pour autant, car l'important, dans tout cela, c'est de se retrouver et de faire la fête ! Grâce à leur vivacité et à leur fraîcheur, ces vins saute-bouchon se prêtent de bonne grâce à presque toutes les préparations proposées ci-dessous.

*Crêpes Suzette**
*Gâteau aux noix (de Grenoble)***
*Glace à l'orange**
*Glaces et sorbets****
Omelette norvégienne
Pâtisseries françaises
Sabayon aux fruits blancs
Salade de fruits
Sorbet au citron
*Soufflé au Grand Marnier*****
Vacherin glacé

Espagne : cava
Italie : asti – conegliano valdobbiadene

France : blanquette de limoux – clairette de die (tradition) – crémant d'alsace – crémant de bordeaux – crémant de bourgogne – crémant de limoux – crémant de loire – crémant du jura – montlouis mousseux – saint-péray – saumur mousseux – touraine mousseux – vouvray mousseux
Italie : franciacorta – trento
Autres pays : crémant de luxembourg – cuvées brut de Californie

Champagne : champagne (demi-sec, si possible), brut et champagne rosé
Autres pays : franciacorta – cuvées brut de Californie

La magie des bulles aidant, l'esprit de la fête et la convivialité feront fi des quelques entorses aux règles établies. Température de service : 8 °C environ.

* Avec ces deux savoureux desserts, pourquoi ne pas servir un muscat de beaumes de venise, à cause de sa note d'agrumes au nez ?

** Le bouquet particulier de noix de Grenoble qui se dégage des rares et magnifiques vins jaunes mettra en valeur ce dessert aux accents jurassiens. Servez arbois, côtes du jura (vins jaunes) et château-chalon à 15 °C. Certains rivesaltes vieux dégageant des parfums de noix verte pourront aussi surprendre vos invités.

*** Une expérience intéressante : le pineau des charentes doré et le muscat de rivesaltes avec les glaces et autres sorbets aux fruits blancs.

**** Pour les amateurs de sensations fortes et capiteuses, un verre de Grand Marnier, naturellement.

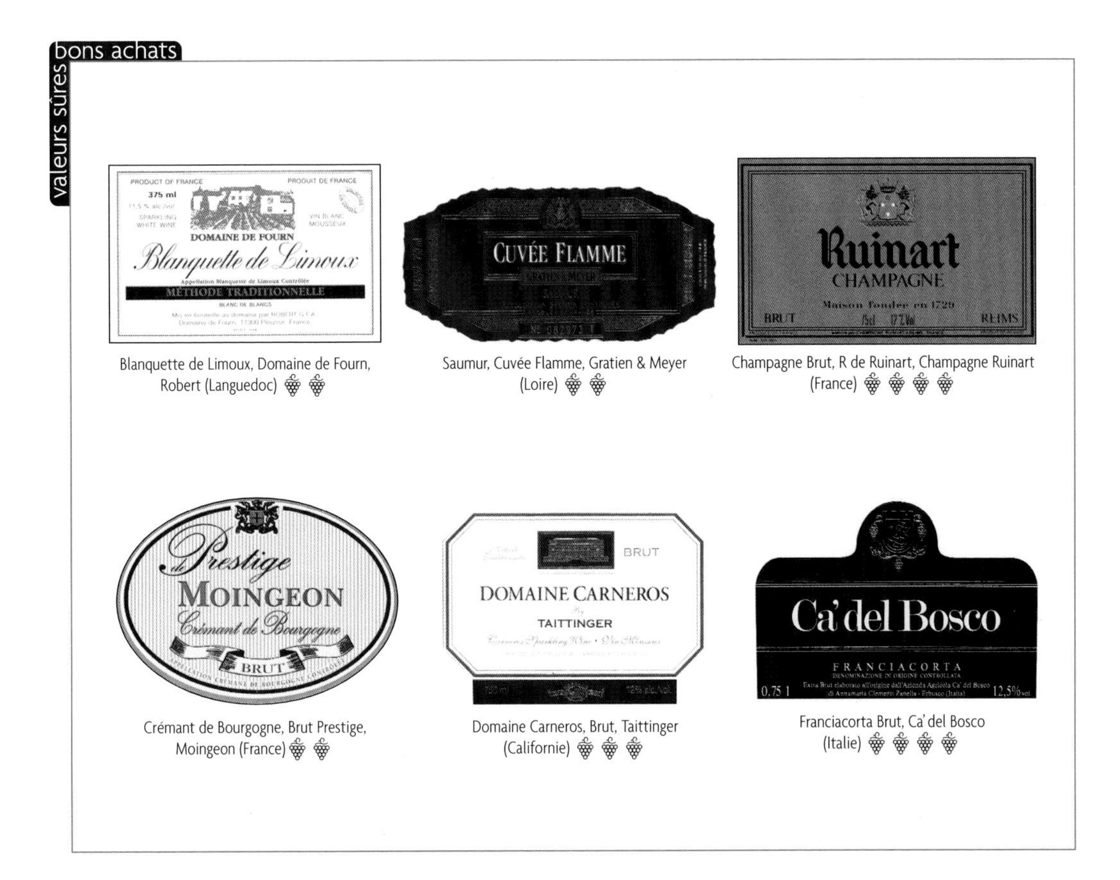

Blanquette de Limoux, Domaine de Fourn, Robert (Languedoc)

Saumur, Cuvée Flamme, Gratien & Meyer (Loire)

Champagne Brut, R de Ruinart, Champagne Ruinart (France)

Crémant de Bourgogne, Brut Prestige, Moingeon (France)

Domaine Carneros, Brut, Taittinger (Californie)

Franciacorta Brut, Ca' del Bosco (Italie)

DIVINS... À EN RESTER BABA !

Voici des accords sublimes avec ces desserts tous plus délicieux les uns que les autres. Les nectars que je propose offrent des arômes très fruités, parfois floraux. Mis à part les vins effervescents que je suggère, sémillants et éclatants de brillance, ces vins sont doux sans être trop riches ni opulents. Ils persistent en une belle finale fraîche grâce à une acidité bien présente, souhaitable pour apporter du relief et contrecarrer les effets doucereux de l'ensemble. Je privilégie les petits formats et recommande fortement de servir très frais.

*Baba au rhum**
Baklavas au miel d'oranger
*Bavarois aux pralines***
Beignets aux pommes
Charlotte aux poires
Crème brûlée et crème caramel
Crème brûlée à l'érable
Croustade aux pommes de l'Esquirol
Feuilleté de figues chaudes
Fruits rafraîchis
Gâteau au fromage
Gâteau ou tarte à l'ananas
*Gâteau de riz aux abricots frais****

*Gâteau frangipane (pâte feuilletée et crème d'amandes)***
*Gâteau sec aux noisettes ou aux amandes et au miel***
Gratin de poires
Jalousie aux mirabelles
*Kouglof (ou kugelhof: spécialité alsacienne de brioche agrémentée de raisins secs)*****
Mousse aux fraises et son sabayon au vin blanc liquoreux
Œufs à la neige
*Panforte di Siena (gâteau aux fruits et aux amandes)***
*Paris-brest***
Pêche rôtie au caramel à l'orange
Pithiviers
Poire pochée et sa mousse de noisettes
Poire au roquefort
Sorbets aux fruits blancs
Soufflé à l'érable
*Strudel aux pommes******
Tarte au sucre
*Tarte aux amandes***
*Tartes au citron, aux abricots****, aux pêches, aux poires*
*Tarte Tatin (tarte aux pommes caramélisées, cuite à l'envers)******
Tatin de banane et sa glace

🍇🍇 / 🍇🍇🍇

Bordeaux : barsac – cadillac – cérons – loupiac – sainte-croix-du-mont – sauternes

Charentes : pineau des charentes doré (réserve de 10 ans)

Sud-Ouest : côtes de bergerac blanc – haut-montravel – jurançon – monbazillac – pacherenc du vic bilh moelleux

Loire : bonnezeaux – coteaux de l'aubance – coteaux du layon – coteaux du layon-villages – montlouis et vouvray moelleux

Vins doux naturels : muscat de beaumes de venise – muscat de frontignan – muscat de lunel – muscat de mireval – muscat de rivesaltes – muscat de saint-jean-de-minervois

Italie : collio et colli orientali del friuli (cépage picolit) – malvasia delle lipari – moscadello di montalcino – moscato d'asti – moscato di pantelleria passito – ramandolo

Autres pays : riesling auslese (Allemagne et Autriche) – tokaji aszu

🍇🍇🍇🍇

Alsace : vendanges tardives et sélection de grains nobles

Bordeaux : barsac et sauternes (crus classés)

Autres régions : quarts de chaume – arbois, côtes du jura et hermitage (vins de paille) – champagne (demi-sec, si possible)

Italie : albana di romagna passito – breganze torcolato – passito di pantelleria – recioto di soave – vini santi

Autres pays : riesling, beerenauslese et trockenbeerenauslese (Allemagne et Autriche) – vendanges tardives de l'Ontario et de Colombie-Britannique (Canada) – vins de glace d'Allemagne, d'Autriche et du Canada (Ontario) – muscat de Samos (Grèce)

Je suggère ici des vins dont l'acidité, en contrepartie de la richesse apportée par la crème et le sucre, donne un certain équilibre à l'ensemble. Servez-les très frais (8 °C). Avec les desserts aux poires, il sera judicieux de servir une liqueur de poire (Belle de Brillet, par exemple) ou, pour les amateurs de sensations fortes, une eau-de-vie du même fruit.

* Pourquoi pas un verre de vieux rhum ambré servi nature ?

** Les notes pralinées de noisettes et d'amandes grillées que l'on retrouve au nez et en bouche dans certains vins soulignent celles qui font la personnalité de ces desserts. Les crus italiens, dont le picolit et le vin santo, pour leur expression finement miellée, iront particulièrement bien avec le gâteau au miel. Une autre suggestion délicieuse : trempez votre biscotti aux amandes dans un verre de ce vin santo (de Toscane ou d'Ombrie) pour mieux le ramollir. Essayez aussi le vin de paille d'arbois Pupillin de Jean-Michel Petit (Domaine de la Renardière) : superbe !

*** Mariage idéal avec ces desserts si on opte pour un vin de glace canadien issu du cépage vidal. Il existe aussi de magnifiques cuvées de condrieu moelleux, aux riches parfums d'abricot, sans oublier le fameux cru de la Vénétie, le breganze torcolato de Fausto Maculan.

**** Pour des raisons régionales évidentes, le kouglof sera accompagné d'un crémant d'alsace. Pour les plus fortunés, un gewürztraminer alsacien sélections de grains nobles ne sera pas mal non plus.

***** J'ai goûté à la tarte des sœurs Tatin avec un cidre de glace du Québec : un délice ! Et pourquoi pas l'original Pommeau de Normandie (liqueur de pommes à cidre) ? Un verre de calvados, éventuellement, pour les estomacs solides (il servira aussi de digestif). Pour le strudel aux pommes, ce serait sympa, outre ces produits, de vous dénicher un vin de glace autrichien.

Clairette de Die, Cuvée Titus, Caves coopératives de Die (Rhône)

Vouvray, Cuvée Prédilection, Château Moncontour (Loire)

Champagne demi-sec, Veuve Clicquot Ponsardin (France)

Cidre de Glace du Québec, Neige, La Face cachée de la Pomme (Canada)

Vin de Glace du Québec, Vignoble de l'Orpailleur (Canada)

Vin de Constance, Klein Constantia (Afrique du Sud)

POUR DE BELLES UNIONS DE COULEURS

Voici en perspective de beaux mariages de couleurs avec ces vins aux reflets chatoyants. Gorgés de fruits rouges, ils dégageront suffisamment d'arômes pour être en harmonie avec les saveurs de tous les desserts suivants.

Bombe glacée aux griottes
Cerises jubilé
Charlotte aux fraises
Clafoutis aux cerises
Figues pochées au vin rouge
*Figues rôties aux épices**
*Fraises au poivre**
*Gâteau au miel et aux épices**
*Gâteau aux fruits de Suzanne Lapointe***
Gratin de fruits rouges
Millefeuille aux fraises des bois
Miroir aux fraises
*Poires, fraises ou cerises au vin rouge****
Sabayon
Sorbets aux fruits rouges
Soupe de fraises à la verveine
Tarte aux groseilles et à la réglisse
Tartelettes aux mûres
*Tartes aux fraises, aux framboises, aux bleuets ou aux myrtilles****

Loire: cabernet d'anjou
Italie: brachetto d'acqui (vin piémontais doux et pétillant aux riches parfums de fruits rouges)

Charentes: pineau des charentes ruby
Loire: saumur mousseux rosé
Portugal: porto ruby

Champagne: champagne rosé
Roussillon: rivesaltes et maury vintage
Italie: recioto della valpolicella – montefalco sagrantino passito – vin santo occhio di pernice

* Le recioto della valpolicella (Vénétie) ou un montefalco sagrantino passito (Ombrie), aux arômes de fruits très mûrs et d'épices douces, se marieront très bien avec ces préparations.

** Merveilleux mariage que le savoureux gâteau de notre charmante Suzanne avec le pineau des charentes ruby du Château de Beaulon (et si vous avez les moyens, mais il n'est pas si cher, procurez-vous le Collection Privée de 20 ans du même château: tout simplement délectable!).

*** Il peut être intéressant, même si c'est inusité, de servir très frais un vin rouge de l'année à base de gamay (beaujolais) ou de cabernet franc (saint-nicolas-de-bourgueil). Pour amateurs avertis!

Tatin de banane et sa glace
par Fabrice Mailhot, recette page 275

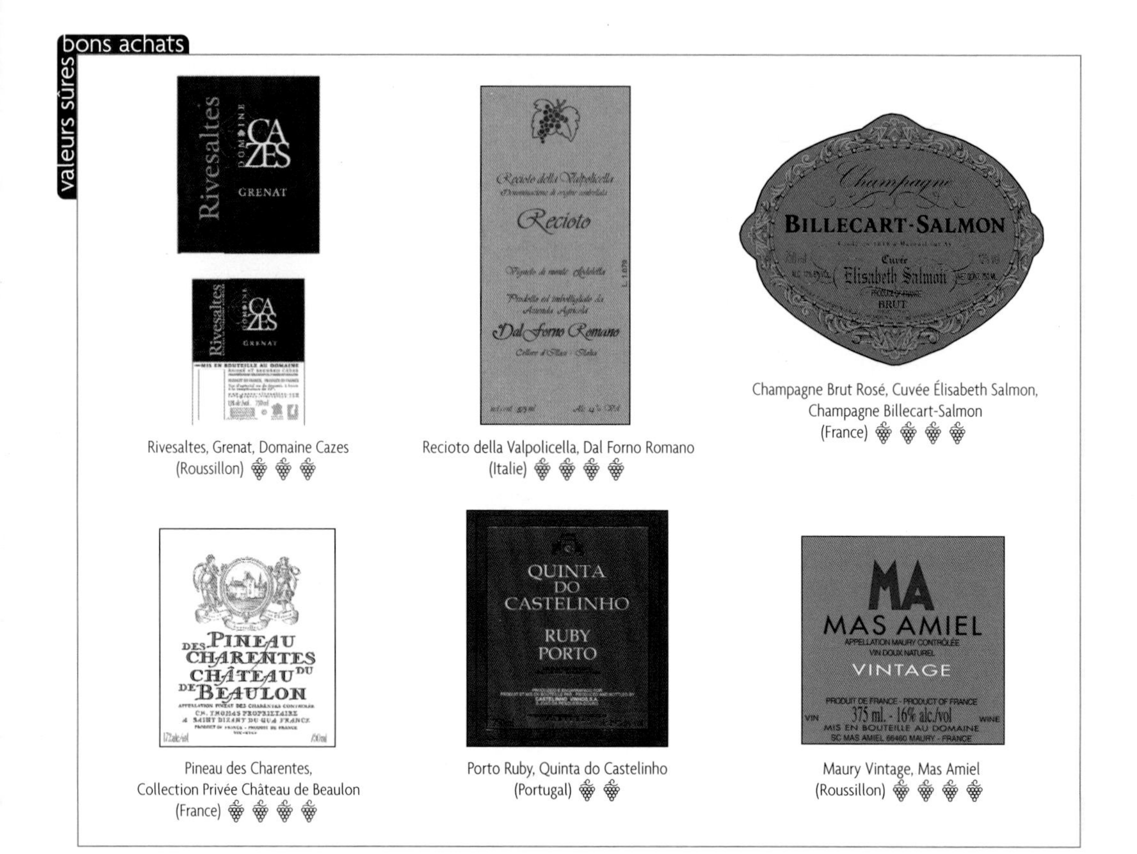

Rivesaltes, Grenat, Domaine Cazes
(Roussillon)

Recioto della Valpolicella, Dal Forno Romano
(Italie)

Champagne Brut Rosé, Cuvée Élisabeth Salmon,
Champagne Billecart-Salmon
(France)

Pineau des Charentes,
Collection Privée Château de Beaulon
(France)

Porto Ruby, Quinta do Castelinho
(Portugal)

Maury Vintage, Mas Amiel
(Roussillon)

Croustade aux pommes de l'Esquirol
par Jean-Pierre Carrière, recette page 249

PORTO, RANCIO ET CACAO

L'association entre les entremets au chocolat et certains vins rouges est devenue un grand et savoureux classique. À tel point qu'on a l'impression aujourd'hui de ne plus pouvoir planifier un repas gastronomique sans penser à ce duo infernal... Il est vrai que, grâce à leurs bouquets de figues, de tabac, d'épices douces et, bien sûr, de cacao – comme en ont le maury aux notes rancio (*voir* « Glossaire ») ou certains types de porto tawny – ces vins de liqueur et ces vins doux naturels réalisent ici de caressantes harmonies.

Biscuit aux amandes et au cacao
Charlotte au chocolat
*Crème brûlée**
Fondue au chocolat
*Gâteau au chocolat et aux marrons**
*Gâteau forêt noire***
Gâteau opéra
Marquise ou mousse au chocolat
Meringues fourrées au chocolat
Poires Belle-Hélène
Profiteroles
Sachertorte (spécialité autrichienne)
Tiramisu

Vins doux naturels : banyuls – maury – rasteau – rivesaltes (ambré, rouge, rancio)

Charentes : pineau des charentes ruby de 10 ans

Italie : aleatico di puglia liquoroso (Pouilles) – montefalco sagrantino passito (Ombrie)

Portugal : porto tawny de 10 ou 20 ans – madère bual et malmsey

Indéniablement, les vins doux naturels rouges et rancio font la fête à ces desserts au chocolat. Servez-les nature entre 12 et 15 °C. Harmonies à prix doux avec le mavrodaphné (Grèce), idéal aussi avec un far, spécialité bretonne de flan aux pruneaux (si les pruneaux ont macéré dans l'armagnac, cette excellente eau-de-vie de vin pourrait être servie).

* Optez pour un rivesaltes ambré ou un madère malmsey pour accompagner ces deux délices.

** L'amarone della valpolicella proposé dans les pages précédentes réservera sur ce dessert populaire d'agréables surprises.

Mavrodaphné de Patras, Imperial, Achaia Clauss (Grèce)

Banyuls, Domaine de la Casa Blanca, Soufflet et Escapa (Roussillon)

Maury Prestige, 15 ans, Mas Amiel (Roussillon)

Madère Malmsey Belem's (Portugal)

Porto Cabral Tawny 10 ans, Vallegre Vinhos do Porto (Portugal)

Porto Ramos Pinto Tawny 10 ans, Quinta da Ervamoira (Portugal)

Les recettes... et les chefs

Dès le début du projet de ce livre, j'étais persuadé que non seulement de bonnes recettes de cuisine constitueraient une partie intéressante de l'ouvrage, mais qu'elles se révéleraient vite incontournables.

Mais quelles recettes allais-je choisir? Il en existe des milliers. Et à quel chef allais-je confier la tâche de les réaliser? Convaincu que l'art de la table réside avant tout dans la création d'un environnement propice au partage, je me suis dit qu'il serait peut-être judicieux d'inviter plusieurs chefs dans ma cuisine, afin que nous partagions ensemble, justement, d'heureux instants dignes d'Épicure.

Homme du vin avant tout, il se trouve que je partage avec les chefs qui ont accepté de participer à ce collectif culinaire les grands principes d'une certaine philosophie de la table, dont les ingrédients sont la meilleure qualité des aliments, la fraîcheur des produits, le respect des saveurs et quelques onces d'innovation, le tout enrobé de vérité, de sincérité et de simplicité.

Je suis ravi qu'ils aient acquiescé à ma demande aussi spontanément et je les remercie infiniment. En utilisant leurs recettes, vous allez peut-être découvrir à travers les textures, les couleurs, les épices et les condiments, la personnalité de ces cuisiniers de talent, qui ont aussi, dois-je le préciser, un autre point en commun: ils aiment tous le vin et respectent sa place à table. En quelques mots, je vous les présente à ma façon.

En préparant sa recette de canard confit aux navets, vous devinerez l'attachement de ***Jean-Pierre Carrière*** à sa cuisine du sud-ouest de la France. Terrines, confits, cassoulet et herbes aromatiques n'ont en effet plus de secrets pour mon ami Jean-Pierre, enfant du Gaillacois, qui sait cultiver l'amitié aussi bien que son jardin potager.

Anne Desjardins privilégie les produits de son merveilleux coin de Québec et une cuisine adaptée aux saisons. Sil y a encore trop peu de femmes chefs dans le monde, Anne, par sa sensibilité et son talent naturel, a su se tailler une réputation internationale fort méritée. Une halte gourmande à son restaurant vous mettra L'Eau à la bouche, assurément.

Énergique et passionné, ***Laurent Godbout*** est aussi inventif dans sa cuisine que perfectionniste. Son professionnalisme ne l'empêche pas d'aborder la vie avec gourmandise et curiosité, cueillant ça et là des idées qui apportent à ses plats cette touche d'originalité tant appréciée par les clients de Chez L'Épicier, son restaurant.

Dans son approche culinaire, ***Jean-Paul Grappe*** – son nom aurait pu faire de lui un sommelier – n'oublie jamais le plaisir d'expliquer, de montrer, en un mot d'enseigner. Soucieux du moindre détail et respectueux des matières premières, Jean-Paul transmet dans sa cuisine sa bonhomie typiquement bourguignonne.

Fabrice Mailhot est un chef aussi passionné par le vin qu'imaginatif quand il est au piano. Pour saisir le talent créatif de Fabrice, c'est très simple, il vous suffit de faire un aller-retour Reims (en Champagne) – Marrakech (au Maroc) et de visiter ses deux restaurants. Du Petit Comptoir au Jardin des Arts, vous aurez tout compris.

Spécialiste des quenelles et du gratin de son Dauphiné natal, ***Jean-Louis Massenavette*** est connu pour sa bonne humeur communicative. Et comme il ne désarme jamais devant une viande ou un poisson, Jean-Louis régale sa clientèle depuis longtemps avec une cuisine si savoureuse qu'elle donne le goût de prendre La Clef des Champs.

Quant à ***Philippe Mollé***, grand baroudeur devant l'éternel qui s'extasie devant les comptoirs d'épices de par le monde, il défend farouchement l'origine et la pureté des aliments, de l'huile d'olive à la fleur de sel en passant par les aromates et le bon pain. Philippe, je partage avec toi le souci de la vérité, dans le verre, comme dans l'assiette.

À l'opposé de l'image que l'on a encore du chef énervé qui crie dans sa cuisine, ***Jean Soulard*** est le calme et la gentillesse incarnés. Mais au-delà de ses qualités humaines, son talent de communicateur est aussi grand que son inspiration en cuisine. Pour toutes ces raisons, Jean donne aux jeunes le désir de faire le métier.

Dès qu'il en trouve le temps, ***Daniel Vézina*** rencontre les maraîchers, les apiculteurs, les producteurs de viande et les fournisseurs de poissons pour le plaisir d'apprendre et avoir le privilège de choisir les meilleurs produits. C'est de cette façon et avec beaucoup de talent qu'il met en valeur au Laurie Raphaël les produits du terroir québécois.

Même s'il a quitté son Latium natal il y a quelques décennies, ***Carlo Zopeni*** est resté profondément attaché à ses racines romaines. Quand, le sourire toujours accroché aux lèvres, Carlo fait cuire ses pâtes, prépare son basilic et frotte à l'ail ses crostinis, il chante toujours et, tout à coup, vous vous croyez en Italie.

Avec chacune de ces recettes, je n'ai pu résister au plaisir de choisir un vin en particulier, mon coup de cœur qui jouera sans faillir (pour moi) le jeu de l'accord parfait et saura à la fois mettre le plat en valeur et vous donner beaucoup de plaisir. Des plus simples aux plus grands, des plus abordables aux moins accessibles – en matière de prix –, je me suis rendu à l'évidence de ces choix. Qualité intrinsèque, bien sûr, signature infaillible et mariage incontournable avec le plat, tels ont été les critères qui m'ont guidé, comme ils m'ont guidé tout au long de ce livre. Et si vous ne pouvez vous procurer le vin en question, vous pourrez toujours fouiller dans le chapitre correspondant à la recette : ce ne sont pas les recommandations qui manquent. Allez, je vous abandonne à vos ustensiles et à vos couteaux en vous souhaitant un bon appétit et d'inoubliables harmonies.

Jean-Pierre Carrière exerce son art au restaurant du sélect Club de golf privé de Knowlton, en Estrie, depuis 2002. Auparavant, il a travaillé dans plusieurs Relais & Châteaux, dont l'hôtel La Sapinière à Val-David, le Post Hotel du lac Louise et la Pinsonnière de Charlevoix, et a dirigé son propre restaurant pendant sept ans.

FOIES DE CANARD POÊLÉS EN SALADE SCAROLE CROQUANTE, SAUCE À L'HYDROMEL

4 portions

Il est important de bien rincer les foies à l'eau froide. Séparer les lobes en les gardant entiers s'ils ne sont pas très gros. Ils ne doivent pas être trop cuits, car ils deviendraient un peu secs.

1 petite scarole, émincée
3 c. à soupe d'hydromel
2 c. à soupe de sirop d'érable ou 1 c. à soupe de miel
2 c. à soupe de vinaigre d'érable ou de cidre
Sel et poivre
60 ml (1/4 tasse) d'huile de tournesol
60 ml (1/4 tasse) de graisse de confit de canard ou d'huile d'olive
300 g (10 oz) de foies de canard
Sel et poivre
Pétales de fleurs comestibles (soucis, violettes ou autres)

Laisser reposer la scarole au réfrigérateur.

Dans un bol, mélanger l'hydromel, le sirop d'érable, le vinaigre, le sel et le poivre. Ajouter l'huile et, à l'aide d'un fouet, bien battre pour émulsionner la vinaigrette. Réserver.

Dans une poêle antiadhésive, chauffer la graisse de canard et saisir les lobes à feu vif environ 2 min de chaque côté. Saler, poivrer.

Dresser la scarole en dôme dans les assiettes, déposer les foies de canard, arroser de vinaigrette et garnir de pétales de fleurs.

coup de cœur

Gamay de Touraine, Domaine de la Charmoise, Henri Marionnet (Loire)

SOURIS D'AGNEAU CONFITES

4 portions

La cuisson de ce plat peut se faire à couvert au four à 190 °C (375 °F).

4 souris (jarrets) d'agneau avec l'os
Sel et poivre
2 litres (8 tasses) de graisse de confit de canard du commerce
3 brins de thym frais
3 ou 4 feuilles de laurier
6 gousses d'ail, écrasées

Saler, poivrer les jarrets et déposer au réfrigérateur de 4 à 6 h.

Dans un faitout, chauffer la graisse de confit, ajouter le thym, le laurier, l'ail et les jarrets. Porter à faible ébullition et laisser frémir environ 45 min. Pour vérifier la cuisson, la viande doit être très tendre et fondante.

Retirer la viande de la graisse et égoutter quelques minutes. (Laisser refroidir dans le corps gras pour une consommation ultérieure.)

Ce plat peut être accompagné de lentilles, de haricots blancs ou de pommes de terre sautées à la sarladaise (sautées dans la graisse d'oie et saupoudrées de persil et d'ail).

Madiran, Château Montus,
Alain Brumont (Sud-Ouest)

CANARD AUX NAVETS CONFITS

4 portions

Les plus vieux navets devront être épluchés plus en épaisseur pour bien éliminer la couche de cellulose qui se trouve sous la peau. Les parures serviront ultérieurement pour un potage ou une purée.

1 canard de 2 kg (4 lb) et ses abattis concassés
Sel et poivre
Herbes fraîches (thym, laurier, ciboulette, livèche ou autres), hachées
750 g (26 oz) de rutabagas, pelés
750 g (26 oz) de navets blancs, ronds ou longs, pelés
500 ml (2 tasses) de graisse de confit de canard
500 ml (2 tasses) de fond de canard ou de demi-glace de veau du commerce

Gaillac, Domaine de Pialentou (Sud-Ouest)

Préchauffer le four à 190 °C (375 °F).

Assaisonner l'intérieur et l'extérieur du canard de sel, de poivre et d'herbes.

Dans un plat à rôtir, déposer les abattis et le canard du côté de la poitrine. Mettre au four 30 min, puis 30 min sur l'autre face.

Dans deux récipients distincts, chauffer la graisse de confit et plonger les navets blancs dans l'un et les navets jaunes dans l'autre (la durée de cuisson n'étant pas la même). Laisser frémir quelques minutes et vérifier la cuisson à l'aide de la pointe d'un couteau. Ils doivent être tendres. Réserver dans un autre récipient, saler et poivrer légèrement.

Pour vérifier si le canard est cuit, la cuisse doit se détacher facilement sans qu'aucun sang ou jus rosé ne s'écoule. Retirer les chairs cuites, les cuisses et les deux poitrines. Découper en portions. Réserver au chaud le temps de préparer la sauce.

Les abattis et les os de carcasses sont remis sur le feu après avoir soigneusement dégraissé la plaque de cuisson. Ajouter le fond de canard, laisser mijoter 10 min en diluant bien les sucs caramélisés au fond de la plaque. Passer la sauce dans une fine passoire, dégraisser si nécessaire. Vérifier l'assaisonnement.

Dans un grand plat, déposer le canard au centre, les navets autour et napper de sauce bien chaude.

LAPEREAU SAUTÉ MINUTE AUX HERBES DU JARDIN

4 portions

1 lapereau désossé de 1,7 kg (3 3/4 lb) environ avec les filets, coupés en 3 morceaux ou 4 cuisses désossées et coupées en 3 ou 4 morceaux
Sel et poivre
60 ml (1/4 tasse) d'huile d'olive
Une grosse poignée d'herbes aromatiques fraîches, hachées grossièrement (thym, romarin, origan, marjolaine, livèche, estragon, cerfeuil, ciboulette, persil ou autres)
2 gousses d'ail, hachées

Aplatir les morceaux de lapereau en escalopes. Saler et poivrer.

Dans une poêle très chaude, chauffer l'huile et faire dorer le lapin environ 3 min de chaque côté. Attention de ne pas trop cuire la viande, elle pourrait durcir.

Au terme de la cuisson, ajouter les herbes et l'ail. Laisser reposer de 1 à 2 min pour que les parfums se mélangent bien.

Pour obtenir une sauce, verser un peu d'eau ou de bouillon de volaille dans la poêle.

Accompagner de légumes de saison.

Côtes du Frontonnais, Mons Aureolus, Château Montauriol (Sud-Ouest)

CROUSTADE AUX POMMES DE L'ESQUIROL

6 portions

1 kg (2 lb) de pommes, pelées, épépinées et coupées en tranches
60 ml (1/4 tasse) de rhum brun
2 c. à soupe d'eau de fleur d'oranger
150 g (2/3 tasse) de sucre
250 g (1 1/3 tasse) de farine
1/2 c. à café (1/2 c. à thé) de sel
2 c. à soupe d'huile végétale
125 ml (1/2 tasse) d'eau
1 petit œuf
125 ml (1/2 tasse) de beurre fondu

Dans un grand bol, mariner les pommes dans le rhum, la fleur d'oranger et 60 g (1/4 tasse) de sucre.

Dans un autre bol, mettre la farine, creuser un puits, ajouter le sel, l'huile, l'eau et l'œuf. Pétrir pour obtenir une pâte lisse et souple. Laisser reposer au réfrigérateur au moins 1 h.

À l'aide d'un rouleau à pâtisserie, étendre la pâte pour obtenir un grand rectangle très mince. À l'aide d'un pinceau, badigeonner généreusement le fond d'un plat carré de 25 cm (9 po) à rebords hauts et déposer un morceau de pâte un peu plus grand que le récipient, débordant sur les côtés.

Beurrer de nouveau et déposer le tiers des pommes pour une première couche, sucrer et ajouter un peu du jus rendu par les pommes.

Recommencer deux fois avec une couche de pâte. Beurrer chaque fois avant de rajouter les pommes, le sucre et le jus restant.

Remonter les bords de la pâte des côtés et couvrir. Finir en déposant la pâte restante qui sera beurrée et sucrée.

Cuire au four à 190 °C (375 °F) environ 45 min.

Tout le jus devrait être évaporé et la croustade devrait être bien dorée.
Cuire quelques minutes de plus si nécessaire. Laisser tiédir.

Cidre de glace du Québec, Neige, La Face cachée de la Pomme (Québec) 500 ml

Anne Desjardins est chef propriétaire de L'Eau à la bouche à Sainte-Adèle, un hôtel-restaurant membre des Relais & Châteaux dans les Laurentides. Elle a reçu de nombreux prix et reconnaissances, dont la Table d'or du Québec et le prix Renaud-Cyr. Dernièrement, elle a publié un livre de cuisine intitulé *Les quatre saisons selon Anne Desjardins.*

MINUTE D'OMBLE CHEVALIER DU GRAND NORD, ÉCRASÉE DE POMMES DE TERRE NOUVELLES, ÉMULSION LÉGÈREMENT CRÉMÉE À L'HUILE D'OLIVE

4 portions

8 petites pommes de terre nouvelles
125 ml (1/2 tasse) d'huile d'olive extravierge
60 ml (1/4 tasse) de crème épaisse (35 %)
2 c. à soupe de jus de citron
Sel
Quelques gouttes de tabasco
4 portions de 120 g (4 oz) chacune d'omble chevalier, avec la peau
Zestes d'un citron
6 oignons verts (2 émincés et 4 épluchés)
1 c. à soupe de caviar de truite

Cuire les pommes de terre avec la peau dans l'eau bouillante salée, jusqu'à ce qu'elles soient tendres. Égoutter, peler et réserver au chaud.

Dans une petite casserole, verser 4 c. à soupe d'huile, la crème et le jus de citron. Saler et ajouter quelques gouttes de tabasco. Ne porter à ébullition qu'au moment de servir.

Dans un poêlon antiadhésif, chauffer 1 c. à soupe d'huile, ajouter les filets côté peau en contact avec le poêlon, saler et ajouter les zestes. Cuire 3 min à feu moyen, ne pas retourner les filets. Dans ce même poêlon, rôtir les 4 oignons épluchés. Réserver au chaud.

Pendant que les filets cuisent, à l'aide d'une fourchette réduire les pommes de terre en purée. La consistance doit être légèrement grumeleuse. Ajouter 1 c. à soupe d'huile, les oignons émincés et saler. Déposer dans des assiettes chaudes.

Porter à ébullition la sauce à l'huile d'olive, vérifier l'assaisonnement. Déposer les filets d'omble sur la purée de pommes de terre et garnir avec les oignons verts et le caviar de truite.

coup de cœur

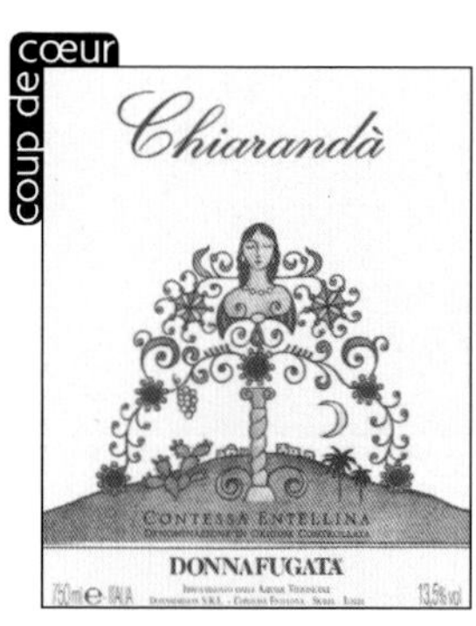

Contessa Entellina, Chiarandà, Donnafugata (Italie)

SAUTÉ DE CREVETTES AUX CHANTERELLES, LINGUINIS TOMATÉS ET JEUNES POUSSES D'ÉPINARDS

4 portions

Le court-bouillon peut se préparer quelques heures à l'avance.

Court-bouillon

4 c. à soupe d'huile d'olive extravierge
1 tige de céleri, émincée
1 oignon, émincé
1 carotte, émincée
1 gousse d'ail
3 champignons blancs, émincés
1 c. à soupe de vinaigre de vin blanc
225 ml (3/4 tasse + 3 c. à soupe) de vin blanc
500 ml (2 tasses) de bouillon de volaille
Quelques gouttes de tabasco
24 crevettes (ou écrevisses vivantes)

Esprit de Beaucastel, Paso Robles, Tablas Creek Vineyard (Californie)

Pâtes

400 g (14 oz) de linguinis de la meilleure qualité
250 g (8 oz) de petites chanterelles fraîches
500 g (16 oz) de jeunes pousses de chou gras (ou jeunes épinards)
12 tomates cerises, coupées en quatre
2 oignons verts, émincés
4 feuilles de basilic frais, émincées
Sel

Dans une casserole à fond épais, chauffer l'huile et faire dorer le céleri, les oignons, les carottes, les champignons et l'ail. Déglacer avec le vinaigre et le vin. Ajouter le bouillon de volaille, le tabasco et amener à ébullition. Plonger les crevettes dans le court-bouillon quelques minutes. Quand elles sont cuites, décortiquer et réserver. (Si on utilise des écrevisses, retirer la chair de la queue et réserver ainsi que 4 têtes qu'on utilisera comme garniture avec le basilic.) Remettre les carapaces dans le bouillon et réduire de moitié. Filtrer le bouillon au chinois. Il devrait rester 200 ml de liquide. Réserver.

Cuire les pâtes dans l'eau bouillante salée. Rafraîchir et réserver.

Dans une casserole, chauffer 2 c. à soupe d'huile d'olive sur feu moyen et faire revenir les chanterelles. Ajouter les jeunes pousses, les tomates les oignons verts, le basilic, quelques gouttes de tabasco et le sel.

Dans une autre casserole, sur feu vif, remettre les pâtes avec 3 c. à soupe de bouillon réservé.

Mélanger vivement le contenu des deux casseroles, vérifier l'assaisonnement.

Déposer dans 4 assiettes creuses et chaudes, en répartissant également les crevettes. Garnir avec le basilic.

SUPRÊMES DE CAILLE POÊLÉS SUR UNE SALSA DE POMMES ET D'ENDIVES BRAISÉES ET PARFUMÉES AUX ÉPICES, SAUCE AU MOÛT DE POMME DES BASSES-LAURENTIDES

4 portions

1 grosse pomme d'automne (Empire ou Spartam, qui reste assez ferme à la cuisson), pelée et coupée en petits dés (réserver le cœur et les pelures pour la sauce)
Quelques gouttes de vinaigre de cidre de pomme
3 endives, parées et émincées grossièrement (réserver les feuilles parées pour la sauce)
3 c. à soupe de beurre doux
1 gros oignon, émincé
1 pincée de ces différentes épices fraîchement moulues : poivre blanc, piment de la Jamaïque, poivre rose, cardamome, anis étoilé et baies de genièvre
2 c. à soupe de vinaigre de cidre naturel, non pasteurisé
80 ml (1/3 tasse) de moût ou de jus de pomme
500 ml (2 tasses) de bouillon de volaille très concentré
Sel
4 cailles par personne (8 suprêmes désossés)

coup de cœur

Ribera Del Duero, Tinto Pesquera, Alejandro Fernandez (Espagne)

Déposer les dés de pomme dans une eau légèrement acidulée avec quelques gouttes de vinaigre de cidre. Réserver.

Plonger les endives quelques secondes dans une casserole d'eau bouillante pour les blanchir. Réserver.

Dans une casserole, chauffer 1 c. à soupe de beurre et faire dorer la moitié des oignons, les parures de pommes et d'endives. Ajouter une pincée d'épices moulues, déglacer avec le vinaigre, ajouter le moût de pomme, le bouillon et laisser réduire de moitié. Filtrer à l'aide d'une petite passoire. Réserver.

Réchauffer la sauce et ajouter une noisette de beurre. Rectifier l'assaisonnement.

Dans 1 c. à soupe de beurre, faire caraméliser le reste des oignons, ajouter les endives blanchies, les dés de pomme bien remuer quelques minutes, saler, ajouter une pincée d'épices, partager dans 4 assiettes chaudes.

Saler les suprêmes de caille et les saupoudrer avec le mélange d'épices. Dans une sauteuse, sur feu moyen, chauffer 1 c. à soupe de beurre et faire revenir les suprêmes quelques minutes de chaque côté. Déposer 2 suprêmes dans chaque assiette, napper de sauce et garnir d'un trait d'épices.

FILETS DE CERF DE BOILEAU, SAUCE AU VIN ROUGE, BETTERAVES JAUNES, CAROTTES, PANAIS ET RACINES DE PERSIL DE NOS MARAÎCHERS RÔTIS AU LARD FUMÉ

coup de cœur

Châteauneuf du Pape, Château de la Gardine (Rhône)

4 portions

Un filet d'huile d'olive extravierge
60 g (2 oz) de bacon fumé non tranché, en dés
1 panais, en gros dés
1 carotte, en dés
1 betterave jaune moyenne, en dés
Racines de persil
2 petits oignons, coupés en six
Sel
Brins de thym frais
1 c. à soupe d'huile d'olive
4 filets ou longe (contre-filet) de cerf de 250 g (8 oz) chacun
1 échalote, émincée
3 baies de genièvre
2 c. à soupe de vinaigre balsamique
250 ml (1 tasse) de vin rouge
500 ml (2 tasses) de fond de gibier*
1 c. à soupe de beurre doux
Sel

Dans une casserole à fond épais, chauffer l'huile et faire revenir le bacon. Ajouter les légumes. Lorsqu'ils sont dorés, saler et ajouter quelques brins de thym. Poursuivre la cuisson à couvert au four à 230 °C (450 °F), 40 min ou jusqu'à ce qu'ils soient tendres. Garder au chaud.

Dans un poêlon à fond épais, chauffer 1 c. à soupe d'huile et saisir les filets environ 3 min de chaque côté. Saler. Réserver au chaud.

Dans ce même poêlon, cuire les échalotes 1 min, ajouter le genièvre, déglacer avec le vinaigre et le vin. Ajouter le fond de gibier, laisser réduire. Pour terminer, ajouter le beurre doux. Saler.

Dans des assiettes chaudes, déposer les légumes rôtis et le cerf. Napper de sauce et garnir de brins de thym.

* Fond de gibier : Si on ne trouve pas de fond de gibier du commerce, préchauffer le four à 230 °C (450 °F). Badigeonner de beurre et faire dorer sur une plaque des morceaux de chevreuil, les carcasses d'une perdrix et d'un faisan ou tout animal sauvage. Dans une grande casserole, déposer 150 g (5 oz) de rondelles de carottes et d'oignons. Ajouter un bouquet garni et les restes d'un lièvre ou d'un lapin et les viandes du four. Déglacer la plaque avec 500 ml (2 tasses) de vin rouge et 500 ml (2 tasses) d'eau et faire réduire de moitié. Verser le liquide dans la casserole, ajouter 2,5 litres (9 tasses) d'eau, faire bouillir, écumer. Saler et poivrer. Ajouter 1 bouquet garni (thym, persil et feuille de laurier), 1 brin de sauge, 10 baies de genièvre et 1 clou de girofle. Réduire le feu et laisser mijoter 3 h. Dégraisser et passer au tamis ou à l'étamine.

PORC NATUREL CUISINÉ DE DEUX FAÇONS, LE FILET POÊLÉ ET L'ÉPAULE BRAISÉE LONGUEMENT, PETIT JUS DE CUISSON AUX PARFUMS ANCIENS

6 portions

Cette recette d'hiver nous offre deux façons de cuisiner le porc : le filet poêlé et l'épaule braisée. Il s'agit de se laisser guider par les deux préparations. Braiser l'épaule la veille ou 6 h avant de servir pour obtenir une chair moelleuse et tendre. Pour les plats braisés, il est recommandé, de cuire à basse température, c'est-à-dire pas plus de 150 °C (300 °F).

1 gros oignon, émincé
24 petites carottes, épluchées (dont 6 émincées)
1 tête d'ail, épluchée
1 épaule de porc, préalablement sur os
1 c. à soupe de vinaigre de vin rouge
125 ml (1/2 tasse) de vin rouge
1 pincée de chacune de ces différentes épices, grossièrement écrasées au mortier : clou de girofle, piment de la Jamaïque, anis étoilé, poivre noir, graines de coriandre, baies de genièvre
Sel
60 ml (1/4 tasse) d'huile d'olive
6 médaillons de porc (dans le filet) de 90 g (3 oz) chacun
1 c. à soupe de beurre

Minervois, Château Villerambert Julien, M. Julien (Languedoc)

Préparation 1

Préchauffer le four à 230 °C (450 °F).

Déposer dans une lèchefrite les oignons, 6 carottes émincées, l'ail, l'épaule de porc, le vinaigre, le vin, les épices et le sel. Couvrir et, 15 min après le début de la cuisson, réduire la température à 150 °C (300 °F) et prolonger la cuisson pendant 3 h. Retirer du four et laisser reposer la viande 30 min. Filtrer le jus de cuisson au chinois dans une casserole, et laisser réduire de moitié. Réserver.

Prélever tous les beaux morceaux de chair sur l'épaule de porc et les réserver.

Préparation 2

Dans une casserole, cuire à l'eau bouillante salée les 18 carottes restantes jusqu'à ce qu'elles soient tendres. Rafraîchir à l'eau froide et réserver.

Dans une sauteuse, chauffer un peu d'huile et faire revenir les médaillons préalablement salés, quelques minutes de chaque côté. Réserver au chaud.

Dans une petite sauteuse, réchauffer les morceaux de chair d'épaule dans une partie de jus de cuisson réduit et vérifier l'assaisonnement.

Faire revenir dans un peu d'huile les 18 carottes, saler.

Dans le bouillon réservé, ajouter le beurre.

Dans chaque assiette, répartir les chairs de l'épaule braisée, déposer un médaillon, les carottes et napper de sauce.

Laurent Godbout est chef propriétaire du restaurant Chez L'Épicier dans le Vieux-Montréal. Il a travaillé dans plusieurs établissements prestigieux, dont l'Auberge Hatley et l'Auberge des Trois Tilleuls. Il a gagné de nombreux concours culinaires et a publié aux Éditions de l'Homme un livre de recettes intitulé *Laurent Godbout, chef Chez L'Épicier.*

TATIN DE VEAU AUX ENDIVES CARAMÉLISÉES, PURÉE DE CHOUX-FLEURS AU FROMAGE DE CHÈVRE ET ÉMULSION D'OLIVES NOIRES

4 portions

Tatin de veau

600 g (1 1/2 lb) de veau, en cubes
1 litre (4 tasses) de gras de canard
2 oignons blancs
1 c. à soupe de beurre
60 ml (1/4 tasse) d'huile d'olive
Sel et poivre noir fraîchement moulu

1 c. à café (1 c. à thé) de beurre
2 endives

Chinon, Clos de l'Écho, Couly-Dutheil (Loire)

1 c. à café (1 c. à thé) de sucre
2 c. à soupe de beurre
200 g (8 oz) de filet de veau, paré

4 cercles de pâte feuilletée de 12 x 0,5 cm (5 x 1/4 po) d'épaisseur

Préchauffer le four à 120 °C (250 °F). Dans une casserole allant au four, déposer les cubes de veau et le gras de canard. Couvrir et cuire 4 h. Dans une poêle, chauffer le beurre et sauter les oignons jusqu'à ce qu'ils caramélisent. Réserver.

Lorsque le veau est prêt, vérifier à l'aide d'une fourchette s'il s'effiloche. L'égoutter 5 min pour retirer le gras. Déposer le veau encore chaud dans un bol, ajouter les oignons, remuer vigoureusement à l'aide d'une cuillère de bois pour qu'il s'effiloche et s'amalgame bien. Ajouter l'huile, le sel et le poivre. Réserver.

Suite →

Dans une casserole, faire fondre le beurre, ajouter les endives, le sucre et sauter à feu vif pour les faire dorer légèrement. Laisser tiédir. Superposer les feuilles d'endives dans 4 ramequins de 10 cm (4 po) en couvrant toutes les parois intérieures. Remplir avec le mélange de veau et réserver.

Préchauffer le four à 220 °C (425 °F) et déposer les cercles de pâte feuilletée sur une plaque recouverte de papier sulfurisé (parchemin). Cuire 8 min. Baisser ensuite la température à 180 °C (350 °F) et cuire de 12 à 15 min de plus, jusqu'à ce que la pâte soit bien dorée. Retirer du four.

Préchauffer le four à 200 °C (400 °F).

Dans une poêle, sur feu vif, chauffer le beurre jusqu'à coloration noisette. Ajouter le filet de veau et saisir de tous les côtés. Saler et poivrer. Finir la cuisson au four de 8 à 10 min.

Purée de choux-fleurs

1 litre (4 tasses) d'eau
1 c. à café (1 c. à thé) de sel
200 g (1 tasse) de chou-fleur en bouquets
2 c. à soupe de beurre
60 ml (1/4 tasse) de crème épaisse à cuisson (35 %)
90 g (3 oz) de fromage de chèvre de Saint-Isidore ou autre
Sel et poivre blanc

Plonger les choux-fleurs dans l'eau bouillante salée et faire cuire jusqu'à ce qu'ils soient tendres. Égoutter et réduire en purée lisse à l'aide du robot de cuisine. Ajouter le beurre et mélanger.

Dans une casserole, chauffer la crème et le fromage de chèvre en remuant souvent à l'aide d'une spatule de bois pour obtenir une pâte homogène. Verser sur la purée chaude et remuer 2 min. Vérifier l'assaisonnement et réserver au chaud.

Émulsion d'olives noires

1 c. à soupe de beurre
2 échalotes
80 ml (1/3 tasse) de vin rouge
180 ml (3/4 tasse) de fond de veau* ou de fond d'agneau*
2 brins de thym
10 olives Kalamata, dénoyautées
1 c. à café (1 c. à thé) de beurre non salé
Poivre noir fraîchement moulu

Dans une casserole, faire fondre le beurre, ajouter les échalotes et les faire suer jusqu'à légère coloration. Déglacer au vin rouge et réduire de moitié. Ajouter le fond d'agneau, le thym et les olives. Faire réduire encore de moitié et retirer le thym. Passer au mélangeur à vitesse rapide 2 min pour obtenir une sauce lisse. Passer au tamis, ajouter le beurre et un peu de poivre. Réserver.

Garniture

12 haricots verts
1 c. à café (1 c. à thé) de beurre
Sel et poivre

Plonger les haricots quelques minutes dans l'eau bouillante salée pour les blanchir. Puis, dans une poêle, les sauter au beurre.

Préchauffer le four à 230 °C (450 °F).

Déposer les ramequins 8 min sur la grille du bas. Poser les cercles de pâte feuilletée sur chacun des tatins et cuire 2 min de plus. Verser la purée bien chaude au centre de chaque assiette. Renverser les tatins au centre de la purée et enlever doucement les ramequins. Napper avec un peu d'émulsion d'olives et garnir de haricots. Couper le filet en tranches et les déposer sur le dessus du tatin.

* Fond de veau ou d'agneau : Souvent on peut se procurer de très bons fonds de veau ou d'agneau dans le commerce. Si vous voulez faire le vôtre, il s'agit de demander à votre boucher des os de veau ou d'agneau et de les faire dorer au four. Dans une grande casserole, déposer 150 g (5 oz) de carottes en rondelles, 90 g (3 oz) d'oignons en rondelles et un bouquet garni (thym, persil et laurier). Couvrir et laisser suer de 15 à 20 min. Ajouter les os et 250 ml (1 tasse) d'eau, laisser réduire de moitié et recommencer la même opération. Ajouter 3 litres (12 tasses) d'eau, amener à ébullition, écumer, réduire le feu, saler, poivrer et laisser mijoter 6 h. Dégraisser et passer au tamis fin ou à l'étamine.

4 portions

Bœuf

2 c. à soupe de beurre
600 g (20 oz) de bœuf (pièce à braiser)
2 gousses d'ail
1 brin de thym
250 ml (1 tasse) de vin rouge
750 ml (3 tasses) de fond de veau du commerce
50 g (2 oz) d'olives Kalamata, dénoyautées
50 g (2 oz) de tomates séchées, ciselées

1 c. à soupe de beurre
1 oignon, haché
Sel et poivre

4 morceaux de crépine de 15 x 15 cm (6 x 6 po)
2 c. à soupe de beurre

Querciagrande, Colli della Toscana Centrale (Italie)

Pommes de terre Macaire

200 g (6 oz) de pommes de terre, entière
100 g (4 oz) de beurre
2 c. à soupe de persil plat italien, haché

Cuire les pommes de terre au four à 180 °C (350 °F) pendant 45 min. Les peler.
Dans un bol et à l'aide d'une spatule, mélanger avec 60 g (2 oz) de beurre et le persil en prenant soin de conserver des morceaux de 1 cm (1/2 po).
Beurrer des moules à muffins et déposer les pommes de terre. Cuire au four à 200 °C (400 °F) sur la grille du bas de 8 à 10 min jusqu'à légère coloration. Démouler et disposer dans chaque assiette.

Carottes

8 carottes rouges miniatures, nettoyées
8 carottes blanches ou jaunes miniatures, nettoyées
8 carottes boules miniatures, nettoyées
8 carottes orange miniatures, nettoyées
Eau
1 pincée de sel
1 c. à soupe de beurre

Dans une casserole d'eau bouillante salée, plonger les carottes pour les blanchir environ 7 min. Égoutter, ajouter le beurre. Assaisonner.

Dans un faitout, faire fondre le beurre à feu élevé jusqu'à coloration noisette. Saisir le bœuf de chaque côté. Ajouter l'ail, le thym, le vin, le fond de veau, les olives et les tomates. Cuire au four à 150 °C (300 °F) pendant 6 h.

Chauffer une poêle à feu moyen, faire fondre le beurre. Ajouter les oignons et les faire caraméliser environ 10 min. Réserver.

Au terme de la cuisson du bœuf, retirer l'ail et le thym, verser le bouillon dans une casserole et faire réduire jusqu'à consistance sirupeuse.
Vérifier l'assaisonnement et réserver.

Dans un bol, déposer la viande, les olives, les tomates et les oignons caramélisés. Mélanger et réserver.

Tendre les crépines et disposer au centre de chacune le mélange de bœuf puis refermer en repliant pour donner la forme de petits gâteaux.

Chauffer une poêle à feu moyen-élevé, faire fondre le beurre et ajouter les gâteaux. Rôtir de chaque côté quelques minutes et finir au four à 180 °C (350 °F) 8 min.

Déposer dans chaque assiette avec les pommes de terre, les pousses de carottes et napper d'un peu de sauce.

SUPRÊMES DE PINTADE FARCIS À LA MANGUE, MOUTARDE FORTE ET CHOU VERT, CRÈME DE LARD

4 portions

Compotée de mangue et de chou

1 mangue bien mûre, pelée et coupée en cubes de 2 cm (1 po)
400 g (2 tasses) de chou de Savoie, paré et coupé en cubes
75 ml (1/3 tasse) de vin blanc
60 ml (1/4 tasse) de moutarde de Dijon
Sel et poivre fraîchement moulu

Mélanger la mangue et le chou. Mettre dans une casserole à feu moyen-élevé avec le vin, la moutarde, le sel et le poivre. Cuire jusqu'à première ébullition, baisser le feu à température moyenne et cuire environ 10 min pour obtenir une compote. Transvider dans un bol et laisser refroidir à la température ambiante.

Alsace, Tokay Pinot Gris, Cuvée Laurence, Domaine Weinbach (France)

Pintade

4 suprêmes de pintade
1 c. à soupe de beurre
Sel et poivre fraîchement moulu

Préchauffer le four à 190 °C (375 °F). Pendant ce temps, à l'aide d'un couteau, faire une incision sur la partie arrière des suprêmes de pintade (près de l'os). Ouvrir les poitrines aux trois quarts. Farcir avec la compotée. Faire fondre le beurre dans une poêle à feu moyen jusqu'à coloration noisette. Saler et poivrer les suprêmes sur les deux faces. Saisir 2 min de chaque côté dans la poêle. Déposer sur une plaque et cuire 12 min au four.

Crème de lard

1 c. à café (1 c. à thé) de beurre
2 échalotes grises, ciselées
60 g (1/3 tasse) de bacon, en dés
125 ml (1/2 tasse) de vin blanc
125 ml (1/2 tasse) de crème

Faire fondre le beurre dans une casserole. Ajouter les échalotes et faire revenir légèrement. Ajouter le bacon et cuire jusqu'à légère coloration. Déglacer au vin blanc. Faire réduire de moitié, ajouter la crème et laisser mijoter 2 min. Passer le tout au mélangeur à vitesse rapide pour obtenir une crème. Passer au tamis puis réserver au chaud.

Garniture

36 radis de différentes variétés, bien nettoyés
125 ml (1/2 tasse) d'eau
80 g (1/3 tasse) de sucre
60 g (1/4 tasse) de beurre
Sel et poivre
16 choux de Bruxelles effeuillés
Eau
Beurre

Mettre les radis dans une petite poêle avec l'eau, le sucre, le beurre, le sel et le poivre. Couvrir et cuire de 7 à 8 min, jusqu'à ce que l'eau soit évaporée et que les radis soient cuits. Chauffer une poêle et sauter les choux de Bruxelles environ 30 sec avec l'eau et le beurre.

Étendre de la crème de lard dans des assiettes individuelles. Déposer quelques radis au centre et quelques feuilles de choux de Bruxelles autour. Couper un suprême en deux, déposer au centre et servir.

BRICKS DE CHÈVRE TOURNEVENT, POIRES CONFITES ET CARAMIEL AU GIROFLE

4 portions

Ce plat peut être servi en entrée ou après le repas principal avec quelques pousses de mâche.

Bricks de chèvre

4 pâtes à rouleaux de printemps
300 g (10 oz) de fromage de chèvre Tournevent ou autre
1 c. à soupe d'eau
Farine
Huile à friture

Sancerre, La Bourgeoise,
Domaine Henri Bourgeois (Loire)

Décoller les pâtes à rouleaux de printemps les unes des autres et les étendre séparément, pointe vers le bas. Mettre du fromage de chèvre au milieu de chacune. Mélanger l'eau et la farine pour obtenir une «colle» et badigeonner la partie supérieure de la pointe avec celle-ci. Ramener la pointe inférieure sur le fromage jusqu'au milieu de la pâte. Ramener ensuite les pointe gauche et droite au centre du rouleau et rouler celui-ci jusqu'à ce qu'il atteigne la pointe supérieure et que la «colle» puisse bien faire adhérer la pointe au reste du rouleau. Réserver dans le réfrigérateur.

Poires confites

375 ml (1 1/2 tasse) d'eau
60 g (1/4 tasse) de sucre
125 ml (1/2 tasse) de vin blanc
4 poires pelées et évidées

Dans une casserole, mettre l'eau, le sucre et le vin à feu moyen-élevé. Ajouter les poires et cuire environ 15 min. (La pointe d'un couteau doit ressortir facilement de la chair.) Égoutter et laisser refroidir dans le réfrigérateur.

Caramiel au girofle

100 g (1/4 tasse) de miel
1/2 c. à café (1/2 c. à thé) de clou de girofle moulu

Dans une petite casserole, chauffer le miel à feu élevé. Ajouter le clou de girofle et bien remuer. Quand celui-ci commence à fumer et que le miel commence à caraméliser, retirer du feu et verser dans un petit bol.

Dressage

Quelques feuilles de chêne
12 clous de girofle entiers

Plonger les bricks de chèvre 1 1/2 min dans l'huile à friture jusqu'à légère coloration de la pâte ou mettre au four 5 min à 200 °C (400 °F). Couper les bricks en deux et les mettre dans des assiettes individuelles. Garnir de poires confites, ajouter quelques feuilles de chêne et des clous de girofle pour décorer et terminer avec une cuillerée de caramiel.

BONBONS DE TOMATES À LA FLEUR DE SEL ET SUSHIS AU THON FAÇON CHEZ L'ÉPICIER

4 portions

Tomates

125 ml (1/2 tasse) d'eau
100 g (3/4 tasse) de sucre
4 tomates raisins ou tomates cerises
4 bâtonnets pour bonbon
2 pincées de fleur de sel

Dans une petite casserole, chauffer l'eau et le sucre jusqu'à l'obtention d'un caramel léger. Insérer la pointe des bâtons dans chaque tomate. Tremper dans le caramel chaud et retirer. Assaisonner légèrement de fleur de sel. Piquer les bâtonnets dans un morceau de styromousse pour les tempérer.

coup de cœur

Franciacorta rosé, Azienda agricola Bellavista (Italie)

Sushis au thon

4 c. à soupe de riz à sushi, cuit et encore chaud
1 c. à café (1 c. à thé) de jus de gingembre marin
100 à 120 g (3 à 4 oz) de thon frais de première qualité, haché
1/2 c. à café (1/2 c. à thé) de sauce soja
1 c. à café (1 c. à thé) de mayonnaise
Wasabi*
4 brins de thym frais

Dans un petit bol, mélanger le riz et le jus de gingembre et déposer 2 cm (1 po) de hauteur dans des emporte-pièces de 2 cm (1 po) de diamètre.

Dans un autre bol, mélanger le thon et la sauce soja et déposer sur le riz en pressant fermement ou jusqu'à ce qu'il reste 1 cm (1/2 po) d'épaisseur.

Parfumer la mayonnaise au wabasi et garnir le dessus des sushis. Enlever les emporte-pièces et déposer dans des cuillères. Garnir de brins de thym.

* Mélange de vinaigre de riz, d'huile de sésame et de moutarde de raifort. On trouve ce produit dans les épiceries fines ou orientales.

Jean-Paul Grappe est professeur et chef de cuisine à l'Institut de tourisme et d'hôtellerie du Québec depuis 1984. Sa vaste expérience dans les domaines de la cuisine et de l'enseignement lui vaut d'être l'un des chefs les plus respectés au Québec. Il est l'auteur de *Gibier à poil et à plume*, de *Poissons, mollusques et crustacés* et de *Basilic, thym, coriandre et autres herbes*, publiés aux Éditions de l'Homme.

BAR GRILLÉ AU FENOUIL

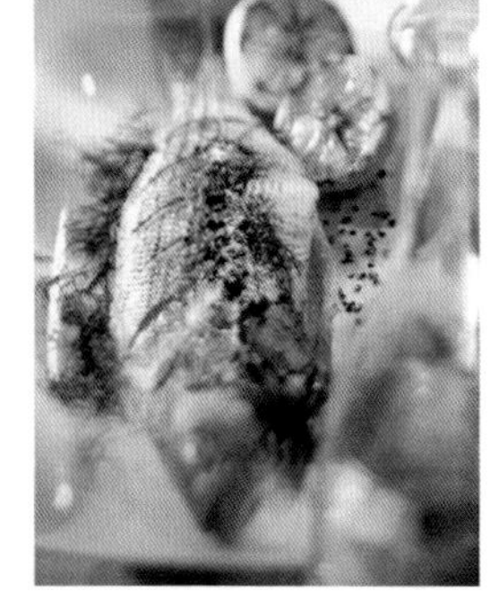

4 portions

Il faut posséder une grille spéciale pour la cuisson du poisson.

1,2 kg (2 3/4 lb) de bar
Sel et poivre
3 c. à soupe d'huile d'olive
15 branches de fenouil, séchées

Bien assaisonner le bar, puis le badigeonner d'huile d'olive.

Au fond de la grille, déposer la moitié des branches de fenouil, y déposer le bar, puis le reste des branches de fenouil.

Cuire sur un feu de braise en le retournant fréquemment.

Servir avec un beurre non salé à température ambiante accompagné de pommes de terre vapeur.

Sancerre, Domaine La Moussière, Alphonse Mellot (Loire)

4 portions

Il est important que vous choisissiez des rognons de première qualité provenant d'un veau de lait. Les rognons de veau lourd ou de veau de grain sont beaucoup trop gros et doivent être cuisinés différemment. Ils ne conviennent pas à cette recette.

2 rognons entiers de 240 à 300 g (8 à 10 oz) chacun avec leur graisse de veau de lait
Sel et poivre

Sauce moutarde

250 ml (1 tasse) de vin blanc sec
90 g (1/2 tasse) d'échalotes hachées finement
125 ml (1/2 tasse) de moutarde de Dijon forte
125 ml (1/2 tasse) de crème épaisse (35 %)
150 ml (2/3 tasse) de fond brun de veau lié (p. 257) ou de demi-glace du commerce
20 g (1/2 tasse) de ciboulette ciselée

Couper les rognons en deux sur la longueur. Bien enlever le canal urinaire ainsi que 80 % du gras qui les entoure. (Il faut en laisser un peu puisqu'il « nourrira » les rognons en cours de cuisson.) Réserver au réfrigérateur.

Faire réduire le vin et les échalotes à 90 %, à feu vif, dans une casserole. Ajouter la moutarde et fouetter continuellement de 1 à 2 min afin qu'elle perde son acidité. Ajouter la crème et le fond de veau et laisser mijoter quelques minutes. Rectifier l'assaisonnement et incorporer la ciboulette. Réserver.

Chauffer le gril ou une poêle à fond cannelé chaude. Saler et poivrer les rognons et les saisir pour qu'ils prennent une belle coloration. Baisser la température et poursuivre la cuisson jusqu'à ce qu'ils soient cuits tout autour en conservant une petite pointe de rosé au centre. Plus on cuit les rognons, plus ils durcissent.

Servir les rognons au fond des assiettes individuelles, puis napper avec la sauce moutarde.

coup de cœur

Big House Red, California,
Ca' del Solo (États-Unis)

Légumes suggérés

Pommes de terre en purée ou riz pilaf, panais, brocoli, chou-fleur.

CÔTES DE BŒUF SAUTÉES, JUS À LA MARJOLAINE

4 portions

Sel et poivre
2 côtes de bœuf de 600 g (20 oz) chacune, non désossées
40 g (1 tasse) de marjolaine, hachée finement
80 ml (1/3 tasse) d'huile d'arachide
120 g (1/2 tasse) de beurre non salé
250 ml (1 tasse) de vin blanc sec
175 ml (3/4 tasse) de fond de bœuf clair

Saler et poivrer les côtes de bœuf sur les deux faces, puis frotter chaque côté avec 10 g (1/4 tasse) de marjolaine. Chauffer une lèchefrite à fond épais avec l'huile et 60 g (1/4 tasse) de beurre. Saisir les côtes de chaque côté pour qu'elles prennent une belle coloration. Mettre les côtes au four à 230 °C (450 °F) en les arrosant de temps à autre. À 54 °C (130 °F), elles seront saignantes ; à 58 °C (136 °F), elles seront à point. On doit toujours laisser reposer une viande au chaud de 7 à 8 min avant de la servir. Profiter de ce temps de repos pour faire le jus en enlevant le gras de cuisson de la lèchefrite et en déglaçant avec le vin et le fond de bœuf. Monter au beurre tout en rectifiant l'assaisonnement. Verser un peu de jus de bœuf au fond de chaque assiette. Découper des tranches de bœuf et déposer dans le jus.

Saint-Chinian, Veillée d'Automne, Clos Bagatelle (Languedoc)

Légumes suggérés

Gratin dauphinois, haricots verts extrafins.

CÔTELETTES DE PORC À L'HYSOPE

4 portions

4 côtelettes de porc de 160 g (5 1/3 oz) chacune, non désossées
Sel et poivre
60 g (2 oz) de feuilles d'hysope, hachées finement
120 g (1/2 tasse) de graisse de rôti
125 ml (1/2 tasse) de liqueur maison style Chartreuse
250 ml (1 tasse) de jus de graisse de rôti
Beurre
60 g (2 oz) de fleurs d'hysope

Saler et poivrer les côtelettes, puis couvrir avec les feuilles d'hysope. Dans une grande poêle à fond épais, chauffer la graisse de rôti et cuire les côtelettes à feu vif de chaque côté, jusqu'à ce que le thermomètre atteigne 70 °C (160 °F) à cœur. Extraire le gras de cuisson de la poêle et flamber les côtelettes avec la Chartreuse. Retirer et réserver au chaud. Dans la même poêle, verser le jus de graisse de rôti, rectifier l'assaisonnement et monter au beurre. Verser 1 c. à soupe de jus au fond de chaque assiette, puis déposer les côtelettes. Parsemer de fleurs d'hysope.

coup de cœur

Château de Nages

Costières de Nîmes Blanc,
Cuvée Joseph Torrès,
Château de Nages (Rhône)

Légumes suggérés

Pommes de terre sautées, panais, haricots verts.

FILETS DE SAINT-PIERRE À LA CRÈME DE CAVIAR

150 g (5 oz) de salsifis, émincés
Lait
120 g (3/4 tasse) de petits pois frais
Sel et poivre
4 x 50 g (env. 2 oz) de filets de saint-pierre
140 g (3/4 tasse) de beurre doux
300 ml (1 1/4 tasse) de champagne
240 ml (1 tasse) de bisque de crevettes ou d'écrevisses
80 ml (1/3 tasse) de crème sure
80 g (2 3/4 oz) de caviar d'esturgeon du Témiscamingue

Champagne, Dom Ruinart (France)

Cuire les salsifis émincés dans du lait salé. Une fois cuits, les laisser dans le lait.

Cuire les petits pois frais à l'eau salée.

Saler et poivrer les filets de saint-pierre, puis avec 2 1/2 c. à soupe de beurre, badigeonner un plat allant au four et y déposer les poissons. Verser le champagne et parsemer de 6 c. à soupe de beurre en petites noix. Couvrir avec un papier d'aluminium et cuire au four à 200 °C (400 °F), tout en surveillant bien les filets afin qu'ils restent moelleux.

La cuisson terminée, verser le fond de cuisson dans une casserole et réduire de moitié. Ajouter la bisque, laisser mijoter quelques minutes, puis incorporer en fouettant vivement la crème sure.

Égoutter les salsifis et les petits pois, puis les faire sauter dans le reste du beurre. Assaisonner au goût.

Juste avant de servir, incorporer le caviar d'esturgeon à la sauce.

Disposer en haut de l'assiette, les salsifis et les petits pois, puis déposer les filets de saint-pierre et napper de sauce au caviar.

Fabrice Mailhot partage son talent de chef créatif entre ses deux restaurants, Le Petit Comptoir à Reims, en Champagne, et le Jardin des Arts à Marrakech, au Maroc. Amoureux des voyages, il découvre régulièrement de nouveaux horizons et cultive ainsi à loisir sa passion du vin et de la fine cuisine.

ASSORTIMENT DE SALADES MAROCAINES ET BRIOUATES AUX CREVETTES ROSES

8 portions

Tomates Roma séchées au four

150 g (5 oz) de tomates, mondées et épépinées
Sel et poivre
3 c. à soupe de cannelle
3 c. à soupe d'huile d'olive

Préchauffer le four à 100 °C (200 °F).
Sur une plaque allant au four, déposer les tomates, le sel, le poivre, la cannelle et l'huile. Cuire 2 h 30.

Coteaux du Languedoc, Rosé de Saignée, La Bergerie de l'Hortus (Languedoc)

Confiture de tomate

150 g (5 oz) de tomates Roma, mondées et épépinées
150 g (5 oz) de sucre semoule

La veille, mélanger les tomates et le sucre.
Dans une casserole, cuire le mélange jusqu'à consistance d'une confiture.

Salade de concombre

300 g (12 oz) de concombres, émincés, épépinés et salés
200 g (8 oz) de tomates, en dés
1 citron
Sel
3 c. à soupe d'huile d'olive
5 feuilles de menthe, émincées finement
Poivre noir, fraîchement moulu

Dessaler les concombres. Rincer et essorer à l'aide d'un papier absorbant.
Dans un bol, mélanger tous les ingrédients qui composent la salade.

Suite →

Salade de carotte au cumin

200 g (8 oz) de carottes, taillées en jardinière fine
Sel et poivre
6 c. à soupe de sucre
3 c. à soupe de cumin moulu
Huile d'olive

Plonger les carottes dans l'eau bouillante quelques minutes jusqu'à ce qu'elles soient tendres. Essorer. Dans un bol, mélanger tous les ingrédients et réserver au réfrigérateur.

Salade de courgette à la coriandre et aux tomates concassées

Le ras hal-hanout est un mélange d'épices (clou de girofle, cannelle et poivre noir moulu) utilisé pour parfumer les plats marocains et tunisiens.

3 c. à soupe d'huile d'olive
240 g (8 oz) de courgettes, en dés
6 c. à soupe de thym frais
6 c. à soupe de coriandre fraîche, finement ciselée
Sel et poivre
1 c. à soupe comble de poudre de gingembre
1 c. à soupe comble de ras hal-hanout
150 g (5 oz) d'oignons, émincés
2 gousses d'ail, écrasées
1 brin de thym
240 g (8 oz) de tomates, mondées et épépinées

Dans une poêle, chauffer la moitié de l'huile et faire revenir les courgettes quelques minutes. Ajouter le thym, la coriandre, le sel, le poivre, le gingembre, le ras hal-hanout et réserver. Dans une casserole, chauffer le reste d'huile et faire revenir les oignons, l'ail et le thym. Ajouter les tomates et laisser mijoter 2 h à feu doux. Au terme de la cuisson, dans un bol, mélanger la sauce tomate et les courgettes.

Salade de pourpier

100 g (3 à 4 oz) de pourpier, effeuillé
3 c. à soupe de cerfeuil
3 c. à soupe de ciboulette, ciselée
Le jus d'un citron
3 c. à soupe d'huile d'argan

Dans un grand bol, mélanger tous les ingrédients qui composent la salade.

Caviar d'aubergine et de tomate

1 aubergine, coupée en deux sur la longueur
Huile d'olive
Sel et poivre
1 tomate, en petits dés
1 courgette, en petits dés
Graines de sésame, grillées

Préchauffer le four à 180 °C (350 °F). Sur une plaque allant au four, déposer l'aubergine badigeonnée d'huile. Saler, poivrer et cuire 30 min.

Servir avec un concassé de tomate et de courgette. Saupoudrer de graines de sésame grillées* et rectifier l'assaisonnement.

* Chauffer une poêle, déposer les graines de sésame et les faire griller en remuant constamment pour qu'elles ne brûlent pas.

Briouates aux crevettes roses

Un trait d'huile d'olive
200 g (7 oz) de crevettes roses
1 c. à café (1 c. à thé) de cumin
1 c. à café (1 c. à thé) de gingembre
1 c. à café (1 c. à thé) de cari
1 c. à café (1 c. à thé) de coriandre fraîche, ciselée
10 feuilles de brik* en lamelles de 5 cm (2 po) de largeur
Huile d'arachide pour la friture
Mesclun de saison
3 c. à soupe d'huile d'olive
Le jus d'un citron
Sel et poivre
3 c. à soupe d'huile de menthe fraîche (menthe hachée déposée dans de l'huile)

Dans une poêle, faire revenir les crevettes quelques minutes dans un filet d'huile avec les épices. Sur chaque feuille de brik* mouillée, déposer les crevettes puis refermer pour obtenir une pochette. Faire frire à 200 °C (400 °F) et égoutter.

Déposer les briouates sur un lit de mesclun. Arroser d'huile d'olive, de citron et d'huile de menthe. Saler et poivrer.

* Brik : Crêpe très fine. On peut également utiliser la pâte phyllo.

COUSCOUS DE FOIE GRAS AUX PETITS LÉGUMES

8 portions

Cette recette de couscous est faite ici de façon traditionnelle avec le couscoussier. Mais si vous n'avez pas cet ustensile de cuisine, vous pouvez vous procurer le couscous minute dans le commerce.

La cuisson des tranches de foie gras doit être rapide. Une poêle très chaude est essentielle pour réussir. Si la cuisson devait se prolonger, vous risqueriez de perdre vos escalopes en graisse fondue.

Coteaux de l'Aubance,
Les 3 Demoiselles,
Domaine Richou (Loire)

200 g (7 oz) de semoule fine ou de couscous minute
Sel
3 c. à soupe d'huile d'olive
150 g (5 oz) de carottes, coupées en jardinière
150 g (5 oz) de courgettes, coupées en jardinière
150 g (5 oz) de céleri, coupé en jardinière
150 g (5 oz) de potiron, coupée en jardinière
500 ml (2 tasses) de jus de canard safrané
8 escalopes de foie gras de 90 g (3 oz) chacune
90 g (1/2 tasse) de raisins de Corinthe

Humidifier la semoule salée et verser dans le couscoussier. Dès qu'on aperçoit la vapeur, calculer 10 min. Cuire 3 fois. Égrainer à chaque reprise avec l'huile. Assaisonner et réserver.

Dans une casserole, plonger les légumes dans le jus de canard pour les faire pocher. Réserver.

Dans une poêle antiadhésive, cuire les tranches de foie gras. Au moment de servir, déposer la semoule mélangée aux raisins dans une assiette et ajouter une escalope de foie gras. Les légumes sont servis à part.

TANGIA D'AGNEAU AU CUMIN ET AUX OLIVES

8 portions

On cuit les souris d'agneau dans des jaules en terre cuite de façon traditionnelle dans le four du hammam pendant plusieurs heures. Si vous n'avez pas de jaule, utilisez une casserole. La cuisson doit être très douce et la plus longue possible.

8 souris* d'agneau
2 c. à café (2 c. à thé) d'huile d'olive
Sel et poivre
60 g (2 oz) de cumin moulu
100 g (1/2 tasse) de carottes, en dés
100 g (1/2 tasse) d'oignons, en dés
2 litres (8 tasses) de fond blanc au jus d'agneau**
1 bouquet garni
1 tête d'ail, écrasée
400 g (2 tasses) d'olives vertes, dessalées
400 g (2 tasses) de pruneaux, dénoyautés

S de Siroua,
Domaine des Ouled Thaleb
(Maroc)

Dans une casserole, chauffer l'huile d'olive et faire dorer l'agneau. Saler, poivrer et ajouter le cumin. Ajouter les carottes, les oignons, le fond blanc*, le bouquet garni et l'ail. Cuire 2 h à feu doux et laisser reposer. Ajouter les olives et les pruneaux avant de servir.

* La souris d'agneau est le petit muscle arrondi attenant au manche du gigot.

** Fond blanc : Dans une grande casserole, déposer 2 kg (4 lb) d'os de veau et la même quantité de carcasse de volaille, couvrir de 3,5 litres (14 tasses) d'eau, porter à ébullition et écumer.

Ajouter 120 g (4 oz) de carottes, 90 g (3 oz) d'oignons, 60 g (2 oz) de céleri, 60 g (2 oz) de blancs de poireau coupés grossièrement. Ajouter un bouquet garni (thym, persil et laurier), saler, poivrer et laisser bouillonner légèrement environ 3 h 30. Dégraisser et passer au chinois ou à l'étamine.

CAPPUCCINO D'ÉCREVISSES À LA CRÈME DE CHOU-FLEUR

8 portions

400 g (14 oz environ) d'écrevisses décortiquées ou 2,5 kg (5 lb) d'écrevisses fraîches (conserver les carcasses)

Crème de chou-fleur

500 ml (2 tasses) de lait
500 ml (2 tasses) d'eau
1 chou-fleur
6 c. à soupe de sel fin

Dans une casserole, chauffer le lait et l'eau salée jusqu'à ce que le liquide frémisse et faire pocher le chou-fleur. Égoutter, passer au tamis et ajouter un peu de jus de cuisson pour obtenir la consistance d'une compote. Réserver.

coup de cœur

CUVÉE FLAMME

Saumur, Cuvée Flamme, Gratien & Mayer (Loire)

Concassé de tomate

3 c. à soupe d'huile d'olive
150 g (5 oz) d'oignons, émincés finement
300 g (10 oz) de tomates, épépinées, mondées et coupées en gros dés
1 tête d'ail, écrasée
1 bouquet garni (thym, laurier et romarin)
Sel et poivre
1 c. à soupe comble de paprika

Dans une casserole, chauffer l'huile et faire revenir les oignons doucement pour former une compote. Ajouter les tomates, l'ail et le bouquet garni. Saler, poivrer et ajouter le paprika. Cuire 1 h 30. Au terme de la cuisson, réduire en purée à l'aide du mélangeur. Réserver.

Velouté d'écrevisse

3 c. à soupe d'huile d'olive
Carcasses d'écrevisses
3 c. à soupe de cognac
1 tomate entière
1 c. à soupe de pâte de tomate
Fenouil
500 ml (2 tasses) de crème fleurette (15 %)
500 ml (2 tasses) d'eau
Sel et poivre

Dans une casserole, chauffer l'huile et faire sauter les carcasses d'écrevisses. Déglacer avec le cognac. Ajouter la tomate, le concentré de tomate et le fenouil qu'on fera suer quelques minutes. Ajouter la crème, l'eau et cuire 15 min.

Bien mélanger et passer au chinois. Assaisonner. Réserver au froid dans un siphon à chantilly* détendu au lait pour une consistance crémeuse.

Verser dans des verres le coulis de tomate au fond suivi de la compote de chou-fleur et des écrevisses. Terminer avec la mousse de velouté.

Conserver au réfrigérateur. Servir avec une flûte au sel.

* Le siphon à chantilly est un contenant sous pression. Grâce à des cartouches de gaz carbonique, on peut obtenir une crème fouettée en quelques secondes.

TATIN DE BANANE ET SA GLACE

8 portions

Glace

12 jaunes d'œufs
200 g (7 oz) de sucre semoule
1 litre (4 tasses) de lait
500 ml (2 tasses) de crème fleurette (15 %)
1 gousse de vanille ou 15 g (1/2 oz) de sucre vanillé
500 g (1 lb) de bananes, écrasées
3 c. à soupe de pisang banane (liqueur de banane)

Dans un mélangeur, mixer les jaunes d'œufs et le sucre.

Chauffer le lait, la crème et la vanille puis verser dans le mélangeur.

Ajouter les bananes, le pisang et mélanger.

Refroidir au congélateur.

Albana di Romagna Passito,
Arrocco,
Fattoria Zerbina (Italie)

Tatin

1,5 kg (3 lb) de bananes, en tranches épaisses
200 g (7 oz) de sucre glace
400 g (14 oz) de pâte feuilletée

Dans une poêle, chauffer le sucre pour qu'il devienne blond puis déglacer avec un peu d'eau. Ajouter les bananes tranchées pour les faire dorer. Dresser les bananes dans des moules à crème brûlée (ramequins). Recouvrir de pâte feuilletée piquée et trempée dans le sucre glace. Cuire au four à 200 °C (400 °F).

Démouler et servir avec de la glace à la banane.

Jean-Louis Massenavette est, avec son épouse Yvonne, aux commandes du restaurant La Clef des Champs à Sainte-Adèle depuis plus de 25 ans . Il y sert une fine cuisine française riche en produits régionaux du marché. Sa table compte parmi les meilleures du Québec et sa cave à vins jouit d'une très grande réputation .

FILETS DE POISSON GRILLÉS À LA TOMATE CONCASSÉE CUITE ET PARFUMÉE AU BASILIC FRAIS

2 portions

2 filets de poisson
Farine
2 c. à soupe de beurre
2 c. à soupe d'huile
Sel et poivre

Tomates concassées

4 tomates fraîches
Quelques feuilles de basilic frais, ciselées
4 c. à soupe de crème épaisse (35 %)

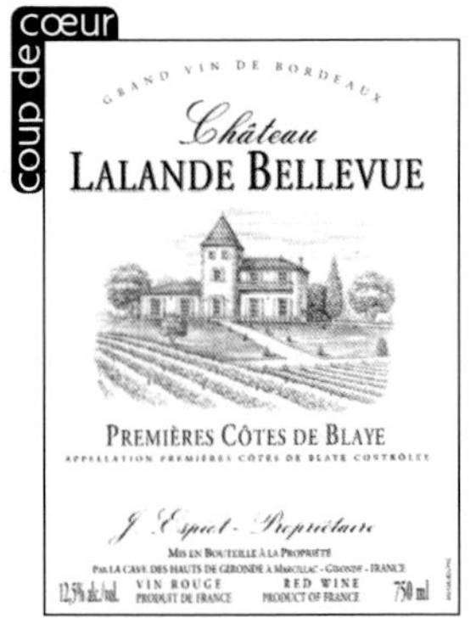

Premières Côtes de Blaye, Château Lalande Bellevue (Bordeaux)

Fariner les filets.

Dans une poêle antiadhésive, chauffer 1 c. à soupe de beurre et d'huile. Déposer les filets et faire dorer de chaque côté. Saler, poivrer et mettre au four quelques minutes à 180 °C (350 °F).

Plonger les tomates 15 sec dans l'eau bouillante salée, les sortir aussitôt et les refroidir dans l'eau glacée. À l'aide d'un couteau bien affûté, enlever la peau et les couper en deux pour en extraire l'eau et les pépins en pressant chaque moitié à la main. Couper la chair en petits dés, ajouter le basilic et mélanger. Dans une casserole, chauffer le reste de beurre et d'huile sur feu doux, ajouter les tomates, le sel, le poivre, la crème et laisser réduire légèrement.

Quand les filets sont cuits, les éponger avec du papier absorbant pour enlever l'excédent de gras. Napper les assiettes bien chaudes avec le concassé de tomate. Déposer les filets sur le dessus et accompagner de pommes de terre bouillies et de quelques légumes verts.

SUPRÊMES DE PIGEON AUX CHAMPIGNONS SAUVAGES

4 portions

Demandez à votre boucher de détacher les cuisses et les ailes, de prélever les suprêmes, d'enlever la peau et de concasser la carcasse.

4 pigeons de 600 g (20 oz) chacun, parés
Huile
1 carotte, en petits dés
1 oignon, en petits dés
1 bouquet garni
Farine
Eau ou consommé de volaille
200 g (7 oz) de chanterelles (sans le pied), coupées sur la longueur
Beurre
Légumes de saison

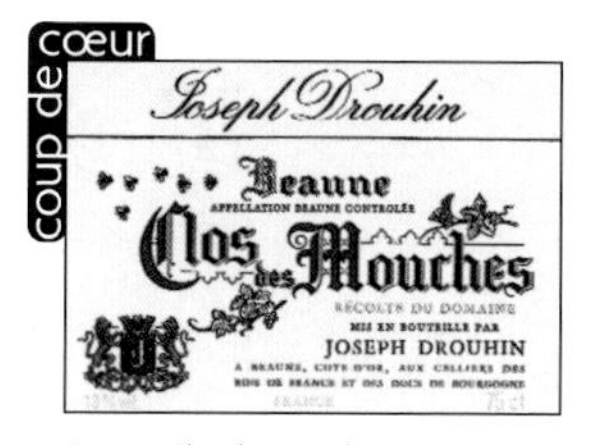

Beaune, Clos des Mouches,
Joseph Drouhin (Bourgogne)

Dans une casserole, chauffer l'huile à feu vif et faire revenir les carcasses, les cuisses et les ailes. Ajouter les carottes, les oignons et le bouquet garni. Fariner légèrement et mouiller à hauteur avec l'eau. Porter à ébullition et cuire pendant 25 min à feu modéré.

Au terme de la cuisson, passer le bouillon au chinois. S'il n'est pas assez consistant, le faire réduire légèrement. Vérifier l'assaisonnement.

Dans une poêle, chauffer le beurre et faire suer les champignons jusqu'à évaporation de leur eau.

Assaisonner les suprêmes de pigeon et les fariner légèrement.

Dans une poêle, chauffer 2 c. à soupe d'huile et les faire dorer de chaque côté. Ils doivent rester rosés à l'intérieur.

Réchauffer la sauce et les champignons. Trancher les suprêmes. Garnir le fond des assiettes de sauce, déposer les suprêmes et garnir tout autour de champignons et de quelques légumes de saison.

BALUCHONS DE CANARD CONFIT, SAUCE À L'ÉRABLE ET AU VINAIGRE DE CIDRE

4 portions

Ce plat est servi en entrée.

4 cuisses de canard confites, désossées et coupées en petits dés (conserver les os)
Sel et poivre
Une pincée de muscade
2 feuilles de pâte phyllo
90 g (3 oz) de beurre fondu
1 carotte, en dés
2 branches de céleri, en dés
1 oignon, en dés
1 bouquet garni (thym frais, persil frais et 1 feuille de laurier)
6 c. à soupe de sirop d'érable
3 c. à soupe de vinaigre de cidre de pomme
1 verre d'eau ou de consommé de volaille
Brins de persil frais

Bourgogne Pinot noir,
Domaine des Perdrix (France)

Déposer le canard dans un bol, saler, poivrer et ajouter un peu de muscade. Réserver.

Étendre une feuille de pâte phyllo et la badigeonner de beurre. Déposer une autre feuille de pâte phyllo sur la première et badigeonner de nouveau. Couper les feuilles en quatre carrés égaux.

Déposer le canard en portions égales au centre de chaque carré de pâte. Prendre les extrémités de chaque carré et fermer en forme de baluchon. Cela doit se faire assez vite car la pâte sèche rapidement.

Sauce

Dans une casserole à fond épais, chauffer un peu d'huile et faire dorer les os de canard, les légumes et le bouquet garni. Ajouter le sirop, le vinaigre et l'eau. Porter à ébullition, réduire à feu doux et laisser mijoter 25 min.

Au terme de la cuisson, passer le bouillon au chinois et réduire à consistance onctueuse.

Préchauffer le four à 200 °C (400 °F).

Dans une plaque allant au four, déposer les baluchons et les cuire quelques minutes.

Napper les assiettes chaudes de sauce et déposer les baluchons au centre. Garnir de quelques brins de persil.

CŒUR DE RIS DE VEAU À L'ORANGE CONFITE

4 portions

4 ris de veau de 240 g (8 oz) chacun, dégorgés*
1 oignon, en dés
1 carotte, en dés
1 bouquet garni
Sel et poivre
Fond blanc (p. 273)
125 ml (1/2 tasse) de vermouth
Huile
Beurre
250 ml (1 tasse) de jus d'orange
125 ml (1/2 tasse) de crème épaisse (35 %)
Zestes d'orange confits

Condrieu, Domaine du Monteillet (Rhône)

Faire longuement dégorger* les ris de veau dans l'eau froide, les égoutter, les trier en enlevant les nerfs et la peau et dégraisser. Déposer les ris de veau dans un rondeau (ou une casserole) avec les oignons, les carottes et le bouquet garni. Saler, poivrer et faire suer légèrement. Mouiller à hauteur avec le fond blanc et le vermouth. Amener à ébullition, baisser le feu et cuire 15 min.

Laisser refroidir dans le bouillon de cuisson. Sortir les ris de veau et les éponger sur du papier absorbant.

Préchauffer le four à 200 °C (400 °F).

Dans une casserole à fond épais, chauffer l'huile et le beurre et rissoler les ris de veau. Terminer la cuisson au four 15 min. Passer le bouillon de cuisson au chinois, faire réduire jusqu'à ce qu'il soit onctueux et ajouter le jus d'orange, la crème et quelques zestes d'orange confits.
Vérifier l'assaisonnement.

Retirer les ris de veau du four qui doivent être croustillants, les déposer au centre des assiettes chaudes, napper le fond de sauce à l'orange et quelques légumes de saisons.

* Pour dégorger les ris de veau, les tremper longuement dans l'eau froide. En changeant l'eau souvent, celle-ci devient de plus en plus claire et enlève par le fait même l'amertume contenue dans l'aliment.

CRÈME BRÛLÉE À L'ÉRABLE

12 portions

10 jaunes d'œufs
90 g (3 oz) de sucre granulé
90 g (3 oz) de sirop d'érable
500 ml (2 tasses) de lait
500 ml (2 tasses) de crème épaisse (35 %)

Dans une petite casserole, blanchir* les jaunes d'œufs, le sirop et le sucre. Dans une autre petite casserole, amener le lait et la crème à ébullition et verser dans le mélange aux œufs. Remplir les ramequins aux trois quarts. Cuire au bain-marie** placé au four à 200 °C (400 °F) pendant 25 min. Saupoudrer de sucre granulé et caraméliser au chalumeau***.
Éviter de mettre des fruits frais, ceux-ci pourraient faire granuler la crème brûlée.

* Blanchir : À l'aide d'un fouet, mélanger vivement les œufs et le sucre pour les faire mousser.

** Verser un peu d'eau dans un plat rectangulaire allant au four. Déposer les ramequins en s'assurant que l'eau arrive à mi-hauteur.

*** Si vous n'avez pas de chalumeau, voici une autre façon de caraméliser les desserts. Dans un four, à 280 °C (550 °F), faire colorer sous le gril le dessert recouvert de sucre.

Rivesaltes,
Cuvée Aimé Cazes,
Domaine Cazes
(Roussillon)

Philippe Mollé est un conférencier en alimentation renommé mais aussi un chef de cuisine qui a beaucoup voyagé. En tant que chroniqueur, il collabore à divers journaux et magazines ainsi qu'à l'émisssion de Joël Le Bigot sur Radio-Canada. Il anime *Le guide des restos* au canal Évasion. Il a écrit *Les passions gourmandes* et *Le cochon à son meilleur*, deux livres de cuisine publiés aux Éditions de l'Homme.

CUISSES DE LAPIN AU THYM FRAIS ET À L'AIL NOUVEAU

4 portions

Cette recette est conçue pour le barbecue. Les cuisses de lapin sont servies directement dans le papier d'aluminium, accompagnées de tomates grillées.

4 cuisses de lapins frais
4 gousses d'ail frais, en lamelles
3 c. à soupe d'huile d'olive
Fleur de sel
Poivre noir fraîchement moulu
1 tomate, en dés
2 pruneaux, en dés
1 courgette, en dés
2 tranches de pancetta, en petits dés
2 c. à soupe de fleur de thym frais

À l'aide d'un petit couteau bien affûté, faire des incisions sur les cuisses, insérer l'ail et badigeonner d'huile. Assaisonner.

Préchauffer le barbecue à température moyenne et faire griller les cuisses 4 min de chaque côté.

Découper 4 feuilles d'aluminium de 11 x 11 cm (5 x 5 po), déposer les cuisses au centre et répartir sur chacune d'elles les tomates, les pruneaux, les courgettes et la pancetta. Ajouter les fleurs de thym et assaisonner de nouveau.

Refermer le papier et cuire ainsi 30 min.

Barco Reale di Carmignano,
Tenuta di Capezzana (Italie)

MÉDAILLONS DE HOMARD ET COULIS DE POIVRONS RÔTIS

4 portions

Le sambal est un mélange de piment rouge, d'oignon râpé, de citron vert, d'huile et de vinaigre. On peut se le procurer en conserve dans le commerce. Ce condiment indonésien est utilisé pour parfumer certains plats. Le fromage italien pecorino romano est fait de lait de chèvre.

2 homards de 300 à 500 g (10 oz à 1 lb) chacun
2 c. à soupe d'huile d'olive
1 échalote, hachée
1 gousse d'ail, hachée
1 c. à café (1 c. à thé) de pesto
125 ml (1/2 tasse) de bisque de homard du commerce
60 ml (1/4 tasse) de crème épaisse à cuisson (35 %)
Sambal au goût
Sel
500 g (1 lb) de pâte à nouilles
1 jaune d'œuf
Fromage pecorino, râpé (facultatif)

Plonger les homards dans une casserole d'eau bouillante salée 6 min. Lorsqu'ils sont cuits, retirer la chair et la couper en petits dés. Dans un poêlon, chauffer l'huile, faire revenir les échalotes et le homard quelques minutes. Ajouter l'ail, le pesto et la bisque de homard. Laisser cuire doucement et ajouter la crème puis assaisonner. Laisser refroidir.

À l'aide d'un rouleau, étaler la pâte à nouilles puis, avec un emporte-pièce ou un verre à eau, découper des cercles. Mélanger le jaune d'œuf avec un peu d'eau et badigeonner le contour de la pâte. Déposer au centre de chaque pâte du mélange de homard et refermer avec un autre cercle de pâte. Déposer au réfrigérateur 20 min ou le temps de préparer le coulis.

coup de cœur

VIN D'ALSACE
DOMAINES SCHLUMBERGER
Gewurztraminer
Les Princes Abbés

Alsace Gewurztraminer,
Les Princes Abbés,
Domaines Schlumberger (France)

Coulis de poivrons rôtis

2 c. à soupe d'huile d'olive
1 poivron jaune, épépiné et coupé grossièrement
1 poivron rouge, épépiné et coupé grossièrement
1 gousse d'ail, hachée
375 ml (1 1/2 tasse) de bouillon de volaille
4 c. à soupe de crème épaisse (35 %)
6 pistils de safran
2 c. à soupe de coriandre fraîche
Sel et poivre

Dans une poêle, chauffer l'huile et faire revenir les poivrons.
Quand ils sont cuits, les passer au robot de cuisine avec l'ail et 125 ml (1/2 tasse) de bouillon. Dans une casserole, verser le mélange et laisser réduire 3 à 4 min. Ajouter la crème, le safran et la coriandre. Repasser de nouveau l'ensemble au robot de cuisine puis assaisonner. Dans une casserole, chauffer le bouillon de volaille restant et plonger les médaillons de homard de 3 à 4 min.
Déposer les médaillons dans des assiettes creuses et napper de coulis.

TAGLIATELLES AUX MOULES ET AU SAFRAN

4 portions

Voici une entrée qui saura impressionner vos invités.

3 c. à soupe de beurre
1 échalote, hachée
1 kg (2 lb) de moules bleues, bien lavées
1 gousse d'ail, hachée
250 ml (1 tasse) de vermouth Noilly-Prat
125 ml (1/2 tasse) de crème épaisse (35 %)
500 g (1 lb) de tagliatelles aux œufs
12 pistils de safran
Fleur de sel
Poivre noir fraîchement moulu
6 feuilles de basilic, hachées
Parmesan, râpé (facultatif)

Dans un faitout, chauffer le beurre et faire revenir l'échalote 1 min sans qu'elle ne colore. Ajouter les moules, l'ail, le vermouth et la crème. Couvrir de 5 à 6 min pour laisser ouvrir les moules. Plonger les pâtes dans l'eau bouillante salée environ 6 min et égoutter. Décortiquer les moules et filtrer le jus de cuisson. Faire réduire le jus avec le safran 3 min. Réchauffer les pâtes, les répartir dans des assiettes creuses et garnir avec les moules. Assaisonner et décorer de basilic. Saupoudrer de parmesan.

coup de cœur

LACRYMA CHRISTI
DEL VESUVIO
Mastroberardino

Lacryma Christi del Vesuvio bianco, Mastroberardino (Italie)

ESCALOPES DE MAHI-MAHI, SAUCE VIERGE À L'AVOCAT

4 portions

La sauce vierge à l'avocat peut être servie froide sur le poisson chaud. Le contraste donne une dimension très intéressante à cette recette.

2 avocats, en petits dés
1 tomate, émondée et coupée en petits dés
2 c. à soupe de coriandre fraîche, hachée
1 c. à soupe de jus de citron
1 c. à soupe de vinaigre balsamique
1 échalote, hachée
2 c. à soupe de sauce soja légère
105 ml (1/3 tasse + 2 c. à soupe) d'huile d'olive extravierge
Un trait de tabasco (facultatif)
Sel (facultatif)
2 c. à soupe de beurre
4 escalopes de mahi-mahi (coryphène) de 150 g (5 oz) chacune

Dans un saladier, mélanger les avocats, les tomates et la coriandre. Ajouter le jus de citron, le vinaigre, l'échalote, la sauce soja et 75 ml (1/3 tasse) d'huile chaude. Terminer avec le tabasco et le sel.

Dans une poêle, faire chauffer le beurre et l'huile restante. Assaisonner les escalopes et les faire cuire à feu doux de 7 à 8 min, style meunière. Retirer le gras et disposer les escalopes dans chacune des assiettes. Verser la sauce vierge autour du poisson ou directement sur le dessus.

Fumé Blanc, Napa Valley, Robert Mondavi Winery (États-Unis)

TOURTE DE CANARD À LA MAGHRÉBINE

4 portions

Le ras hal-hanout est un mélange d'épices (clou de girofle, cannelle et poivre noir moulus) utilisé pour parfumer les plats marocains et tunisiens.
On peut s'en procurer dans les épiceries fines et marocaines.

4 cuisses de canard (conserver le gras)
1 gros oignon, émincé
1 blanc de poireau, émincé
1 aubergine, pelée et coupée en dés
2 gousses d'ail, hachées
Sel
Ras hal-hanout au goût
1 litre (4 tasses) de bouillon de volaille
90 g (1/2 tasse) de raisins secs, d'abricots secs ou de figues sèches
1 paquet de pâte à brik* ou de pâte phyllo
360 g (1 1/2 tasse) de feuilles d'épinards frais
1 tomate fraîche, en dés
1 c. à café (1 c. à thé) de coriandre fraîche, hachée
2 à 3 c. à café (2 à 3 c. à thé) de beurre fondu
2 c. à café (2 c. à thé) de sucre glace

coup de cœur

Corbières, Terres rouges, Château Grand Moulin (Languedoc)

Dans une grande poêle, chauffer le gras et faire colorer les cuisses de canard. Ajouter les légumes et l'ail pour les faire dorer quelques minutes, puis incorporer le sel et le ras hal-hanout. Transvaser le canard et les légumes dans un faitout, ajouter le bouillon et les fruits secs. Laisser mijoter à feu doux 30 min et laisser refroidir. Étendre deux feuilles de brik dans un moule à tarte et garnir le fond de feuilles d'épinards. Ajouter la garniture de canard, les tomates et la coriandre. Recouvrir de quelques feuilles de brik. Badigeonner la tourte de beurre fondu et cuire au four à 190 °C (375 °F) de 15 à 20 min.

Saupoudrer de sucre glace avant de servir.

* Brik : Crêpe très fine. On peut également utiliser la pâte phyllo.

Jean Soulard est chef exécutif au Château Frontenac. Sous sa direction, on sert 3000 repas par jour au restaurant Le Champlain, au Café de la Terrasse et dans les banquets donnés au Château. Présent à la télévision depuis de nombreuses années, il a écrit trois livres, dont le dernier, *Naturellement, Jean Soulard,* lui a valu le premier prix littéraire de Cuisine Canada.

MÉDAILLONS DE VEAU AU JUS DE CAROTTE, TARTE À L'AUBERGINE

4 portions

8 médaillons de veau de 75 g (2 1/2 oz) chacun
Un trait d'huile d'olive
Feuilles de coriandre
Quelques carottes, en fine julienne

Tarte à l'aubergine

4 aubergines (2 coupées sur la longueur et 2 en rondelles)
125 ml (1/2 tasse) d'huile d'olive
1 gousse d'ail, hachée
30 g (1 oz) d'échalotes, hachées
3 tomates, pelées, épépinées et coupées en dés
1 c. à soupe de persil frais, haché
1 c. à soupe de basilic frais, haché
Sel et poivre

coup de cœur

Côtes du Jura, Pinot noir, Louison, A. et M. Tissot (France)

Préchauffer le four à 180 °C (350 °F).

Déposer les 4 demi-aubergines et badigeonner d'huile dans un plat allant au four. Cuire une vingtaine de minutes ou jusqu'à ce que la chair soit tendre.

À l'aide d'une cuillère, retirer la chair et la passer au mélangeur pour obtenir une purée. Réserver.

Dans une poêle, chauffer l'huile et faire sauter les rondelles d'aubergine jusqu'à ce qu'elles soient brunes de chaque côté. Réserver.

Dans la même poêle, faire revenir l'ail et l'échalote de 1 à 2 min. Ajouter les tomates. Laisser mijoter jusqu'à ce que le jus se soit évaporé. Ajouter la purée d'aubergine, le persil, le basilic et mélanger. Vérifier l'assaisonnement.

Dans le fond de 4 moules ronds de 7 à 10 cm (3 à 4 po), étendre les tranches d'aubergine. Répartir la farce dans chacun des moules. Cuire environ 15 min au four à 150 °C (300 °F).

Démouler.

Sauce

250 ml (1 tasse) de jus de carotte
125 ml (1/2 tasse) de fond de veau (voir note p. 257)
30 g (1 oz) de beurre

Pour la sauce, dans une petite casserole, réduire le jus de carotte de moitié. Passer à l'étamine fine. Verser le fond de veau. Ajouter le beurre graduellement sur feu doux.

Dans une poêle, verser un trait d'huile et faire sauter les médaillons de veau à point. Déposer la tarte à l'aubergine dans le fond de l'assiette avec un médaillon sur le dessus. Verser la sauce tout autour. Décorer avec la coriandre et les carottes en julienne.

4 portions

1 aubergine de 200 g (7 oz), coupée en deux sur la longueur
Le jus d'un demi-citron
Set et poivre noir fraîchement moulu
12 asperges vertes
400 g (15 oz) de foie gras de canard, en tranches de 20 mm (3/4 po) d'épaisseur
20 g (2/3 oz) de farine

Sauce au thé

1 sachet de thé
10 zestes d'orange
100 ml (1/3 tasse) de crème épaisse (35 %)
30 g (1 oz) de beurre
Sel et poivre noir fraîchement moulu

Vin de glace, Vidal, Niagara Peninsula, Inniskillin Wines (Canada)

Préchauffer le four à 180 °C (350 °F).

Sur une plaque allant au four, cuire les aubergines 20 min, puis laisser refroidir.

À l'aide d'une cuillère, retirer la chair et la presser dans une passoire pour retirer l'excédent d'eau.

Dans un mélangeur, transformer l'aubergine en purée en ajoutant le citron. Saler, poivrer et tenir au chaud.

Pour obtenir la sauce, dans une petite casserole, infuser le thé et les zestes 45 sec dans 80 ml (1/3 tasse) d'eau bouillante. Retirer le sachet, ajouter la crème et laisser réduire de moitié sur feu moyen. Incorporer le beurre et bien mélanger à l'aide d'un batteur à main. Saler et poivrer.

Passer les escalopes dans la farine en prenant soin d'enlever l'excédent. Dans une poêle antiadhésive très chaude, cuire les escalopes environ 45 sec de chaque côté. Saler et poivrer.

Dans 4 assiettes, déposer la purée d'aubergine, les escalopes et les asperges préalablement réchauffées. Napper les escalopes de sauce au thé.

SUPRÊMES DE POULET AU SÉSAME ET AUX POIVRONS DOUX

4 portions

Sauce

2 poivrons rouges, parés
125 ml (1/2 tasse) de crème épaisse (35 %)
Sel et poivre

Pour parer les poivrons, les plonger dans l'eau bouillante de 1 à 2 min. Les peler, les couper en deux, les égrainer et retirer la partie blanche. Couper ensuite en morceaux. Dans une casserole, faire bouillir le poivron paré et la crème de 4 à 5 min. Passer au mélangeur pour obtenir une sauce lisse.
Saler et poivrer. Garder au chaud.

Côte de Brouilly, Château des Ravatys (Beaujolais)

Poulet

4 poitrines de poulet sans la peau
20 g (2/3 oz) de beurre fondu
60 g (2 oz) de graines de sésame
1 c. à soupe d'huile d'olive
Sel et poivre

Badigeonner le poulet de beurre et l'enduire de graines de sésame. Appuyer fortement afin de les faire adhérer.

Préchauffer le four à 180 °C (350 °F).

Dans une casserole, chauffer l'huile et faire revenir les suprêmes à feu très doux de 3 à 4 min. Retourner et terminer la cuisson au four environ 15 min.

Légumes

1 c. à soupe de beurre
1 poivron vert, en julienne
1 poivron jaune, en julienne
1 poivron rouge, en julienne
8 oignons verts
Riz sauvage (facultatif)
Graines de sésame

Dans une poêle antiadhésive, chauffer le beurre et sauter les poivrons de 4 à 5 min. Cuire les oignons verts dans l'eau bouillante salée. Dans chaque assiette, verser la sauce de poivron. Déposer le suprême et disposer harmonieusement deux oignons verts et la julienne de poivron. Garnir de quelques graines de sésame.

FILET D'AGNEAU SOUS CROÛTE DORÉE

4 portions

2 carrés d'agneau de 240 g (8 oz) chacun, désossé, dénervé (conserver les os pour le jus d'agneau) (voir note p. 249)
2 c. à soupe d'huile d'olive
Sel et poivre
1 c. à café (1 c. à thé) de thym frais, haché
1 c. à table de beurre
30 g (1 oz) d'échalotes, hachées
200 g (7 oz) d'épinards frais, équeutés
1 gousse d'ail
2 feuilles de pâte phyllo
30 g (1 oz) de beurre
4 tranches fines de prosciutto
Huile végétale pour friture
240 g (8 oz) de pommes de terre bleues, pelée et coupées en fines tranches
4 tomates cerises
Jus d'agneau (voir note p. 257)
4 brins de thym

coup de cœur

Bordeaux Supérieur, Château Mouton, J. P. Janoueix (France)

Dans une poêle, chauffer l'huile et saisir l'agneau de 2 à 3 min pour le faire dorer. Saler, poivrer et parsemer de thym. Réserver. Dans une autre poêle, chauffer le beurre, faire revenir les échalotes et l'ail. Ajouter les épinards et laisser cuire 1 à 2 min. Saler et poivrer. Réserver.

Préchauffer le four à 180 °C (350 °F). Étendre la pâte phyllo, la plier en deux et la badigeonner de beurre. Enrouler le filet d'agneau dans le prosciutto, le déposer sur la pâte phyllo et recouvrir avec le mélange d'épinards. Enrouler le tout dans la pâte et faire cuire sur une plaque allant au four environ 10 min. Frire les pommes de terre dans l'huile très chaude. Égoutter sur un papier absorbant. Mettre les tomates cerises légèrement huilées au four très chaud de 2 à 3 min. Saler et poivrer. Dans chaque assiette, verser un peu de jus d'agneau. Trancher les filets et les déposer harmonieusement avec les pommes de terre et les tomates cerises. Garnir d'un brin de thym.

FILETS DE BŒUF À LA SAVEUR DE SIROP D'ÉRABLE ET DE MOUTARDE DE MEAUX, FENOUIL BRAISÉ ET POMMETTES

coup de cœur

Rioja Reserva, Muga, Bodegas Muga (Espagne)

4 portions

8 fenouils miniatures braisés
375 ml (1 1/2 tasse) de fond de veau (voir note p. 257)
4 pommettes
1 pincée de sucre
4 filets de bœuf de 150 g (5 oz) chacun
2 c. à soupe d'huile d'olive
15 g (1/2 oz) de beurre
30 g (1 oz) d'échalotes, hachées
3 c. à soupe de sirop d'érable
6 c. à soupe de moutarde de Meaux
60 g (2 oz) de canneberges
Sel et poivre
4 brins de romarin
Feuilles de chêne
Sucre d'érable

Plonger les fenouils dans l'eau bouillante de 2 à 3 min et égoutter.

Préchauffer le four à 180 °C (350 °F).

Dans un plat allant au four, déposer les fenouils blanchis et ajouter 125 ml (1/2 tasse) de fond de veau. Cuire environ 15 min.

À l'aide d'un couteau bien affûté, trancher légèrement le haut des pommettes. Parsemer de sucre et cuire au four à 180 °C (350 °F) de 7 à 8 min.

Dans une poêle, chauffer l'huile et le beurre et cuire les filets quelques minutes de chaque côté. Les garder au chaud.

Dans la même poêle, ajouter l'échalote, le reste du fond de veau, le sirop d'érable, la moutarde, les canneberges et cuire 5 min. Retirer les canneberges et réduire la sauce de moitié. Saler et poivrer.

Disposer harmonieusement les pommettes et les fenouils dans chaque assiette. Verser la sauce et déposer le filet. Ajouter les canneberges, un brin de romarin et quelques feuilles de chêne. Parsemer du sucre d'érable autour de l'assiette.

Daniel Vézina est chef propriétaire depuis 13 ans de l'un des meilleurs restaurants de Québec, le Laurie Raphaël. Il a publié deux livres de recettes: *Daniel Vézina, en direct du restaurant Laurie Raphaël* et *Ma route des saveurs au Québec*. Il collabore depuis 2003 au magazine *Actuel* du journal *La Presse* et présente au canal Évasion une émission sur les cuisines du monde.

CARPACCIO D'ÉMEU DE CHARLEVOIX, SALADE DE MÂCHE AU VINAIGRE DE VIN «MINUS 8», COPEAUX DE CHEDDAR FORT

4 portions

250 g (8 1/2 oz) d'émeu ou, d'autruche (partie de la noix)

Mélange d'épices

1/2 c. à café (1/2 c. à thé) de poivre noir, broyé au mortier
1 c. à soupe de fleur de sel ou de sel, broyé au mortier
1/2 c. à café (1/2 c. à thé) de poivre rose
1/2 c. à café (1/2 c. à thé) de cumin moulu
1/2 c. à café (1/2 c. à thé) de graines d'anis en poudre
1/2 c. à café (1/2 c. à thé) de coriandre moulue
1/2 c. à café (1/2 c. à thé) de cari

Ficeler la viande et lui donner la forme d'un boudin. Rouler et presser l'émeu dans le mélange d'épices pour bien faire pénétrer dans la viande. S'il reste des épices, les conserver pour une recette ultérieure.

Dans une poêle, faire chauffer un peu de beurre clarifié et saisir l'émeu rapidement sur toutes les faces. Retirer la ficelle.

Envelopper l'émeu dans du papier film (pellicule plastique). Déposer au congélateur pour arrêter la cuisson et raidir les chairs afin de faciliter le tranchage.

N. B.: Marc Maula a participé à la présentation des recettes de Daniel Vézina en tant que styliste attitré.

coup de cœur

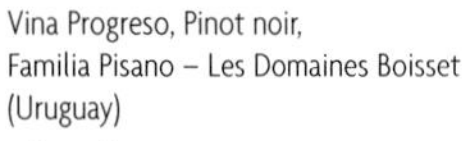

Vina Progreso, Pinot noir,
Familia Pisano – Les Domaines Boisset
(Uruguay)

Salade de mâche et vinaigrette

60 g (2 oz) de bouquets de mâche ou de mesclun
90 g (3 oz) de cheddar fort Perron ou autre
60 g (1/2 tasse) de parmesan, râpé (pour les tuiles, facultatif)*

Vinaigrette

80 ml (1/3 tasse) d'huile d'olive
80 ml (1/3 tasse) d'huile végétale
1 c. à soupe d'huile de bouton d'hémérocalle ou d'huile de truffe**
3 c. à soupe de vinaigre de vin «Minus 8» ou de vinaigre balsamique de bonne qualité
2 c. à soupe d'échalotes, hachées finement
Sel et poivre noir fraîchement moulu

Déposer la mâche dans un bol. Réserver.

Dans un petit bol, mélanger tous les ingrédients de la vinaigrette et réserver.

Avant de servir, à l'aide d'un couteau bien affûté, faire des fines tranches d'émeu et les déposer sur les assiettes en prenant soin de ne pas les chevaucher. Saler, poivrer. Badigeonner le carpaccio avec une partie de la vinaigrette. Aller chercher moitié huile, moitié vinaigre dans le bol. Arroser la mâche avec le reste de la vinaigrette, vérifier l'assaisonnement et disposer au centre du carpaccio. Garnir de copeaux de cheddar.

* Il est possible de faire des tuiles de parmesan en saupoudrant une bonne couche de parmesan râpé sur une surface circulaire dans une poêle antiadhésive chaude. Lorsque le fromage est fondu et commence à colorer, retirer la poêle du feu. Attendre quelques secondes pour que la tuile refroidisse et la retirer à l'aide d'une spatule en plastique. Les tuiles se conservent sur du papier absorbant dans un plat hermétique.

** Les huiles de boutons d'hémérocalle ou de truffe se trouvent dans certaines épiceries fines.

EXPÉRIENCE DE BŒUF ANGUS DE LA FERME EUMATIMI, FILET RÔTI ET SA MOELLE À LA DUXELLES DE CHAMPIGNONS, QUEUE BRAISÉE, MIETTES DE POMMES DE TERRE RATTES ET MACÉDOINE DE LÉGUMES DE SAISON

4 portions

Pour cette recette, il faudrait dégorger la moelle la veille et préparer la queue braisée 5 heures avant le repas.

Filet de bœuf

1 filet de bœuf Angus, paré et coupé en pièces de 120 g (4 oz) chacune
1 c. à soupe de fleur de sel, broyée
1 c. à café (1 c. à thé) de poivre Teddy Cherry ou de poivre long de Thaïlande, broyé
1 c. à soupe d'huile d'olive
2 c. à soupe de beurre
Huile pour la cuisson

Assaisonner les filets de fleur de sel, de poivre et d'huile d'olive. Réserver.

Zinfandel, Vintner's Blend, California, Ravenswood (États-Unis)

Moelle à la duxelles de champignons

4 os de moelle de 4 cm (1 1/2 po) d'épaisseur
1 c. à soupe de beurre clarifié
2 c. à soupe d'échalote, hachée finement
240 g (1 tasse) de champignons, hachés finement (champignons de Paris, portobellos, pleurotes)
1 c. à soupe d'estragon frais, haché
1 c. à soupe de ciboulette fraîche, hachée
1 c. à soupe de cerfeuil frais, haché
3 c. à soupe de vin blanc
Sel et poivre fraîchement moulu
1 c. à soupe de chapelure de pain

Dégorger la moelle toute la nuit.

Retirer la moelle des os en poussant de l'intérieur vers l'extérieur et, à l'aide d'un couteau bien affûté, gratter les os pour les nettoyer et laisser tempérer.

Dans une poêle, chauffer le beurre clarifié et faire revenir les échalotes, les champignons, les herbes et le vin blanc jusqu'à évaporation presque complète. Assaisonner et réfrigérer.

À l'aide du robot de cuisine, mélanger la duxelles, la moelle et la chapelure. Saler, poivrer et mettre la farce dans une poche à douille, farcir les os, lisser la surface avec une spatule et réfrigérer. Conserver le reste de la préparation qui pourrait être utile au cas où la farce diminuerait dans les os. Passer ensuite sous le gril du four avant de servir.

Queue braisée

1 queue de bœuf de 1 kg (2 ½ lb), dégraissée et coupée en quatre
1 carotte, en dés
1 oignon, en dés
1 branche de céleri, en dés
3 gousses d'ail en chemise
1 brin de thym
1 feuille de laurier
500 ml (2 tasses) de vin rouge Mariebriand à Saint-Joseph du lac
1 litre (4 tasses) d'eau
Fond de bœuf ou de veau
1 c. à soupe d'huile de boutons d'hémérocalle ou 1 c. à café (1 c. à thé) d'huile de truffe blanche
Sel et poivre fraîchement moulu

Préchauffer le four à 120 °C (250 °F).

Dans une casserole, faire revenir quelques minutes les carottes, les oignons et le céleri. Ajouter la queue de bœuf, l'ail, le thym et la feuille de laurier. Verser le vin rouge et un peu d'eau. Déposer au four 5 h ou jusqu'à ce que la viande se détache de la queue.

Retirer la queue du bouillon, la désosser et l'effilocher au maximum.

Filtrer le bouillon au chinois et le faire réduire avec un peu de fond de bœuf.
À l'aide d'un fouet, mélanger le bouillon pour émulsionner avec l'huile et assaisonner.

Miettes de pommes de terre rattes

450 g (1 lb) de pommes de terre rattes ou de pommes de terre bananes
Sel de mer
60 ml (¼ tasse) de crème épaisse (35 %)
2 c. à soupe de beurre
2 c. à soupe de ciboulette, ciselée

Dans une casserole, cuire les pommes de terre dans l'eau bouillante salée de 30 à 45 min.

Au terme de la cuisson, les peler et les écraser pendant qu'elles sont encore chaudes et les mettre dans un petit poêlon avec la crème, le beurre et la ciboulette. Réserver.

Suite →

Macédoine de légumes de saison

1 carotte rouge, épluchée
1 carotte jaune, épluchée
1 betterave Chioggia, épluchée
1 bulbe de fenouil cru
1 c. à soupe d'huile d'olive

Dans une casserole d'eau bouillante, blanchir les carottes et la betterave jusqu'à ce qu'elles soient tendres. Conserver le fenouil cru.

Couper tous les légumes en petits dés. Dans une poêle, chauffer un peu d'huile d'olive et les faire sauter vivement. Assaisonner et réserver.

Préchauffer le four à 200 °C (400 °F).

Sur une plaque allant au four, réchauffer la moelle 10 min et terminer sous le gril à température maximum.

Dans une poêle, chauffer l'huile et le beurre et rôtir les filets selon la cuisson désirée. Les arroser du beurre de cuisson.

Faire chauffer la queue avec une partie de la sauce et assaisonner. Chauffer les miettes de pommes de terre et assaisonner.

Sur 4 assiettes rectangulaires chaudes, placer un emporte-pièce rond dans lequel on dépose les miettes de pommes de terre, la queue de bœuf suivie de la macédoine de légumes. Au centre une pièce de bœuf, un filet de sauce et de l'autre côté un os à la moelle.

Garnir d'un bouquet de tatsoy (laitue japonaise) passé dans la vinaigrette parfumée à la truffe.

PÉTONCLES COQUILLES PEC-NORD AU JUS DE FRAISES, VINAIGRE DE ROSE DE NEL ET LIQUEUR DE FRAISES DES BOIS, PERSIL MARIN FRIT

4 portions

Pour ouvrir les pétoncles coquilles, il faut tenir solidement la coquille dans un linge humide. La partie creuse en dessous doit être bien à plat. Faire pénétrer un couteau à l'intérieur du pétoncle et faire glisser la lame entre la coquille supérieure et le muscle. La coquille s'ouvrira d'elle-même. Ensuite, il ne reste qu'à dégager l'autre moitié en glissant la lame entre la coquille inférieure creuse et le pétoncle.

16 pétoncles coquilles Pec-Nord des îles de la Madeleine, tranchés en fines lamelles
250 ml (1 tasse) de sel de mer
1 oignon vert, émincé finement
1 c. à soupe d'huile de persil marin (persil blanchi et passé au mélangeur et filtré dans un filtre à café)

Marinade au jus de fraises

250 g (8 oz) de fraises d'automne de l'île d'Orléans, équeutées
1 c. à soupe de vinaigre de rose de Nel
2 c. à soupe de liqueur de fraises des bois (Fragoli)
Sel et poivre noir fraîchement moulu

Persil marin

1 botte de persil marin (livèche écossaise), les feuilles seulement, nettoyées et épongées ou de persil plat

1 litre (4 tasses) d'huile d'arachide

Sel de laitue de mer des Jardins sauvages ou de la fleur de sel de Guérande

Passer les fraises à l'extracteur à jus, conserver le jus pour la marinade et la pulpe pour un dessert éventuel. Dans un bol, mélanger le jus, le vinaigre et la liqueur de fraise. Saler, poivrer et réserver.

Déposer les tranches de pétoncles en spirale sur les coquilles. Réserver au réfrigérateur sur un lit de glace pilée. Dans une casserole, faire frire le persil dans l'huile à 135 °C (275 °F) jusqu'à ce que l'huile arrête de frémir autour des feuilles. Égoutter sur du papier absorbant.

Servir les pétoncles sur une planche en bois garnie de sel de mer. Verser un peu de marinade sur les coquilles, en prenant soin de bien la mélanger. Ajouter les oignons verts, un peu d'huile de persil de mer, quelques grains de fleur de sel et du poivre. Garnir d'un buisson de persil frit.

coup de cœur

Crémant de Bourgogne, Blanc de Blancs, Cave de Lugny (France)*

*Pour élaborer un kir effervescent à la liqueur de fraises des bois

CROUSTILLANT DE PORC MIJOTÉ LONGUEMENT, SON JUS ÉMULSIONNÉ AVEC UNE LAQUE AU JUS DE POMME ET AUX ÉPICES, COLESLAW DE POMMES, DE CHOUX ET DE POIREAUX FRITS À LA VINAIGRETTE DE POMME

4 portions

Cuire le morceau de flan de porc avec ses bouts de côtes flottantes donne un goût exquis. D'ailleurs, il est recommandé, de le faire cuire la veille puisqu'il exige 12 heures de cuisson.

Laque au jus de pomme

180 ml (2/3 tasse) de miel
80 ml (1/3 tasse) de vinaigre de riz assaisonné Marukan
1 pomme Redcort, en petits dés
1 c. à café (1 c. à thé) de gingembre frais, haché
1 gousse d'ail, dégermée et hachée
1 anis étoilé
1 c. à café (1 c. à thé) de graines de coriandre
1 gousse de cardamome
1 bâton de cannelle

Dans une casserole, faire mijoter tous les ingrédients pendant 1 h et filtrer le tout au chinois. Réserver.

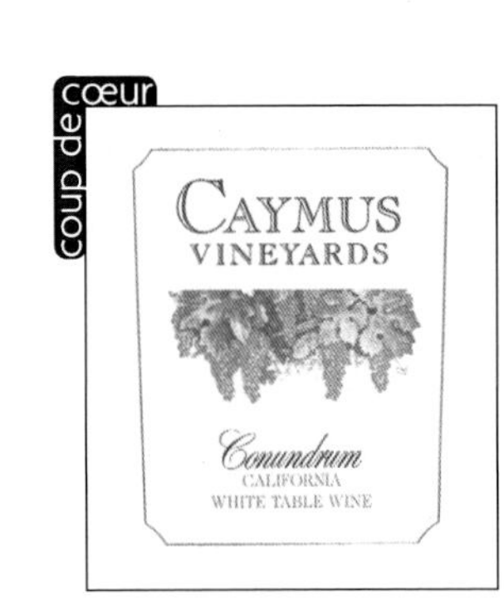

Conundrum, California,
Caymus Vineyards (États-Unis)

Flanc de porc (faire la veille)

1,5 kg (3 1/3 lb) de flanc de porc naturel Dubreton, écouenné et enlardé
1 c. à café (1 c. à thé) de fleur de sel
1 c. à café (1 c. à thé) de piment d'Espelette
1 c. à soupe de romarin frais, haché
1 gros oignon, émincé
250 ml (1 tasse) de vin blanc
2 c. à soupe de laque au jus de pomme

Préchauffer le four à 82 °C (180 °F).

Frotter le flanc sur les deux faces avec un mélange de fleur de sel, de piment d'Espelette et de romarin. Déposer le flanc dans une casserole à fond épais, ajouter les oignons tout autour, couvrir et cuire 12 h.

Au terme de la cuisson, déposer le flanc dans une assiette, le laisser refroidir doucement pour qu'il atteigne la température ambiante. Le recouvrir d'un papier film (pellicule plastique).

Dégraisser et réserver le jus de cuisson pour la sauce.

Déglacer avec le vin blanc et la laque au jus de pomme, laisser mijoter avec le jus de cuisson et passer au chinois dans une petite casserole.

Émulsionner la sauce avec un mélangeur à main. Cette étape donnera une belle consistance à la sauce. Réserver.

Vinaigrette de pomme

½ kg (1 lb) de pommes Redcort
2 c. à soupe de vinaigre de cidre
1 c. à soupe de miel
4 c. à soupe d'huile de pépin de raisin
Sel et poivre

Passer les pommes à l'extracteur à jus.

Dans une casserole, verser le jus et le faire réduire des deux tiers sur feu moyen. Ajouter le vinaigre et le miel. Tiédir. Incorporer doucement l'huile afin de bien l'émulsionner. Saler et poivrer.

Coleslaw de pommes, de choux et de poireaux frits

1 pomme, épluchée et émincée finement à la mandoline
1 blanc de poireau, émincé finement à la mandoline
200 g (7 oz) de chou de Savoie, émincé finement à la mandoline
1 c. à soupe de jus de citron
Sel et poivre

Dans une casserole, chauffer l'huile et frire le blanc de poireau. Éponger avec un papier absorbant. Dans un bol, mélanger les autres ingrédients, assaisonner et arroser de vinaigrette.

Diviser le flanc en 4 morceaux de même grosseur. Dans le cas où il y a des os, on peut les dégager pour une plus belle présentation. Dans une poêle, chauffer un peu de beurre clarifié* et faire saisir du côté du gras les morceaux de porc jusqu'à ce que la peau devienne croustillante. Tourner sur l'autre face et déposer au four quelques minutes afin que la chaleur atteigne le milieu de la pièce. Déposer sur 4 assiettes chaudes une pièce de porc, un peu de coleslaw et arroser d'un trait de vinaigrette de pomme. Chauffer la sauce et l'émulsionner de nouveau.
Verser autour du croustillant. Garnir de petits pak-choï (petits choux chinois) légèrement poêlés.

* On obtient un beurre clarifié en le faisant chauffer doucement pour séparer la crème du beurre. À l'aide d'une écumoire, il suffit de retirer le liquide blanchâtre. Le beurre clarifié est donc plus léger et sert à l'émulsion des sauces.

FROMAGE RIOPELLE DANS UNE COQUILLE, MOUSSEUSE DE LAIT DE POULE, MOUILLETTES DE PAIN BRIOCHÉ PARFUMÉ À L'HUILE DE FLEUR D'AIL DE L'ÎLE VERTE

4 portions

Coquilles

4 œufs à coquilles brunes
120 g (4 oz) de fromage Riopelle (triple crème à pâte molle et à croûte fleurie)
80 ml (1/3 tasse) de lait (3,25 %)
1 c. à café (1 c. à thé) de fleur d'ail à l'huile de l'île Verte ou de ciboulette à l'ail émincée et macérée dans l'huile de pépin de raisin
Sel et poivre

Mouillettes

2 tranches de pain brioché, en petits bâtonnets
Beurre clarifié
1 c. à soupe de fleur d'ail

Meursault-Genevrières Premier Cru, Mestre-Michelot (Bourgogne)

Pour couper les coquilles, utiliser un coupe-coquille ou un bouchon en aluminium prélevé d'une bouteille de Noilly-Prat.

Adosser la partie vide et coupante du bouchon sur la pointe de l'œuf. Déposer l'œuf dans le creux de la main et frapper le bouchon à petit coup sur le comptoir (cette étape se fait d'une seule main).

Récupérer l'œuf, nettoyer l'intérieur et déposer les coquilles dans les coquetiers pour les farcir.

Remplir les coquilles presque à la moitié de 30 g (1 oz) de fromage Riopelle, déposer les coquetiers dans le cuit-vapeur et chauffer 2 min à faible intensité.

Pendant ce temps, mettre un œuf dans un bol (cul-de-poule) et le faire mousser au bain-marie avec un peu de lait. Parfumer avec la fleur d'ail et assaisonner.

Badigeonner les bâtonnets de pain avec du beurre clarifié (voir note p. 299) et les faire griller sous le gril du four à la température maximum (ou sous la salamandre).

Déposer les coquetiers bien chauds sur les assiettes et, à l'aide d'une cuillère, finir de remplir les coquilles en versant de la mousse de lait de poule. Accompagner de 3 mouillettes grillées.

Carlo Zopeni a travaillé aux fourneaux de l'Hôtel Chanteclerc de Sainte-Adèle et a formé pendant 26 ans des étudiants en cuisine à l'École Hôtelière des Laurentides. En tant qu'entraîneur, il a aidé plusieurs d'entre eux à remporter les plus grands honneurs dans des concours de cuisine de niveau international.

MARINATA DI MELANZANE CON BRESAOLA (AUBERGINE MARINÉE ET BRESAOLA)

12 petites portions

La bresaola est une viande de bœuf séchée. On la trouve dans toutes les charcuteries italiennes. Elle est moins sèche que la viande des Grisons et moins grasse que le prosciutto.

Aubergine

700 g (1 1/2 lb) d'aubergines, épluchées, coupées en fines tranches et dégorgées*
150 ml (2/3 tasse) d'huile d'olive extravierge
6 tomates séchées, en lamelles très fines
5 c. à soupe d'origan frais, ciselé
4 c. à soupe de basilic frais, ciselé
5 feuilles de sauge, hachées
1 c. à soupe de romarin frais, haché
1 tête d'ail avec la pelure, rôtie au four** puis épluchée et hachée grossièrement
4 c. à soupe de vinaigre balsamique
Poivre noir fraîchement moulu

Garniture

20 tranches de bresaola très minces
4 petites tomates séchées, émincées finement
3 c. à soupe d'olives noires, hachées grossièrement
1 1/2 c. à soupe de câpres, bien égouttées
2 c. à soupe de pignons
Quelques gouttes d'huile d'olive extravierge
Quelques gouttes de vinaigre balsamique
12 copeaux de parmesan
Croûtons de pain ciabatta, grillés à l'huile

Dans un poêlon, chauffer l'huile et faire dorer les aubergines de chaque côté. Les déposer dans une passoire.

coup de cœur

Carpineto
rosato
Toscano

Rosato, Colli Toscana,
Casa Vinicola Carpineto (Italie)

Suite →

Prendre un bol, mélanger les tomates, l'origan, le basilic, la sauge, le romarin et l'ail. Verser un peu d'huile d'olive, mélanger doucement et poivrer.

Prendre un moule de 20 x 10 x 5 cm (8 x 4 x 2 po) et couvrir le fond de papier film (pellicule plastique). Disposer un rang d'aubergine en alternant avec le mélange d'herbes et de vinaigre. Recouvrir de papier film (pellicule plastique) et laisser mariner dans le réfrigérateur pendant 12 h.

Démouler et couper en 12 petites portions. Déposer chaque morceau dans une cuillère, garnir avec les tranches de bresaola et compléter avec le reste de la garniture. Terminer avec l'huile, le balsamique, le parmesan et les croûtons.

* Pour retirer l'amertume de l'aubergine, on doit la dégorger. Il s'agit de saupoudrer la chair d'aubergine de gros sel et de la laisser reposer environ 30 min pour la faire suer. Puis on la rince et on l'assèche avant de la cuisiner.

** Tête d'ail rôtie au four : Sur une plaque allant au four, déposer la tête d'ail légèrement huilée et faire cuire 12 min à 260 °C (500 °F). La pelure sera très facile à enlever.

OSSO BUCO E PAPPARDELLE AL UOVO (JARRET DE VEAU ET NOUILLES LARGES AUX ŒUFS)

4 portions

Gremolata

1 c. à café (1 c. à thé) de zeste de citron
1 c. à café (1 c. à thé) de zeste d'orange
1 gousse d'ail, hachée
2 c. à soupe de persil frais, haché

Veau

4 jarrets de veau
Farine
80 ml (1/3 tasse) d'huile d'olive extravierge
2 petits oignons, hachés
2 gousses d'ail, émincées
80 g (1/3 tasse) de céleri, haché
80 g (1/3 tasse) de carottes, hachées
200 ml (3/4 tasse) de vin blanc
4 tomates fraîches, mondées, épépinées et coupées en morceaux
375 ml (1 1/2 tasse) de fond de veau lié (voir note p. 257)
2 feuilles de laurier
8 feuilles de basilic frais, ciselées
3 c. à soupe d'origan frais, ciselé
250 g (8 à 9 oz) de pappardelles (nouilles larges aux œufs)
50 g (2 oz) de parmesan

Barbera d'Asti, La Tota, Marchesi Alfieri (Italie)

Dans une petite casserole remplie d'eau bouillante, plonger les ingrédients de la gremolata 30 secondes pour les blanchir. Refroidir, égoutter et réserver.

Dans une sauteuse à fond épais, chauffer la moitié de l'huile et faire dorer les jarrets. Réserver.

Dans la même sauteuse, ajouter l'autre moitié de l'huile, faire saisir les oignons, l'ail, le céleri, les carottes et laisser cuire 1 à 2 min en remuant souvent. Ajouter les jarrets et déglacer au vin blanc. Laisser réduire de moitié et ajouter les tomates. Laisser cuire quelques instants et ajouter le fond de veau, les herbes et saler au besoin. Porter à ébullition, couvrir et mettre au four à 100 °C (325 °F) environ 1 h.

Au terme de la cuisson, enlever les jarrets, goûter et réduire la sauce si nécessaire. Poivrer, remettre la viande dans la sauce et garder au chaud.

Cuire les pâtes *al dente*, bien les égoutter et les assaisonner avec un peu de la sauce de l'osso buco et du parmesan.

Déposer l'osso buco au centre de l'assiette et dresser les pâtes tout autour. Garnir de gremolata.

FAGOTTINI ALLA TREVISANA (PÂTES MAISON FARCIES)

4 à 6 portions

Ce plat peut aussi être garni avec des asperges ou des épinards.

Pâtes aux œufs

100 g (3 oz) de farine à pâte fraîche
100 g (3 oz) de farine tout usage
2 œufs, légèrement battus
1 pincée de sel
1 c. à soupe d'huile d'olive

Mélanger tous les ingrédients et travailler la pâte à l'aide d'une machine à faire les pâtes. Former 12 carrés très minces de 10 cm (4 po). Les plonger dans l'eau salée de 15 à 20 sec, les refroidir et bien les éponger.

coup de cœur

Santa Cristina, IGT Toscana, Antinori (Italie)

Sauce tomate

2 c. à soupe d'huile d'olive
1 petit oignon, haché finement
3 à 4 gousses d'ail, hachées
800 g (28 oz) de tomates, pelées
1 c. à soupe de concentré de tomate (pâte de tomate)
Sel
1 pincée de sucre (au besoin)
12 feuilles de basilic frais, ciselées

Dans une casserole, chauffer l'huile et faire dorer les oignons.
Ajouter l'ail, les tomates, le concentré de tomate, le sel, le sucre et le basilic.
Laisser cuire de 25 à 30 min à feu doux.

Farce

2 c. à café (2 c. à thé) d'huile d'olive
2 c. à café (2 c. à thé) de beurre
1 oignon moyen, haché
200 g (7 oz) de radicchios, en petits dés
150 g (5 oz) de mortadelle, en petits dés
200 g (7 oz) de ricotta, bien égouttée
70 g (2 oz) de parmesan, râpé
1 œuf, légèrement battu
1 pincée de sel
7 ou 8 feuilles d'origan frais, ciselées
Bouillon de volaille
Crème épaisse (35 %)

Dans une casserole, chauffer l'huile et le beurre et faire dorer les oignons. Ajouter les radicchios et cuire 5 min à feu doux. Retirer du feu et laisser refroidir. Ajouter la mortadelle, la ricotta, le parmesan (en garder un peu pour saupoudrer), l'œuf, le sucre et l'origan.

Partager la farce sur chaque carré de pâte et refermer en croisant les pointes. Les déposer sur du papier sulfurisé placé dans un plat peu profond allant au four. Ajouter un peu de bouillon pour couvrir le fond du plat.

Huiler le dessus de chaque pâte et saupoudrer de parmesan.

Préchauffer le four à 150 °C (300 °F). Couvrir d'une feuille d'aluminium et laisser chauffer de 25 à 30 min sur la grille du centre.

Chauffer la sauce sans la faire bouillir. Napper le fond de l'assiette, déposer 3 pâtes, garnir avec un peu de crème montée* et des feuilles de basilic frais.

*À l'aide d'un fouet ou d'un batteur à main, battre la crème afin d'augmenter son volume.

4 à 6 portions

Pâte à crêpes

Donne 10 crêpes fines de 20 cm (8 po)

100 g (1/2 tasse environ) de farine tout usage
Sel
2 œufs
200 ml (3/4 tasse) de lait
30 g (1 oz) de beurre
5 à 6 feuilles de basilic frais, ciselées

Dans un bol, mélanger tous les ingrédients et laisser reposer 30 min.
Dans une poêle antiadhésive, cuire les crêpes à feu moyen et les superposer entre deux assiettes pour les empêcher de sécher.

coup de cœur

Rose di Regaleali, IGT Sicilia, Tasca d'Almerita (Italie)

Garniture

150 g (5 oz) d'échalotes, grossièrement hachées
Huile d'olive extravierge
200 g (7 oz) de poivrons rouges, en petits dés
3 gousses d'ail, hachées
140 g (5 oz) de chanterelles, en fines tranches
70 g (2 1/2 oz) d'olives noires
2 c. à soupe de câpres
1 belle tranche de mie de pain frais, hachée finement
1 c. à café (1 c. à thé) de bouillon de volaille
2 tomates mûres, en tranches minces
4 c. à soupe de parmesan, râpé
Quelques feuilles de basilic frais

Dans une poêle, chauffer l'huile et faire suer* les échalotes. Ajouter les poivrons, l'ail et cuire lentement de 2 à 3 min. Ajouter les chanterelles et cuire 1 à 2 min de plus. Compléter avec les olives, les câpres et la mie de pain. Ajouter un peu de bouillon pour humidifier si nécessaire. Couvrir et garder au chaud.

Préchauffer le four à 160 °C (325 °F).

Garnir les crêpes en formant des petits coussinets. Dans un plat peu profond et allant au four, garnir de papier sulfurisé (parchemin). Beurrer et humidifier le fond d'un peu de bouillon, déposer les crêpes, garnir le dessus de tomates. Badigeonner d'huile, saupoudrer de parmesan et cuire de 15 à 20 min. Garnir de feuilles de basilic.

* Suer : Cuire lentement dans un corps gras pour éliminer l'eau contenue dans les légumes.

4 à 6 portions

Sauce aux tomates fraîches

80 à 125 ml (1/3 à 1/2 tasse) d'huile d'olive extravierge
200 g (1 tasse) d'oignons, grossièrement hachés
5 à 6 gousses d'ail, émincées finement
700 g (26 oz) de tomates fraîches, mondées, épépinées et coupées en tranches
2 c. à soupe de concentré de tomate (pâte de tomate)
200 ml (2/3 tasse) de bouillon de volaille
1 pincée de sucre
Sel et poivre
18 à 20 feuilles de basilic frais, ciselées finement
8 feuilles d'origan frais, ciselées

coup de cœur

Castel Grifone, IGT Umbria, Lungarotti (Ombrie)

Dans une casserole, chauffer l'huile et faire dorer les oignons. Ajouter l'ail et cuire 1 min. Ajouter les tomates, laisser cuire 2 min, ajouter le concentré de tomate, le bouillon, le sucre et saler légèrement. Cuire à feu doux de 3 à 4 min. Ajouter le basilic et l'origan et réserver.

Petits légumes

80 à 125 ml (1/3 à 1/2 tasse) d'huile d'olive extravierge
200 g (3/4 tasse) d'aubergines, en bâtonnets
200 g (3/4 tasse) de courgettes, en bâtonnets de 5 cm (2 po)
200 g (3/4 tasse) de champignons, en quartiers
200 g (3/4 tasse) de poivrons rouges, en fines lamelles
200 g (3/4 tasse) d'asperges fraîches, en bâtonnets
400 g (7 oz) de tagliolinis aux œufs
75 g (2 1/2 oz) de parmesan, râpé

Dans un poêlon, chauffer l'huile et faire sauter les légumes (sauf les asperges) quelques minutes puis ajouter les asperges, cuire 1 min et garder au chaud. Vérifier l'assaisonnement.

Plonger les pâtes dans l'eau bouillante salée 8 min ou jusqu'à ce qu'elles soient *al dente*. Égoutter et mélanger rapidement dans la sauce tomate.

Dans une assiette creuse, déposer les pâtes avec les petits légumes tout autour. Saupoudrer de parmesan.

Des menus pour le plaisir

ou quatre repas à chaque saison

Dans le chapitre concernant les règles de base, j'expliquais que le choix vertical est aussi important que l'horizontal. Il s'agit, pour ainsi dire, d'un exercice que l'on fait lorsque l'on prépare un menu. Au départ, il y a un mets (ou un plat) que l'on essaie d'associer à un vin. C'est ce que cet ouvrage vous propose dans son ensemble. Parfois, et c'est une approche intéressante, il y a d'abord un vin qu'on a envie de boire, et puis on cherche le plat idéal pour réaliser l'accord parfait. C'est ce qu'il est possible de faire si l'on utilise l'index des vins à la fin de ce livre (p. 322).

Mais lorsque vient le temps de réaliser une harmonie totale, de l'apéritif au café, sans se tromper, en respectant la cuisine, l'âge des vins et leur température de service ainsi qu'en tenant compte de la situation... et du budget, l'exercice devient parfois périlleux.

Pour toutes ces raisons, et pour vous faire plaisir, je vous propose donc 16 menus particuliers, inspirés des saisons. Ces menus ont été soigneusement conçus en fonction de l'événement, de l'époque de l'année, du budget ; bien entendu, ils combinent les mets et les vins appropriés. J'ai expérimenté la plupart d'entre eux, tels que je vous les présente. D'autres ont été construits à partir d'associations toutes éprouvées et replacées dans un contexte de repas complet. Quant aux vins, vous devinez bien que je les ai goûtés, et deux fois plutôt qu'une. Je m'en suis fait un devoir et je garantis la qualité de chacune des maisons dont ils sont issus. Il va de soi que j'ai choisi des crus, des cuvées et des maisons que j'apprécie particulièrement. On peut d'ailleurs en retrouver parmi mes coups de cœur dans le chapitre consacré aux recettes (p. 243).

Pour bien comprendre, il est important de regarder (juste au-dessous du thème) l'année au cours de laquelle le menu a été préparé. Cela servira de référence pour les millésimes à choisir. À titre d'exemple, prenons le déjeuner pascal. L'année de référence est 2003 et le pomerol est de 1998. Vous pourrez donc servir le même repas en 2005 avec un pomerol 2000, un ribera del duero 1998, et ainsi de suite. Bien sûr, ce ne sont que des suggestions qui peuvent être changées judicieusement par des vins similaires. Il suffira de consulter le livre à l'endroit du plat en question pour trouver d'autres propositions, peut-être plus conformes à la composition de votre cave et surtout à vos goûts personnels.

Chaque menu est accompagné d'un commentaire justifiant les choix, donnant ainsi quelques explications qui vous permettront de vous rajuster, si besoin est. Enfin, je vous invite à lire au début de ce livre les quelques pages du chapitre traitant des règles de base et, plus précisément, du choix vertical. Il sera facile aussi d'utiliser ces menus pour vous inspirer tout simplement, quitte à les raccourcir ou à changer un plat.

Prenez le temps d'expérimenter ces agapes conviviales, des plus simples aux plus complexes, cela vous fera au moins quatre occasions gourmandes de partager l'amitié, une pour chaque saison.

MENUS DE PRINTEMPS

Soirée en famille
(2002)

Muscat d'Alsace 2001, Réserve, Pierre Sparr et Fils

Asperges blanches, sauce mousseline
Muscat d'Alsace

Truite au beurre rouge
Morgon 1998, Domaine de la Chanaise, Dominique Piron

Gâteau aux noix de Grenoble
Côtes du Jura 1994, vin jaune, Domaine Tissot

Le muscat d'alsace, idéal en apéritif par son fruit et sa souplesse, jouera harmonieusement avec les asperges, dont l'amertume sera effacée en bonne partie par les saveurs du vin blanc. Une fois n'est pas coutume, mais toute la famille se fera un plaisir d'essayer un vin rouge encore assez jeune issu du cépage gamay, fruité et souple, avec le poisson dont la chair rappelle la couleur du vin. Quant au dessert, le fameux «goût de noix» du vin jaune épousera les mêmes saveurs du gâteau. Une approche légère qui donnera à la famille le temps et l'envie d'échanger autour de ce vin rare et particulier qui surprend toujours la première fois.

Souper entre amis
(2004)

Xérès Amontillado, Antonio Barbadillo

Soupe de poisson
Xérès Amontillado

Osso buco
Rosso di Torgiano 2000, Rubesco, Cantine Lungarotti

Camembert au lait cru
Minervois 2000, Château Villerambert Julien

Tarte Tatin
Cidre de glace, Frimas, La Face cachée de la Pomme

Curieux et délicieux en apéritif, ce xérès est sec tout en ayant suffisamment de corps pour accompagner la soupe de poisson quelque peu relevée, gommant légèrement son goût salé. Mariage régional entre l'osso buco aux saveurs d'épices et de tomate, et le non moins savoureux vin rouge de l'Ombrie. Enfin, après l'alliance classique entre le vin du Languedoc et le fromage, le cidre de glace, étonnant et savoureux, jouera un merveilleux rôle de compagnon avec la tarte aux pommes caramélisées des sœurs Tatin. La progression se fera en toute simplicité, je dirais en demi-teintes.

Pour une meilleure compréhension, je précise à tous les lecteurs que le déjeuner est pris ici dans le sens de repas du midi et le dîner, dans le sens de repas du soir. Repas et soirée sont indiqués dans leur sens général, habituellement utilisé. Quant au souper, il s'agit du repas du soir, même si, théoriquement, ce terme signifie un repas qu'on prend à une heure avancée de la nuit, souvent après un spectacle.

Repas gastronomique
(2002)

Vecchio Samperi de 20 ans, Marco de Bartoli

Filets de saint-pierre au gratin
Condrieu 1998, Domaine du Monteillet

Ris de veau braisés
Saint-Estèphe 1995, Château de Marbuzet

Noisettes de chevreuil, sauce poivrade
Hermitage 1995, Domaine Jean-Louis Chave

Fromages relevés
Barbaresco 1993, Angelo Gaja

Tarte aux abricots
Vin de glace 2000, Vidal, Vignoble du Marathonien, Québec

Commençons en beauté avec ce rare et sublime vecchio samperi, sorte de marsala de luxe dont la finesse n'a d'égale que la longueur en bouche. Le saint-pierre et sa sauce se conjuguent avec un vin blanc de noble race, sec, ample et subtil comme peut l'être ce condrieu. Les ris de veau, grâce à la cuisson et à leur texture, sont mis en valeur par un rouge de quelques années, pourvu d'une réelle finesse aromatique et de tanins soyeux. Quant au chevreuil, la viande relevée mais délicate, et surtout la sauce où domine le poivre, ne nous fait pas hésiter un seul instant : l'hermitage de Gérard Chave est très grand, et son producteur ne l'est pas moins ! Il suffit, pour savoir que l'on ne s'est pas trompé, de sentir ce nez encore plein de fruits, aux rappels de cuir et légèrement teinté d'épices, puis de s'arrêter sur cette bouche compacte et riche ! Le barbaresco de Gaja, à la fois massif et élégant, poursuit la progression sur les fromages relevés avec beaucoup de présence et de raffinement. Enfin, avec la tarte on boira ce splendide vin de glace canadien aux arômes d'abricots très fins.

Déjeuner pascal
(2003)

Roederer Anderson Valley Brut, Roederer Estate

Omelette aux truffes
Pomerol 1996, Château La Croix

Carré d'agneau rôti
Pomerol

Plateau de fromages relevés
Ribera del Duero, Tinto Pesquera 1995, Alejandro Fernandez

Gâteau frangipane
Vin santo 1998, Marchesi de Frescobaldi

Ce menu très classique du temps de Pâques commence avec des bulles délicates, élaborées en Californie par une grande maison de Champagne. L'omelette est de circonstance, mais les truffes lui volent la vedette en compagnie du pomerol, assez évolué pour offrir aux convives des bouquets rappelant le noble champignon souterrain. Pour ne pas trop charger ce repas du dimanche, le même pomerol, élégant, velouté et tout en rondeur, fait du charme à l'agneau, tendre et délectable. Puis, on monte d'un cran sur le plan des saveurs avec ce grand d'Espagne aux senteurs marquées de sous-bois et d'épices, qui, du haut de ses huit ans, sait tenir tête aux fromages relevés. Enfin, après un bon verre d'eau pour se refaire la bouche, le vin santo toscan, suave, au nez de noisette et d'amande, assure la conclusion en totale harmonie avec le gâteau à la crème d'amande. Un menu tout simple digne des plus grands !

MENUS D'ÉTÉ

Déjeuner entre copains
Quatuor à l'alsacienne
(2003)

Crémant d'Alsace Pinot gris, Dopff & Irion

Salade d'avocat aux crevettes
Alsace Pinot blanc 2002, F. E. Trimbach

Sushis au saumon
Alsace Riesling 2001, Cave de Pfaffenheim

Petite pointe de munster et graines de cumin
Alsace Gewürztraminer 2000, Hugel et Fils

Encore et injustement ignorée, surtout au restaurant, l'Alsace à table permet pourtant de succulentes harmonies. C'est ainsi, sans façon, que le crémant issu de pinot gris réunit les copains qui ont bien des choses à se dire. Le pinot blanc est assez sec pour accompagner les crevettes et assez souple pour se marier à la chair de l'avocat. Le riesling très typé de Pfaffenheim tire admirablement son épingle du jeu avec les sushis, tellement à la mode aujourd'hui. Enfin, une fois n'est pas coutume, mais les convives se font plaisir avec ce curieux mariage de contrastes, où le fromage munster « piqué » de cumin et le gewürztraminer, aromatique et gorgé de fruit, forment à eux deux un dessert des plus savoureux, avec en finale un rappel légèrement épicé. Des mariages en blanc en l'honneur de l'Alsace !

Repas en amoureux
(2004)

Muscat de Beaumes de Venise, Paul Jaboulet Aîné

Melon rafraîchi au muscat de beaumes de venise

Brochet au beurre blanc
Savennières, Clos de la Coulée de Serrant 1995, Nicolas Joly

Tournedos à la béarnaise
Madiran 1998, Château Montus

Oeufs à la neige
Coteaux de l'Aubance, Les 3 Demoiselles 1998, Domaine Richou

Quoi de mieux pour rapprocher des amoureux (s'il est besoin) qu'un vin qui se déguste comme si l'on croquait avec gourmandise dans un fruit très mûr ? Le muscat doré et gras en bouche continue ses ravages en s'installant dans le creux du melon, pour mieux tenter le diable... Un petit vent de folie secoue les amoureux avec le savennières, et quel savennières ! Ce vin magique du Clos de la Coulée de Serrant, attendu patiemment pour lui faire exprimer ses bouquets de miel et de fruits secs sur ce brochet au beurre blanc : un délice, tout simplement. Le madiran de Brumont au bouquet de torréfaction et d'épices a déjà quelques années à son actif, et c'est plein de fruit et le tanin arrondi qu'il se fond en bouche avec le tournedos saignant et la sauce moelleuse aux parfums d'estragon. Le coteaux de l'aubance, délicatement moelleux et servi au verre, termine le festin sur une note sucrée, avec un petit côté aérien... comme les œufs à la neige. Un vrai mariage d'amour dans le verre et l'assiette !

Pique-nique en l'honneur de Bacchus (2004)

Salade de fruits de mer
Collio, Pinot grigio 2003, Marco Felluga

Pissaladière
Croûtons de foies de volaille
Bandol rosé 2003, Domaine Tempier
Touraine, Gamay 2003, Domaine de la Charmoise

Rôti de porc froid et salade de haricots verts
Côtes de Provence, Blanc de blancs 2002, Château Barbeyrolles

Fromages fermiers
Pessac-Léognan 1999, Château La Louvière

Tarte aux pommes
Cidre La bolée du Minot, Verger du Minot, Québec

Il fait chaud et il est important de commencer doucement avec le pinot gris du Frioul, sec, rafraîchissant et peu alcoolisé, avec cette salade aux fruits de mer. La pissaladière et les croûtons de foies de volaille ont quelques accointances, autant avec le joli bandol rosé aux reflets ambrés qu'avec le gamay d'Henry Marionnet qui, servi frais, remet sur pied en moins de deux celui ou celle qui aurait abusé des rayons du soleil... et du vin précédent. Sec et souple à la fois, le côtes de provence blanc profite de ses arômes floraux plutôt discrets pour s'accorder avec le rôti froid. Enfin, le Château La Louvière, vin classique des Graves, est assez souple mais suffisamment présent en bouche pour mettre en valeur les quelques trésors trouvés chez le fromager du coin. En somme, un vrai pique-nique pour œnophiles avertis !

Soirée sous les étoiles (2002)

Alsace Riesling, Cuvée Théo 1999, Domaine Weinbach

Entrée de bar grillé
Alsace Riesling

Fondue bourguignonne
Côte de Brouilly 1999, Château des Ravatys

Miroir aux fraises
Brachetto d'Acqui La Rosa 2001, Villa Banfi

Après une journée bien remplie à faire du sport, tout le monde veut se détendre en commençant avec un vin d'Alsace frais et très fin. Ce même vin, issu d'un des meilleurs domaines de la région, remplira son office avec le poisson grillé. Puis, c'est la partie de plaisir où chacun essaie de ne pas oublier son morceau de bœuf dans l'huile bien chaude, sous peine de se voir obligé de payer une autre bouteille de côte de brouilly, lequel s'adapte d'ailleurs à toutes les sauces qui accompagnent la viande. Enfin, une petite note très joyeuse avec ce vin sympathique du Piémont. Tout le soleil de l'Italie s'y retrouve à travers des parfums exubérants de fruits rouges parfois marqués par le muscat. En prime, une petite mousse invite à la fête, et tout le monde se regarde dans le miroir... aux fraises, avant d'aller danser ! Une soirée pour rire, chanter et regarder passer les étoiles filantes !

Souper de chasse
(2003)

Pineau des Charentes, Vieille Réserve Ruby 10 ans
Château de Beaulon

Fricassée de pigeons sauvages aux olives
Corbières 1998, Château de Lastours
Cuvée Simone Descamps

Râble de lièvre au genièvre
Cepparello 1997, IGT Toscana
Isole e Olena

Fromages relevés
Pommard 1999, Les Petits Noizons,
Domaine de la Vougeraie

Millefeuille aux fraises des bois
Pineau des Charentes, Vieille Réserve Ruby 10 ans

Pour mettre les chasseurs de bonne humeur, le pineau de 10 ans se pose là! Encore peu souvent considéré comme un grand vin, le corbières, et plus précisément celui de Lastours, allie fruit et charpente; il souligne la chair brune, savoureuse mais tendre du pigeon-ramier. Le cepparello et ses notes épicées apportées par le sangiovese épouse les effluves de la sauce au genièvre, et le pommard élaboré par Pascal Marchand offre un des grands moments du repas. Enfin, retour à la case départ avec le pineau du début, dont les arômes se fondent avec les délicats parfums dégagés par les fraises des bois. Une bonne façon de rappeler aux chasseurs qu'il y a en forêt autre chose à observer que le gibier.

Dîner entre amis... pour le plaisir des champignons sauvages
(2003)

Morilles à la crème au vin jaune
Château-Chalon 1993, Réserve Catherine de Rye,
Henri Maire

Fricassée de cèpes
Merlot, Sonoma 1998, Arrowood Winery

Selle de veau braisée aux pleurotes
Corbières, Terres Rouges 2000,
Château Grand Moulin

Truffes en chocolat et écorces d'oranges confites
Café et Grand Marnier

Pour ce prélude mycologique, les invités se régalent de morilles à la crème, dans laquelle on retrouve le superbe et complexe vin jaune, le même que celui qui est servi au verre. Un grand début qui se continue avec l'excellent merlot californien de cinq ans, riche et souple à souhait, avec une tendance au sous-bois dans le bouquet, ce qui n'est pas pour déplaire aux cèpes. La viande braisée du veau réclame un vin rouge de caractère bien en fruit grâce à sa jeunesse, et le Terres Rouges de Jean-Noël Bousquet en profite pour exhiber ses notes de poivre apportées par la syrah. On fait un petit clin d'œil aux champignons sauvages en offrant au dessert ces truffes accompagnées d'écorces d'oranges enrobées de chocolat. La célèbre liqueur d'oranges amères et de cognac s'associe parfaitement au duo agrumes-cacao. Le café est servi dans la foulée... Un repas qui donne envie d'aller se promener dans les bois, les narines grandes ouvertes!

Repas gastronomique
à saveur bourguignonne
(2004)

Gougères au fromage
Crémant de Bourgogne 2000, Louis Bouillot

Feuilleté de coquilles Saint-Jacques à la nage
Auxey-Duresses Premier Cru 1999, Michel Prunier

Ris de veau à la crème
Meursault-Perrières 1er Cru 1998, Ballot-Millot

Granité au pinot noir

Pigeonneaux aux cèpes et aux girolles
Chambolle-Musigny 1996, Joseph Drouhin

Fromage d'Époisses
Puligny-Montrachet Premier cru Les Referts 1995, Chartron & Trébuchet

Gratin de poires
Café et marc de Bourgogne

Les petits choux au fromage accompagnés d'un crémant léger préparent les esprits et les estomacs. L'auxey-duresses à la belle robe dorée est sec et moelleux à la fois. Idéal pour les coquilles Saint-Jacques en feuilleté. La souplesse et la rondeur du meursault s'associent à la chair et à la texture fine des ris de veau. Une fois qu'on a retrouvé ses esprits avec le granité au pinot noir, les pigeonneaux accompagnés d'une sauce savoureuse aux champignons sauvages nous invitent à servir un vin rouge de grande sève, richement aromatique, charnu et délicat, et prêt à boire. Après une interruption à l'eau minérale, le rendez-vous gastronomique se poursuit, une fois n'est pas coutume, avec un blanc de Puligny puissant, élégant et patiné par le temps. Ce grand millésime souligne de son bouquet évolué la forte personnalité du fromage relevé. Une autre preuve qu'on mange et boit bien en Bourgogne !

Déjeuner d'affaire
(2004)

Saumon fumé
Sancerre 2002, Domaine La Moussière, Alphonse Mellot

Consommé madrilène

Jarret de veau aux pruneaux
Barco Reale di Carmignano 1998, Tenuta di Capezzana

Tarte flambée à l'armagnac
Bas Armagnac 1990, Domaine de Mouchac

Café

Pressé par le temps, même si les affaires sont bonnes, on passe directement à table en se régalant de saumon fumé et d'un sancerre classique, fruité, sec et sauvignonné à souhait, idéal avec le poisson boucané. Puis, après le consommé bien chaud, le délicieux vin toscan, apprécié il y a fort longtemps des Médicis, riche en arômes de fruits mûrs, rond et aux tanins évolués, tapisse la bouche pour mieux recevoir la viande de veau, relevée par la présence des prunes flétries, gorgées de sucre et rôties par le soleil. Enfin, d'une pierre deux coups, l'armagnac millésimé (qui rappelle curieusement en bouche le pruneau) se fait complice de la tarte flambée et met un point final au repas à la suite du café. À n'en point douter, l'affaire sera bientôt conclue !

MENUS D'HIVER

Réveillon de Noël
(2003)

Champagne Brut Blanc de blancs 1993, Dom Ruinart

Huîtres nature
Champagne

Oie farcie
Fratta 1995, Fausto Maculan

Bûche de Noël aux marrons
Rivesaltes Très Vieux, Cuvée Aimé Cazes 1976, Domaine Cazes

Un réveillon de Noël doit se fêter dignement, sans exagérer. C'est ainsi que cette grande cuvée de champagne ouvre le bal en arborant son collier de fines bulles et excite l'appétit avec beaucoup d'élégance. Avec les huîtres servies nature et sans citron, la cuvée Dom Ruinart se prolonge avec classe. L'ambiance est à la fête et, comme cadeau œnologique, le vin italien de Fausto séduit les convives par cette osmose issue de l'assemblage cabernet sauvignon-merlot : puissance, saveurs et rondeur président à cette alliance avec l'oie farcie. Enfin, double dessert pour les gourmands et les gourmets : la bûche s'associe majestueusement avec le sublime rivesaltes, qui charme à lui seul l'assistance de son grenache blanc devenu doré (tirant sur le roux) au fil des ans, aux parfums puissants de miel, d'orange confite, de prune et de tabac. Tout simplement irrésistible... et personne ne veut aller se coucher !

Repas gastronomique
(2003)

Foie gras frais au naturel
Bonnezeaux 1996, Château de Fesles

Escalope de saumon aux moules
Châteauneuf-du-Pape blanc 1999, Château de la Gardine

Granité au marc de Bourgogne

Aiguillette de canard et ses navets confits
Chinon, Clos de l'Olive 1990, Couly-Dutheil

Stilton au porto
Porto Vintage 1994, Quinta do Noval

Gratin de fruits rouges
Champagne Brut Impérial rosé 1996, Moët et Chandon

Pas besoin d'apéritif pour ce délicieux repas, foie gras et bonnezeaux se chargent de faire saliver les convives. Le vin blanc, rare à Châteauneuf, s'associe avec volupté au poisson garni de moules et présenté dans une sauce onctueuse. Le granité au marc de Bourgogne propose une halte santé, puis le chinon passablement âgé joue en finesse, ce qui n'est pas pour déplaire au canard, savoureux mais néanmoins délicat. Le porto, grand seigneur, atténue de son sucre le léger piquant du fromage bleu, dont les veines ont été préalablement et quotidiennement irriguées par le noble nectar. La suite se fait dans les mêmes tons de couleur avec le gratin et le champagne dont la mousse n'aura d'égal que les yeux pétillants des dames. Grands vins et grands plats pour une cause commune !

Soirée en famille
(2003)

Muscadet Sèvre et Maine 2002,
Château du Cléray

Crème d'épinards

Moules marinière
Muscadet Sèvre et Maine

Confit de canard
Cahors 1998, Château de Haute-Serre

Marquise au chocolat
Maury 15 ans d'âge, Mas Amiel

Repos, calme et douces conversations figurent au programme de cette soirée qui débute par le muscadet de mon ami Jean-Ernest Sauvion, rafraîchissant et typique de son appellation (Souvenir d'Éolie). Je passe sur le potage. Puis, le même muscadet revient pour accompagner joliment les moules. Suit un mariage régional de bon aloi entre le canard et cette cuvée cadurcienne de noble lignée. Enfin, on sort du cellier la bouteille de maury entamée la veille, pour finir sur une note chocolatée avant de passer aux jeux de société. Un repas facile à préparer dans l'intimité familiale !

Dîner entre amis, d'inspiration italienne
(2004)

Franciacorta, Ca' del Bosco

Gnocchis à la crème de crevettes
Contessa Entellina, La Fuga 2001, Donnafugata

Tagliatelle alla piemontaise
Barbera d'Alba 1998, Bricco delle Viole, G.D. Vajra

Gorgonzola
Recioto della Valpolicella Classico 2001,
Riserva degli Angeli, Masi

Figues rôties au vin rouge et aux épices
Recioto della Valpolicella

Sans aucun doute un des meilleurs vins effervescents en méthode traditionnelle de l'Italie, ce franciacorta offre une mousse intense et des parfums de chardonnay particulièrement subtils. Le même cépage, cultivé par une excellente maison, en Sicile cette fois-ci, est traité en vin sec. Offrant en bouche une bonne souplesse, il accompagne à merveille la crème de crevettes. La barbera, cépage piémontais qui a fait de grands progrès depuis quelques années, se présente ici avec des arômes floraux et fruités et des tanins moins massifs qu'auparavant. Produit par la sympathique famille Vajra, le vin est suffisamment corsé pour accompagner la sauce à la viande. Un repas italien sans gorgonzola serait presque incomplet. Aussi, dans le même style que le duo roquefort-sauternes, sera-t-il judicieux de servir avec le fromage ce vin rouge opulent issu de raisins passerillés, puis de réserver quelques verres du même flacon pour accompagner le dessert avec beaucoup de sensualité. De la Lombardie à la Vénétie, en passant par la Sicile et le Piémont...

Glossaire

Abboccato : en Italie, vin demi-sec.

Acescence : maladie du vin provoquée par des micro-organismes (vin piqué).

Acidité : ensemble des substances acides présentes dans le vin. Les termes suivants concernent l'acidité dans le vocabulaire de la dégustation.

- **Agressif** : vin ayant une acidité mordante et exaspérante.
- **Frais** : vin assez acide, sans excès.
- **Mou** : qui manque de caractère et de fraîcheur.
- **Nerveux** : qui a du corps et une certaine acidité.
- **Plat** : qui manque d'acidité et de caractère.
- **Très vert** : acidité en excès.
- **Vert** : très forte acidité.
- **Vif** : acidité en équilibre.

Alcool : l'alcool éthylique est le principal alcool du vin. Vocabulaire de la dégustation :

- **Chaud** : vin puissant qui donne une impression de chaleur.
- **Faible** : peu d'alcool, manque de charpente.
- **Généreux** : fort en alcool, bien constitué, corsé.
- **Léger** : vin pauvre en alcool mais plaisant à boire.

Ampélographie : science de la vigne et du raisin.

Ample : qui est très harmonieux, très présent en bouche.

Animale : odeur rappelant celles du monde animal (musc, cuir, venaison, etc.) et que l'on retrouve dans les vieux vins rouges.

Anonyme : rendre une bouteille anonyme, c'est en cacher l'étiquette pour permettre une dégustation sans influence. L'expression « dégustation anonyme » m'apparaît plus justifiée que la sempiternelle « dégustation à l'aveugle ».

Appellation d'origine : une appellation d'origine est non seulement une indication de provenance, mais aussi une dénomination qui suggère une idée d'originalité affirmée par la mise en pratique de certaines méthodes et de certains usages. (Selon la coutume, on applique à un tel produit le nom d'un cépage, d'un cru, d'une ville, d'une province, d'une région.)

Arôme : même si ce mot désigne parfois les sensations olfactives perçues en bouche, il est utilisé dans ce livre comme un terme désignant les odeurs perçues au nez directement. Vocabulaire de la dégustation :

- **Arôme primaire** : arôme du fruit (rappel du cépage).
- **Arôme secondaire** : arôme postfermentaire.
- **Arôme tertiaire ou bouquet** : arôme de vieillissement.

Assemblage : mélange de vins de même origine.

Astringence : caractère de rudesse et d'âpreté causé par un excès de tanin (*voir* « Tanin »).

Ban des vendanges : date officielle du début des vendanges.

Blanc de blancs : mention réservée aux vins blancs issus de raisins blancs uniquement.

Botrytis cinerea : micro-organisme à l'origine de la pourriture du raisin. Si la pourriture grise est combattue, la pourriture noble est souhaitée dans certaines régions, puisqu'elle permet d'élaborer des vins blancs moelleux ou liquoreux.

Capiteux : qui monte à la tête à cause d'une forte teneur en alcool.

Clavelin : bouteille de forme trapue réservée au vin jaune (région du Jura) et dont la capacité est de 62 centilitres.

Cépage : variété de plant de vigne.

Champenoise (méthode) : méthode d'élaboration identique à celle qui est utilisée en Champagne. Aujourd'hui, cette mention est remplacée par la mention « Méthode traditionnelle ».

Chaptalisation : de Jean-Antoine Chaptal, ministre de Napoléon 1er et inventeur de cette méthode. La chaptalisation, ou sucrage, est une opération qui consiste à ajouter du sucre au moût afin d'obtenir un degré d'alcool plus élevé ; elle est réglementée par des lois.

Charnu : tannique et moelleux à la fois.

Charpente : constitution harmonieuse d'un vin, avec prédominance de tanins.

Clos : domaine dont les vignes sont entourées de murs. Parfois, le vignoble dépasse les limites du clos.

Corsé : qui est bien constitué, riche en alcool.

Crémant : vin effervescent élaboré suivant la méthode traditionnelle, mais dont la pression (CO^2) à l'intérieur de la bouteille est plus faible que celle des autres mousseux.

Cru : terme exprimant l'originalité d'une production liée à un lieu géographique. Mot très utilisé dont l'origine vient du verbe croître (XVe siècle).

Douceur : un des aspects gustatifs de l'analyse d'un vin. Vocabulaire de la dégustation :

- **Sec (‹ 4 g/l)** : vin qui donne l'impression de ne pas contenir de sucre.
- **Demi-sec (› 4 ‹ 12 g/l)** : vin qui contient une légère quantité de sucre.
- **Doux (› 12 ‹ 45 g/l)** : vin assez riche en sucre, moelleux (moelleux : › 30 ‹ 45 g/l).
- **Liquoreux (› 45 g/l)** : vin très doux, riche en sucre.

Équilibré : dont les constituants (acidité et moelleux pour les blancs, plus les tanins pour les rouges) sont en parfaite harmonie.

Fermentation (alcoolique) : réaction chimique provoquée par des ferments. Les ferments décomposent les substances organiques (sucres) en des corps simples (alcools), le plus souvent avec dégagement de gaz carbonique et de chaleur.

Fermentation (malolactique) : transformation de l'acide malique en acide lactique et en gaz carbonique. Elle se traduit par une diminution de l'acidité.

Frapper : mettre un vin dans la glace pour le porter à très basse température, ce qui n'est pas toujours recommandé.

Fruité : dont le goût rappelle celui du raisin. Un vin peut être à la fois sec et fruité. (Ne pas confondre avec le mot « sucré ».)

Garde (de) : vin qui possède un bon potentiel de vieillissement.

Gentil : terme alsacien remis au goût du jour, correspondant à un assemblage de cépages nobles. Une sorte d'edelzwicker mais dont le terme est plus facile à retenir.

Gouleyant : de l'ancien français « goule » (pour gueule) : qui coule bien dans la gorge.

Gravelle : cristaux de bitartrate en suspension dans les bouteilles.

Greffage : méthode courante (depuis l'invasion du phylloxéra) qui consiste à fixer sur un porte-greffe résistant le greffon du cépage désiré.

Gris (vin) : vin rosé obtenu en vinifiant des raisins rouges selon la technique s'appliquant aux vins blancs.

Habillage : conditionnement. Habiller une bouteille, c'est lui coller son étiquette, sa collerette, éventuellement sa contre-étiquette, et poser la capsule.

Horizontale : se dit d'une dégustation comparative de vins différents partageant des points communs (soit le millésime, l'origine, le type, le mode d'élaboration, etc.).

Léger : se dit d'un vin peu corsé mais agréable et équilibré, qui doit généralement être bu jeune.

Limpidité : un des aspects visuels de l'analyse du vin. Vocabulaire de la dégustation :

- **Trouble** : manque de limpidité, brouillé ; contient des particules en suspension.
- **Louche** : ni limpide ni brillant ; qui n'a pas un ton franc.
- **Voilé** : couleur qui n'est pas franche.
- **Limpide** : clair, transparent.
- **Brillant** : très belle limpidité.
- **Cristallin** : transparence parfaite et lumineuse.

Longueur : intensité de persistance des arômes de bouche juste après avoir avalé le vin. Parlant de secondes, on utilise aussi le terme « caudalies ». Vocabulaire relatif à la longueur :

- **Court** : une ou deux secondes.
- **Moyen** : trois ou quatre secondes.
- **Long** : cinq ou six secondes.
- **Très long** : sept à dix secondes.

Madérisé : se dit d'un vin blanc qui, en vieillissant, prend une teinte ambrée. Ce terme, à mon avis péjoratif pour le grand vin de Madère, ne devrait plus être utilisé. Le terme « oxydé » serait plus pertinent.

Marc : matières solides du raisin comportant une part de jus.

Mildiou : maladie des organes verts de la vigne.

Millésime : année de la récolte du raisin.

Minéral (e) : analogie, tant au nez qu'en bouche, se rapportant à des minéraux et à certaines roches (craie, silice, schiste, tuffeau, etc.) que l'on peut faire en dégustation.

Moelleux : un des aspects gustatifs de l'analyse d'un vin. Peut qualifier un vin blanc doux. Se dit aussi d'un vin gras, souple et peu acide. S'applique aux vins blancs comme aux vins rouges. Vocabulaire de la dégustation :

- **Desséché** : manque total de rondeur.
- **Dur** : manque de souplesse ; excès d'acide tartrique.
- **Ferme** : manque de souplesse.
- **Fondu** : harmonie entre les constituants.
- **Rond** : moelleux, assez riche en alcool.
- **Gras** : charnu, corsé, riche en alcool et en glycérol.
- **Onctueux** : sensation grasse, très riche en glycérol.
- **Pâteux** : excès de gras, déséquilibré.
- **Moût** : jus de raisin frais avant la fermentation.

Œnologie : science qui traite du vin, de sa préparation, de sa conservation et des éléments qui le constituent.

Œnologue : personne titulaire d'un diplôme d'œnologie. Technicien qualifié dans les opérations d'élaboration et de conservation des vins.

Œnophile : personne qui apprécie et connaît les vins (amateur).

Organoleptique : terme créé au XIXe siècle pour qualifier les caractères perçus par les organes des sens.

Oxydation : résultat de l'action de l'oxygène de l'air sur le vin. Elle peut se traduire par une modification de la couleur et du bouquet.

Pasteurisation : procédé qui a pour but d'empêcher ou d'arrêter, par le chauffage, le développement des micro-organismes que contient le vin (levures et surtout ferments de maladies). C'est un moyen de stabiliser biologiquement les vins.

Phylloxéra : puceron qui détruisit la vigne à partir de 1865. Ce parasite s'attaque aux racines de la vigne.

Pierre à fusil : terme qui désigne l'odeur d'un vin évoquant des silex qui viennent de produire des étincelles.

Piqué : se dit d'un vin atteint d'acescence (*voir* « Acescence »). Cela se traduit par une forte odeur aigre.

Pourriture noble : *voir « Botrytis cinerea »*.

Rancio : terme qui désigne un vin doux naturel ayant subi un vieillissement particulier en fût. Les bouquets qui résultent de cette oxydation recherchée sont nobles et très complexes (odeur balsamique de confit avancé et de surmûri).

Riche : se dit d'un vin généreux, puissant et équilibré.

Robe : désigne la couleur d'un vin et son aspect visuel en général.

Sommelier : la sommellerie est une magnifique profession qui exige une grande connaissance des vins et des spiritueux. À ne pas confondre avec œnologue ou œnophile. (Le sommelier travaille généralement dans un restaurant.)

Souple : se dit d'un vin coulant et dont le moelleux est plus élevé.

Soyeux : qui est velouté, équilibré et élégant.

Structure : charpente du vin (*voir* « Charpente »).

Tanin : le tanin est un élément de la saveur par son astringence particulière. Il donne une charpente aux vins rouges et subit, dans le vin, des modifications chimiques qui contribuent au vieillissement. Le tanin provient des pellicules, des rafles et des pépins du raisin ; il se libère pendant la fermentation. Vocabulaire de la dégustation :

- **Informe** : manque total de tanin.
- **Gouleyant** : léger et agréable, se laisse boire facilement.
- **Coulant** : présence discrète de tanin.
- **Tannique** : présence marquée de tanin.
- **Rude** : quantité de tanin à la limite de l'équilibre.
- **Âpre** : rudesse apportée par un excès de tanin.
- **Astringent** : excès de tanin ; vin trop jeune.

Traditionnelle (méthode) : mention remplaçant désormais le mot « champenoise » (*voir* « Champenoise (méthode) ».

Tranquille : désigne un vin non effervescent.

Typicité : caractère typique d'un vin, qualité de ce qui est typique. Terme (accepté depuis peu) habituellement relié au sol, au cépage, au terroir, au microclimat et à la personnalité d'un vin.

VDN : vin doux naturel obtenu par ajout d'alcool dans le jus en fermentation, dans une proportion de 5 à 10 p. 100 du volume traité.

Verticale : se dit d'une dégustation comparative d'un même vin de millésimes différents.

Vineux : caractère d'un vin corsé, séveux et fruité.

Vinicole : qui a rapport à la production du vin.

Vinification : ensemble des procédés utilisés pour transformer le moût de raisin en vin.

Viticole : qui est relatif à la culture de la vigne.

Bibliographie

BRILLAT-SAVARIN. *Physiologie du goût*, Paris, Flammarion, 1982, 399 p.

BRUNET, Paul. *Le vin et les vins au restaurant*, Clichy, BPI, 2001, 415 p.

Le vin et les vins étrangers, Clichy, BPI, 2004, 368 p.

DESJARDINS, Anne. *Les 4 saisons selon Anne Desjardins*, Trécarré, Montréal, 2003, 192 p.

DUBS, Serge. *Les grands crus d'Alsace*, Metz, Serpenoise, 2002, 288 p.

ENJALBERT, H. et B. *L'histoire de la vigne et du vin*, Paris, Bordas, 1987, 222 p.

GODBOUT, Laurent. *Chef Chez L'Épicier*, Montréal, Les Éditions de l'Homme, 2003, 147 p.

GRAPPE, Jean-Paul. *Poissons, mollusques et crustacés*, Montréal, Les Éditions de l'Homme, 1997, 382 p.

Gibier à poil et à plume, Montréal, Les Éditions de l'Homme, 2002, 423 p.

Basilic, thym, coriandre et autres herbes, Montréal, Les Éditions de l'Homme, 2003, 152 p.

GUILLEMARD, Colette. *Les mots d'origine gourmande*, Paris, Belin, 1986, 271 p.

MOLLÉ, Philippe. *Les passions gourmandes*, Montréal, Les Éditions de l'Homme, 1995, 204 p.

Le cochon à son meilleur, Montréal, Les Éditions de l'Homme, 1999, 238 p.

ORHON, Jacques. *Harmonisez vins et mets*, Montréal, Les Éditions de l'Homme, 1994, 335 p.

Le guide des accords vins et mets, Montréal, Les Éditions de l'Homme, 1997, 190 p.

Mieux connaître les vins du monde, Montréal, Les Éditions de l'Homme, 2000, 398 p.

Le nouveau guide des vins de France, Montréal, Les Éditions de l'Homme, 2001, 413 p.

Le nouveau guide des vins d'Italie, Montréal, Les Éditions de l'Homme, 2002, 450 p.

PEYNAUD, Émile. *Le goût du vin*, Paris, Bordas/Dunod, 239 p.

PUISAIS, Jacques. *Le goût juste*, Paris, Flammarion, 1985, 258 p.

SAINT-ROCHE, Christian. *La bible du goût et des mots du vin*, Cergy, Goûts et Images, 2003, 253 p.

SOULARD, Jean. *Jean Soulard naturellement*, Québec, 2001.

VÉZINA, Daniel. *Ma route des saveurs au Québec*, Québec, 2001, 126 p.

Index des mets et des recettes

Les numéros de pages en italique renvoient aux photographies des recettes publiées dans ce livre.

Index des vins

Table des matières

Achevé d'imprimer au Canada
en septembre 2004
sur les presses des imprimeries Transcontinental Inc.